le livre des prénoms

Motifs: maisongeorgette
Mise en pages: Frédéric Voisin

FLORENCE LE BRAS

le livre des prénoms

10 000 prénoms, du plus classique au plus original

MARABOUT

A

(filles)

Adélaïde

Fête le 16 décembre.
Prénom d'origine germanique, dérivé de Adèle.

- **Étymologie** : vient de *adal* : noble.
- **Symbolique** : 5 - bleu - Taureau - saphir.
- **Caractère** : éprise d'aventure et curieuse, Adélaïde déteste la routine et s'adapte facilement à toutes les situations. Elle séduit par sa vivacité et son humour, et recherche volontiers les émotions fortes et les expériences originales.

Prénom répandu au 18e, au 19e siècle et depuis les années 1980.

- **Prénoms français associés** : Alaïs et Alaïdo (provencaux) - Aleyde - Alice* - Aliette - Alix* - Alise.
- **Prénoms étrangers associés** : Aalis - Adalaïs - Adalaisia - Adalasia - Ada - Adda - Adelheid - Adina - Aelis - Aïda - Ailie - Aleys - Alicia - Aliocha - Alis - Alison - Alissa - Alisson - Allisson - Azalaïs.

Sainte Adélaïde, fille de Rodolphe II, roi de Bourgogne naît en 931. Célèbre pour sa grâce et sa beauté, elle épouse à 17 ans le roi d'Italie, Lothaire II, qui meurt deux ans plus tard. Elle s'allie à l'empereur d'Allemagne Othon le Grand, pour lutter contre Béranger, un usurpateur qui menace son trône. Elle épouse Othon en 951. Mais l'empereur meurt peu après. Adélaïde assure la régence pendant la minorité de son fils ; hélas, il meurt en 978. Voici Adélaïde à nouveau régente jusqu'à la majorité de son petit-fils. Elle se retire ensuite au monastère de Seltz, qu'elle a fondé et se met au service des pauvres. Elle y meurt en 999.

Personnages célèbres : les reines Adélaïde d'Anjou et Adélaïde d'Aquitaine.

Adèle

Fête le 24 septembre.
Prénom d'origine germanique.

- **Étymologie** : vient de *adal* : noble.
- **Symbolique** : 9 - bleu - Taureau - saphir.
- **Caractère** : sensible, émotive, Adèle s'épanouit dans un cadre familial et affectif sécurisant ; elle est attirée par l'originalité, la nouveauté, et s'investit avec courage et détermination lorsqu'elle a trouvé sa voie.

Prénom à la mode au 19e siècle, qui réapparaît depuis 1990.

- **Prénoms français associés** : Adélaïde* - Adélie - Adeline* - Adelise - Alice* - Alix*.
- **Prénoms étrangers associés** : Adela - Adelais - Adelia - Adelice - Adelita - Adeliza - Adilia - Alda - Aldona - Aleyde - Alisson - Alida - Ethel - Heidi.

Sainte Adèle est la fille du roi Dagobert II qui règne sur l'Austrasie au 7e siècle. Après son veuvage, elle se retire dans un monastère près de Trèves, se consacre à l'éducation de son petit-fils, aux œuvres charitables, et meurt en 754.

Personnage célèbre : la reine Adèle de Champagne.

Adeline

Fête le 20 octobre.

Prénom d'origine germanique, dérivé de Adèle.

- **Étymologie** : vient de *adal* : noble.
- **Symbolique** : 5 - vert - Cancer - émeraude.
- **Caractère** : affectueuse et sensible, Adeline apprécie la chaleur et la sécurité du foyer familial, et possède un sens très aigu de l'amitié. Mais elle aime aussi les changements, les voyages, l'aventure, pourvu qu'elle ne s'éloigne pas trop de ses attaches.

Prénom en faveur dans les années 1970.

- **Prénoms français associés** : Adelin - Adelinde - Aidelinde - Aideline - Aline* - Édeline - Line*.
- **Prénoms étrangers associés** : Adelina - Adelinda - Aidelina - Aidelinda - Alida - Alina - Alinda - Della - Lina - Linda.

Sainte Adeline est la première abbesse du monastère des Dames Blanches, au début du 12e siècle, en Normandie.

Adrienne

Fête le 8 septembre.
Prénom d'origine latine, dérivé de Adrien.

- **Étymologie** : vient de *adrianos* : originaire d'Adria.
- **Symbolique** : 7 - bleu - Verseau - saphir.
- **Caractère** : curieuse, mais discrète et réservée, Adrienne apprécie la réflexion et l'étude. Lorsqu'elle se sent en confiance, elle excelle dans le travail en équipe, car elle est disponible, souriante et serviable. Elle cherche toujours à privilégier sa vie affective et familiale.

Prénom en vogue au début du 20e siècle.

Saint Adrien* est le patron d'Adrienne.

Aénor

Fête le 25 juin.
Prénom d'origine grecque, forme bretonne d'Éléonore*.

- **Étymologie** : vient de *eleos* : compassion.
- **Symbolique** : 8 - orange - Verseau - topaze.
- **Caractère** : sûre d'elle, franche et opiniâtre, Aénor affiche une farouche volonté ; son dynamisme et son goût prononcé de l'originalité la poussent à rechercher la nouveauté.

Prénom rare.

- **Prénoms associés** : Aanor - Aliénor - Élianor - Liénor - Nora - Noreen - Noriane.

Sainte Éléonore* est la protectrice d'Aenor.

Agathe

Fête le 5 février.
Prénom d'origine grecque.

- **Étymologie** : vient de *agathos* : bon.
- **Symbolique** : 6 - violet - Taureau - améthyste.
- **Caractère** : douce et sensible, Agathe est réservée, mais altruiste et séductrice, elle s'intéresse beaucoup à son entourage. Malgré un fort attachement à sa famille, elle se montre indépendante, ambitieuse et déterminée.

Prénom rare jusqu'au 19e siècle, à la mode depuis 1970.

- **Prénom français associé** : Agueto (provençal).
- **Prénoms étrangers associés** : Agace - Agacia - Agatha - Agatho - Agathon - Aggie - Gata.

Sainte Agathe vit en Sicile au pied de l'Etna au 3e siècle. Elle est si jolie que Quintinius, le préfet romain, tombe amoureux d'elle. Mais Agathe est chrétienne et refuse les avances de ce païen cruel et débauché. Il tente de la violer mais parvient à le repousser. Il exige qu'elle renie son dieu, qu'elle lui cède et la menace de mille tourments. Agathe résiste toujours. Après avoir eu les seins tranchés, elle meurt sous la torture.

Personnage célèbre : la romancière Agatha Christie.

Aglaé

Fête le 14 mai.
Prénom d'origine grecque.

- **Étymologie** : vient de *aglaïa* : rayonnante de beauté.
- **Symbolique** : 8 - orange - Taureau - topaze.
- **Caractère** : entreprenante, active, Aglaé aime diriger. Elle recherche l'admiration, et y réussit fort bien grâce à sa distinction, son courage et sa vivacité d'esprit. Elle est exigeante, sélective et manque parfois un peu de tolérance à l'égard de ceux qui n'ont pas sa forte personnalité.

Prénom rare.

- **Prénoms associés** : Aglaéa - Aglaïa - Aglaïane.

Sainte Aglaé vit à Rome au début du 4e siècle ; jeune veuve jolie et fortunée, elle est la maîtresse de son intendant, Boniface. Elle se convertit au christianisme, et persuade son amoureux de se faire baptiser lui aussi. Il est arrêté et décapité. Aglaé fait élever un sanctuaire pour y déposer les reliques de Boniface, affranchit ses esclaves, vend la plus grande partie de ses biens, et fait l'aumôme aux pauvres jusqu'à la fin de sa vie.

Agnès

Fête le 21 janvier.
Prénom d'origine grecque.

• **Étymologie** : vient de *agnê* : chaste.

• **Symbolique** : 1 - vert - Poissons - émeraude.

• **Caractère** : sociable mais discrète, Agnès a un fort ascendant sur son entourage. Son élégance et sa distinction naturelles lui valent le respect. Réfléchie mais énergique, elle a un sens aigu des responsabilités, et s'épanouit dans la réussite professionnelle qui la rassure.

Prénom classique, à l'honneur au Moyen Âge et jusqu'au 19e siècle ; Inès lui est préféré aujourd'hui.

• **Prénoms français associés** : Agnan - Agnel - Agnelle - Aniel - Anielle - Oanel et Oanig (bretons).

• **Prénoms étrangers associés** : Agnella - Agnello - Aïna - Aniella - Anisa - Anise - Aïssa - Inès* - Nessie.

Sainte Agnès est une jeune chrétienne qui vit à Rome sous l'empereur Dioclétien. Elle a 13 ans et sa beauté lui attire plus d'un soupirant. Le fils du préfet Symphorius en tombe amoureux, et lui déclare sa flamme. Agnès doit choisir : soit elle se donne à lui, soit elle se consacre au culte de la déesse Vesta, soit elle est livrée à la prostitution. Agnès repousse cet impie, et refuse d'adorer un dieu païen. Elle est donc conduite au lupanar. Mais tous ceux qui l'approchent sont foudroyés. Agnès est accusée de sorcellerie et brûlée vive.

Personnage célèbre : Agnès Sorel, favorite du roi Charles VII.

Aimée

Fête le 20 février.
Prénom d'origine latine,
dérivé de Aimé.

• **Étymologie** : vient de *amatus* : aimé.

• **Symbolique** : 6 - vert - Gémeaux - émeraude.

• **Caractère** : charmeuse et sentimentale, émotive et coquette, Aimée porte bien son prénom ; elle apprécie avant tout l'affection de sa famille et de ses amis ; elle a besoin de cette sécurité pour être heureuse et s'investit davantage dans son foyer que dans la vie professionnelle.

• Prénom rare aujourd'hui.

• **Prénoms français associés** : Acmée - Aimie - Amabilis - Amabylis - Amée - Amicie - Amie.

• **Prénoms étrangers associés** : Acma - Almeda - Alma - Amada - Amata - Amaya - Amma - Ammie - Amy - Aziza - Mia*.

Sainte Aimée est une jolie jeune fille qui mène une vie mondaine au 13e siècle, à Assise en Italie. Elle rend visite, un après-midi, à sa tante, sainte Claire, fondatrice de l'ordre des clarisses. Soudain touchée par la grâce, elle décide de renoncer aux plaisirs de ce monde et de se consacrer à l'ascèse et à la prière.

Albane

Fête le 22 juin.

Prénom d'origine latine, dérivé de Alban.

• **Étymologie** : vient de *albus* : blanc.

• **Symbolique** : 8 - blanc - Gémeaux - aigue-marine.

• **Caractère** : vive et enjouée, Albane est peu attirée par les activités domestiques ; elle préfère consacrer sa fougue et sa puissance de travail à sa vie personnelle et professionnelle. Attirée par le luxe et la réussite, elle n'accepte ni l'échec ni la médiocrité.

Prénom rare jusqu'en 1990.

Saint Alban* est le patron de Albane.

Alberte

Fête le 15 novembre.

Prénom d'origine germanique, dérivé de Albert.

• **Étymologie** : vient de *al* : tout et *behrt* : illustre.

• **Symbolique** : 9 - bleu - Capricorne - saphir.

• **Caractère** : émotive et sensible, Alberte craint l'agressivité et se renferme sur elle-même à la moindre difficulté. Elle est intelligente, et apprécie la solitude qui lui permet de réfléchir et d'étudier à son aise. Mais, affectueuse et extravertie, elle s'attire de nombreuses amitiés.

Prénom rare.

Saint Albert* est le patron de Alberte.

Albertine

Fête le 15 novembre.

Prénom d'origine germanique, dérivé de Albert.

• **Étymologie** : vient de *al* : tout et *behrt* : illustre.

• **Symbolique** : 5 - bleu - Poissons - saphir.

• **Caractère** : sociable, féminine, Albertine charme son monde et le surprend, car elle adore le changement, et la fantaisie. Infiniment mobile et adaptable, elle papillonne, mais elle est cependant capable d'une grande persévérance si son travail la passionne.

Prénom répandu au 19e siècle, devenu rare.

Saint Albert* est le patron d'Albertine.

Personnage célèbre : la romancière Albertine Sarrazin.

Alexandra

Fête le 20 mars.
Prénom d'origine grecque,
dérivé de Alexandre.

• **Étymologie** : vient de *alexein* : repousser et *andros* : homme.

• **Symbolique** : 8 - bleu - Bélier - saphir.

• **Caractère** : courageuse, déterminée, impatiente, Alexandra est une combative qui redoute les échecs. Aussi se donne-t-elle les moyens de réussir ; elle est franche, directe, travailleuse et ne ménage pas ses efforts pour atteindre ses buts. Elle est cependant sensible et apprécie l'affection des siens.

Prénom à l'honneur de 1970 à 1990.

• **Prénoms français associés** : Alexandrine - Sandrine*.

• **Prénoms étrangers associés** : Alessandra - Alessandria - Alexandria - Alexandrina - Lissandra - Lysandra - Lysandrea - Sasha - Sascha - Sachenka - Sandie - Sandra - Sandy.

Sainte Alexandra est une jeune chrétienne, en Asie Mineure, au 4e siècle : les persécutions de l'empereur Maximin sévissent. Dénoncée, elle est sommée d'abjurer, mais elle refuse. Elle meurt sous la torture avec cinq autres jeunes filles.

Personnages célèbres : Alexandra Fedorovna, la dernière tsarine de Russie, et l'écrivain Alexandra Lapierre.

Alexia

Fête le 17 février.
Prénom d'origine grecque,
dérivé de Alexis.

• **Étymologie** : vient de *alexein* : repousser.

• **Symbolique** : 7 - Cancer - rouge - rubis.

• **Caractère** : réservée, réfléchie, Alexia a le goût de l'analyse. Elle est critique, élitiste, mais recherche avant tout la tranquillité pour se livrer à l'étude.

Prénom très en vogue depuis 1990.

Saint Alexis* est son patron.

Alice

Fête le 9 janvier.
Prénom d'origine germanique,
dérivé de Adèle.

• **Étymologie** : vient de *adal* : noble.

• **Symbolique** : 3 - jaune - Gémeaux - topaze.

• **Caractère** : esprit critique, plume alerte, verbe haut, Alice est dotée de tous les talents de la communication ; elle manifeste une vivacité et un esprit de répartie qui la tire de tous les embarras. Intuitive, elle est attirée par la créativité.

Prénom à la mode depuis 1980.

• **Prénoms français associés** : Aliette - Alix* - Alizé*.

• **Prénoms étrangers associés** : Alicia - Alison - Alissa - Alisson - Alizon.

Sainte Adèle* ou sainte Alix* est la patronne de Alice.

Aliénor

Fête le 25 juin.
Prénom d'origine grecque,
dérivé de Éléonore.

• **Étymologie** : vient de *éléos* : compassion.

• **Symbolique** : 2 - rouge - Bélier - rubis.

• **Caractère** : charmeuse mais combative, conciliante mais énergique, Aliénor fait preuve d'une grande force morale, malgré des apparences fragiles. Vive et spontanée, elle est une femme d'action parfois autoritaire, souvent opportuniste.

Prénom médiéval à l'honneur depuis 1980.

Sainte Éléonore* est la patronne d'Aliénor.

Personnage célèbre : la reine Aliénor d'Aquitaine.

Aline

Fête le 20 octobre.
Prénom d'origine germanique,
dérivé de Adeline.

• **Étymologie** : vient de *adal* : noble.

• **Symbolique** : 5 - vert - Cancer - émeraude.

• **Caractère** : curieuse et dynamique, Aline aime le changement et n'est pas faite pour une vie casanière. Elle redoute la routine, affirme son indépendance mais recherche cependant la sécurité affective.

Prénom répandu au début du 20e siècle, rare depuis 1960.

Sainte Adeline* est la patronne d'Aline.

Alix

Fête le 9 janvier.
Prénom d'origine germanique,
dérivé de Adèle.

• **Étymologie** : vient de *adal* : noble.

• **Symbolique** : 1 - bleu - Cancer - saphir.

• **Caractère** : volontaire et opiniâtre, Alix manifeste dès son plus jeune âge un fort esprit d'indépendance. Elle veut mener sa vie comme elle l'entend et le clame haut et fort, mais sa loyauté et sa franchise font oublier ses excès d'autorité.

Prénom en vogue depuis 1980.

Sainte Alix Le Clerc naît à Remiremont, dans les Vosges, en 1576, dans une famille aisée. Elle entre dans les ordres et, encouragée par le curé de Mattaincourt, Pierre Fournier, se consacre à l'enseignement des jeunes filles pauvres. Elle fonde en 1597 la congrégation de Notre-Dame, en dépit de la réticence de l'abbé de Toul. Son œuvre pédagogique se répand très vite, et les écoles se multiplient. Elle meurt à Nancy en 1622.

Alizé

Fête le 9 janvier.
Prénom d'origine germanique, dérivé de Alice.

• **Étymologie** : les puristes pensent que ce prénom vient de *adal* : noble ; d'autres, plus poètes, préfèrent trouver son origine... dans *l'Alizé*, ce vent léger et régulier qui souffle sur la plus grande partie de la planète.

• **Symbolique** : 4 - bleu - Taureau - saphir.

• **Caractère** : timide et émotive, Alizé recherche avant tout la sécurité affective ; discrète, elle préfère travailler dans l'ombre plutôt que d'affronter la société, mais redoute la solitude ; il lui faut des amitiés sûres pour être épanouie.

Prénom rare qui se développe depuis 1990.

Sainte Adèle* ou sainte Alix* est la patronne d'Alizé.

Amanda

Fête le 9 juillet.
Prénom d'origine latine, dérivé de Amand.

• **Étymologie** : vient de *amans* : amoureux.

• **Symbolique** : 7 - orange - Cancer - topaze.

• **Caractère** : réfléchie, intellectuelle, Amanda a un esprit critique percutant. Elle est curieuse, et se plonge dans l'étude avec délices, ce qui ne l'empêche pas d'aimer s'échapper de ses livres pour s'amuser. Si elle se sent menacée, elle a tendance à se replier sur elle-même.

Prénom assez répandu dans les pays anglo-saxons depuis les années 1950.

Sainte Amandine* est la patronne d'Amanda.

Amandine

Fête le 9 juillet.
Prénom d'origine latine, dérivé de Amand.

• **Étymologie** : vient de *amans* : amoureux.

• **Symbolique** : 7 - orange - Vierge - topaze.

• **Caractère** : secrète pour ne pas dire mystérieuse, Amandine est une femme qui a un profond sens de l'analyse ; elle se remet souvent en question, non sans inquiétude. Intuitive et réfléchie, elle ne laisse rien au hasard, se montre élitiste, et exigeante dans sa vie privée comme dans sa vie professionnelle.

Prénom en faveur dans les années 1970.

Sainte Amandine est une franciscaine d'origine belge. Partie en Chine pour évangéliser le pays, elle enchante son entourage par sa bonne humeur et sa piété ; elle est massacrée par les Boxers avec plusieurs autres missionnaires en 1900. Elle vient d'avoir 28 ans.

Amaryllis

Fête le 5 octobre.
Prénom d'origine grecque.

• **Étymologie** : vient du nom d'une plante bulbeuse vivace odorante appelée aussi *lys Saint-Jacques*.

• **Symbolique** : 2 - Sagittaire - rouge - rubis.

• **Caractère** : active, dynamique, Amarillys apprécie les contacts, les relations, et recherche les associations ; elle est cependant assez dominatrice, et il lui faut faire de gros efforts de diplomatie pour éviter les conflits.
Prénom rare.

Sainte Fleur, religieuse au service des malades, dans le Quercy au 14e siècle, est la patronne d'Amarillys.

Ambre

Fête le 7 décembre.
Prénom d'origine grecque,
dérivé de Ambroise*.

• **Étymologie** : vient de *brotos* : immortel.

• **Symbolique** : 9 - jaune - Lion - topaze.

• **Caractère** : vive, spontanée, enjouée, spitituelle, Ambre est tout feu tout flamme. Ses talents oratoires viennent à bout de toutes les résistances, et son charme achève de conquérir ses plus farouches adversaires. Son imagination fertile la prédispose aux carrières artistiques.

Prénom à la mode depuis 1990.

• **Prénom étranger associé** : Amber.

Saint Ambroise* est son patron.

Amélie

Fête le 19 septembre.
Prénom d'origine latine,
dérivé d'Émile.

• **Étymologie** : vient de *aemulus* : émule.

• **Symbolique** : 9 - violet - Cancer - améthyste.

• **Caractère** : discrète, presque secrète, Amélie tient à préserver son intimité ; pourtant, elle préfère la compagnie à la solitude ; elle sait d'ailleurs se faire aimer grâce à sa gentillesse, mais choisit ses amis avec discernement.

Prénom en vogue au 19e siècle qui revient dans les années 1980.

• **Prénoms français associés** : Amalie - Améliane - Améliette - Ameline - Amelot.

• **Prénoms étrangers associés** : Alia - Ama - Amalia - Amelha - Amélia - Amelina - Amelis - Mélia - Mélie - Mélina.

Sainte Amélie, jeune chrétienne, vit à Lyon au 2e siècle. Elle est dénoncée, arrêtée, et livrée aux lions avec ses compagnons de geôle, sainte Blandine et saint Pothin en 177.

Anaïs

Fête le 26 juillet.

Prénom d'origine hébraïque, dérivé de Anne.

• **Étymologie** : vient de *hannah* : grâce.

• **Symbolique** : 8 - bleu - Bélier - saphir.

• **Caractère** : énergique et combative, Anaïs est une maitresse-femme ; son goût prononcé pour les responsabilités ne nuit en rien à son charme et à sa féminité qui font pardonner sa franchise parfois un peu brutale.

Prénom répandu depuis 1980.

Sainte Anne* est la patronne d'Anaïs.

Angèle

Fête le 27 janvier.

Prénom d'origine grecque, dérivé de Ange.

• **Étymologie** : vient de *eggelos* : messager.

• **Symbolique** : 8 - violet - Taureau - améthyste.

• **Caractère** : entreprenante et ambitieuse, Angèle ne manque pas de courage pour atteindre les buts qu'elle s'est fixés, mais elle refuse les compromis. Elle a un caractère entier, et si elle manque parfois de diplomatie, elle est loyale et généreuse envers ceux qu'elle aime.

Prénom en usage au début du 20e siècle, un peu oublié aujourd'hui.

• **Prénoms français associés** : Aela, Aella et Aelle (bretons) - Angeline - Angélique* - Angelouno (provençal).

• **Prénoms étrangers associés** : Angela - Angelica - Angelina - Angie - Angiola - Angy - Ania - Aniela - Anja.

Sainte Angèle Merici entre en religion à 15 ans à Brescia, et se dévoue au service des pauvres. Avec quelques amies, elle fonde, en 1529, l'ordre des Ursulines, sous la protection de sainte Ursule, destiné à l'éducation des jeunes filles et en devient la première abbesse. Elle meurt cinq ans plus tard.

Angélique

Fête le 17 juillet.

Prénom d'origine grecque, dérivé de Ange.

• **Étymologie** : vient de *eggelos* : messager.

- **Symbolique** : 1 - vert - Balance - émeraude.
- **Caractère** : vive et charmeuse, Angélique a un esprit de répartie qui surprend et enchante les siens. Intrépide, elle aime l'aventure, le risque, et sait s'adapter aux situations même les plus périlleuses. Son dynamisme exacerbé se traduit parfois par l'impatience et l'insolence.

Prénom à l'honneur aux 18e et 19e siècles, devenu assez rare.

- **Prénom associé** : Angélica.

Sainte Angélique Rousset est l'une des 16 carmélites du couvent de Compiègne condamnées à mort en 1794 par la Terreur. Elles montent à l'échafaud en chantant le *Salve Regina*.

Annabelle

Fête le 26 juillet.
Prénom d'origine hébraïque, dérivé de Anne.

- **Étymologie** : vient de *hannah* : grâce.
- **Symbolique** : 3 - vert - Vierge - émeraude.
- **Caractère** : sympathique et communicative, Annabelle a de grandes facilités d'expression ; elle séduit grâce à sa gentillesse et sa fantaisie, mais redoute les efforts et la rigueur.

Prénom peu répandu.

Sainte Anne* est la patronne d'Annabelle.

Anne

Fête le 26 juillet.
Prénom d'origine hébraïque.

- **Étymologie** : vient de *hannah* : grâce.
- **Symbolique** : 7 - bleu - Cancer - saphir.
- **Caractère** : fière et discrète, Anne en impose par son élégance. Très influencée par l'empreinte familiale, elle privilégie son foyer qu'elle gère avec rigueur. Elle est intuitive, volontaire et réfléchie, apprécie l'excellence et ne laisse rien au hasard dans sa vie.

Prénom intemporel, qui se combine avec bonheur avec d'autres prénoms : Anne-Marie, grand classique, mais aussi Anne-Sophie, Anne-Charlotte…

- **Prénoms français associés** : Anaëlle (breton) - Anaïs* - Anita - Anna - Annabelle* - Annaïg et Annaïk (bretons) - Annequin - Annet - Anneto (provençal) - Annette - Annia - Annick* - Annie - Annon - Anouck - Anouk - Annouck - Ano (provençal) - Hannah - Naïs - Nana - Nanette - Ninette - Ninon.
- **Prénoms étrangers associés** : Aénéas - Ana - Anarella - Aneta - Anke - Anegret - Annabella - Annalise - Annetta - Annetto - Anny - Anouchka - Anouta - Antje - Aunchen - Nancy - Netty.

Sainte Anne est l'épouse de saint Joachim qui est un brave homme. Mais elle est malheureuse car son mariage est stérile. Les époux multiplient jeûnes et prières. Un jour, un ange apparaît à Anne et l'avertit qu'elle enfanterait prochainement. Anne a plus de 40 ans, pourtant. Neuf mois plus tard, elle met au monde Marie, qui deviendra la mère de Jésus.

Personnages célèbres : la reine Anne de Bretagne, les écrivains Anne Brontë, Anne Franck, Anna de Noailles.

Annick

Fête le 26 juillet.
Prénom d'origine hébraïque, dérivé de Anne.

- **Étymologie** : vient de *hannah* : grâce.
- **Symbolique** : 7 - rouge - Vierge - rubis.
- **Caractère** : raffinée et exigeante, Annick attache une grande importance à la qualité, qualité de ses relations comme de sa vie matérielle. Elle s'adapte difficilement aux changements et préfère une certaine rigueur. Sélective dans ses contacts, elle ne craint pas la solitude.

Prénom en faveur dans les années 1950, qui a presque disparu, au profit de Anaïs et Hannah.

Sainte Anne* est la patronne d'Annick.

Apolline

Fête le 9 février.
Prénom d'origine grecque, dérivé de Apollinaire.

- **Étymologie** : vient de *apollonios* : relatif à Apollon.
- **Symbolique** : 3 - bleu - Capricorne - saphir.
- **Caractère** : réservée et prudente, Apolline a besoin de se sentir en sécurité pour s'épanouir ; elle devient alors communicative et enjouée. Intelligente, elle est dotée d'un esprit critique aigu et d'une curiosité insatiable.

Prénom rare.

Sainte Apolline est religieuse à Alexandrie en Égypte au 3e siècle ; elle est déjà très âgée lorsqu'elle est arrêtée et sommée de renier sa foi.

Apolline refuse : elle est lapidée et flagellée. Les dents et la machoire brisées, elle se jette dans le bûcher que ses bourreaux préparent pour elle.

Ariane

Fête le 18 septembre.
Prénom d'origine grecque.

- **Étymologie** : vient de *Ariadnê* : Ariane, déesse de la mythologie.
- **Symbolique** : 3 - bleu - Sagittaire - saphir.
- **Caractère** : charmeuse, sociable, communicative, Ariane a de grandes facilités d'expression, mais elle se méfie des désillusions, aussi garde-t-elle une certaine réserve. Elle recherche un climat de sta-

bilité affective, mais indépendante, elle apprécie la fantaisie.

Prénom peu courant.

- **Autre orthographe** : Arianne.
- **Prénom français associé** : Ariadne.
- **Prénoms étrangers associés** : Ariadna - Ariana - Arianna.

Sainte Ariane est esclave, en Asie Mineure au 3e siècle ; elle se fait baptiser, mais dénoncée peu après, elle est traduite devant le juge et condamnée à mort. Son arrestation soulève une émeute, et elle échappe à sa peine.

Personnage célèbre : Ariane, héroïne de la mythologie grecque.

Arielle

Fête le 29 septembre.
Prénom d'origine hébraïque,
dérivé de Ariel.

- **Étymologie** : vient de *ariel* : vaillant.
- **Symbolique** : 8 - vert - Capricorne.
- **Caractère** : décidée et énergique, Arielle gère sa vie avec beaucoup d'esprit d'à-propos, car elle sait s'adapter aux circonstances. C'est une meneuse, démonstrative et persuasive. La compétition la stimule, la routine l'ennuie.

Prénom assez rare.

Saint Gabriel* est le patron d'Arielle.

Armande

Fête le 23 décembre.
Prénom d'origine germanique,
dérivé de Armand.

- **Étymologie** : vient de *hart* : fort et *man* : homme.
- **Symbolique** : 2 - jaune - Verseau - topaze.
- **Caractère** : indépendante, Armande tient à préserver son jardin secret ; la solitude lui permet de faire le point et de ménager sa grande sensibilité. Exigeante dans ses relations affectives, elle accorde difficilement sa confiance, mais se révèle une amie très fiable lorsqu'on a su la séduire.

Prénom rare.

Saint Armand* est le patron d'Armande.

Personnage célèbre : la comédienne Armande Béjart, épouse de Molière.

Astrid

Fête le 27 novembre.
Prénom d'origine grecque,
forme nordique de Astrée.

- **Étymologie** : vient de *Astraia*, nom d'une divinité de la mythologie grecque.
- **Symbolique** : 8 - bleu - Balance - saphir.
- **Caractère** : énergique, courageuse

et autoritaire, Astrid est une maîtresse-femme qui aime le pouvoir. Elle y parvient, car elle ne craint pas l'effort ni le travail. Si l'ambition la stimule, elle n'est guère faite pour la vie au foyer, et les tâches domestiques la rebutent.

Prénom assez peu répandu.

• **Prénoms associés** : Astrée* - Astri - Estri.

Sainte Astrid fut reine de Norvège au 10e siècle, et mère d'Olaf II ; elle consacra sa vie au secours des indigents.

Astrée

Fête le 27 novembre.
Prénom d'origine grecque.

• **Étymologie** : vient de *Astraia*, nom d'une divinité de la mythologie grecque.

• **Symbolique** : 5 - bleu - Balance - aigue-marine.

• **Caractère** : habile, adaptable, rapide, Astrée n'est pas patiente. Sa grande émotivité, sa curiosité insatiable la poussent à être hyperactive, au risque de se disperser. Ennemie de la routine, la conquête la stimule et les voyages l'enchantent.

Prénom rare.

Sainte Astrid* est la patronne d'Astrée.

Personnage célèbre : Astrée, déesse de la mythologie grecque.

Athalie

Fête le 5 décembre.
Prénom d'origine hébraïque, dérivé de Attalia.

• **Étymologie** : signifie *Dieu est exalté*.

• **Symbolique** : 2 - vert - Cancer - émeraude.

• **Caractère** : ambitieuse et déterminée, Athalie se fixe des objectifs précis et se donne les moyens de les atteindre. Opportuniste, elle sait saisir sa chance et s'adapte aux circonstances, mais supporte mal les contraintes.

Prénom rare.

• **Prénoms associés** : Athalia - Athalina.

Sainte Attalia est la patronne d'Athalie. Cette jeune fille pieuse, nièce de sainte Odile, vit en Alsace au 8e siècle ; elle refuse les soupirants que son père, le duc d'Alsace, lui présente, mais lui demande de lui faire construire un monastère. Il accepte ; elle en devient la première abbesse.

Athénaïs

Fête le 3 mars.
Prénom d'origine grecque.

• **Étymologie** : vient de *Athéna*, divinité de la mythologie grecque.

• **Symbolique** : 5 - vert - Vierge - émeraude .

• **Caractère** : douce et charmante, Athénaïs est la fidèle image de l'éternel féminin. Elle écoute, conseille, console, mais elle a cependant un caractère bien trempé : déterminée dans ses choix, persévérante dans ses actes, et fiable dans ses amitiés.

Prénom rare.

Sainte Athénaïs ou Arthellaïs vit à Constantinople au 6e siècle. Jeune fille ravissante, elle est très courtisée, mais elle ne peut se décider à prendre époux. Pressée par ses soupirants, elle se réfugie dans un monastère en Italie, y prend le voile, et meurt quelques mois plus tard.

Personnages célèbres : la déesse Athéna et Françoise Athénaïs de Rochechouart, marquise de Montespan, favorite de Louis XIV.

Aude

Fête le 18 novembre.
Prénom d'origine germanique.

- **Étymologie** : vient de *ald* : ancien.
- **Symbolique** : 4 - jaune - Bélier - topaze.
- **Caractère** : calme et réservée, Aude paraît fière et distante ; elle est en réalité timide, inquiète, et elle craint de montrer sa vulnérabilité. Le travail bien fait, des amitiés stables ainsi qu'une famille affectueuse la rassurent ; elle peut alors donner libre cours à sa très grande sensibilité.

Prénom médiéval à l'honneur depuis 1980.

- **Prénoms français associés** : Aoda, Aodez, Aodrenn et Aodrena (bretons) - Aud - Audie - Audon - Éodez (breton) - Ode.
- **Prénoms étrangers associés** : Alda - Auda.

Sainte Aude est une compagne de sainte Geneviève ; toutes deux sont religieuses à Paris au 5e siècle, secourent les pauvres et prêchent l'Évangile.

Audrey

Fête le 23 juin.
Prénom d'origine germanique, dérivé de Ethelred.

- **Étymologie** : vient de *adal* : noble et *hrod* : gloire.
- **Symbolique** : 2 - rouge - Scorpion - rubis.
- **Caractère** : calme et patiente, Audrey aime prendre son temps. Sa détermination, son goût de la solitude et de la tranquillité la prédisposent aux études. Peu expansive, elle sait cependant être charmante et séductrice lorsqu'on a su lui plaire.

Prénom à l'honneur depuis 1980.

- **Prénoms français associés** : Audraine - Audric - Audrie.
- **Prénoms étrangers associés** : Audrena - Audrenn - Audrica - Audry - Autric - Autry - Ethelhaed - Ethelhed - Ethelreda - Ethelredea.

Sainte Ethelred naît en Angleterre au 7e siècle. À 15 ans, elle fait vœu de chasteté, mais son père la marie contre son gré. Le mari choisi, beaucoup plus âgé qu'elle, respecte son vœu, mais hélas, il meurt très rapidement. Ethelred est remariée aussitôt à un homme de son âge qui se montre moins compréhensif… Elle s'enfuit du domicile conjugal et se réfugie au monastère d'Ely dont elle devient abbesse.

Personnage célèbre : l'actrice Audrey Hepburn.

Augustine

Fête le 28 août.
Prénom d'origine latine,
dérivé de Auguste.

- **Étymologie** : vient de *augustus* : vénérable.
- **Symbolique** : 9 - rouge - Gémeaux - rubis.
- **Caractère** : douce et charmante, Augustine est un peu méfiante et craintive, car son émotivité la prédispose aux blessures affectives. Elle privilégie sa famille, son foyer qui la sécurisent, et redoute les complications de la vie professionnelle.

Prénom à l'honneur au début du 20e siècle.

- **Prénoms étrangers associés** : Augustina - Agosta.

Saint Augustin* est le patron d'Augustine.

Aurélie

Fête le 15 octobre.
Prénom d'origine latine,
dérivé de Aura.

- **Étymologie** : vient de *aurum* : or.
- **Symbolique** : 8 - rouge - Taureau - rubis.
- **Caractère** : souriante et charmeuse, Aurélie cache sous une apparence de douceur une forte personnalité ; combative et décidée, impatiente et impulsive, elle sait mener sa carrière avec brio, même si elle recherche la facilité.

Prénom à l'honneur depuis 1980.

- **Prénoms français associés** : Auréliane - Orélie.
- **Prénoms étrangers associés** : Aurélia - Auréliana - Aurica.

Sainte Aurélie fut, au 3e siècle, une compagne de sainte Ursule ; sa vie est peu connue ; on sait seulement qu'elle mourut à Strasbourg.

Auriane

Fête le 19 juillet.
Prénom d'origine latine,
dérivé de Aura.

- **Étymologie** : vient de *aurum* : or.
- **Symbolique** : 6 - vert - Capricorne - émeraude.

• **Caractère** : sensible et affectueuse, Auriane privilégie sa vie familiale, à laquelle elle consacre son goût de la perfection et son sens des responsabilités ; l'harmonie et la sérénité lui sont indispensables.

Prénom assez répandu depuis 1980.

Sainte Aura est la patronne d'Auriane.

Aurore

Fête le 19 juillet ou le 13 décembre.
Prénom d'origine latine.

• **Étymologie** : vient de *aurora* : aurore.

• **Symbolique** : 6 - orange - Lion - topaze.

• **Caractère** : lumineuse et calme, Aurore est une séductrice en quête d'harmonie. Attachée à sa famille, à ses amis, elle accorde une grande importance à sa vie sociale et affective, mais redoute les turbulences de la vie professionnelle.

Prénom peu répandu.

Sainte Aura* ou sainte Lucie* sont les patronnes d'Aurore.

Personnage célèbre : Aurore Dupin, écrivain sous le pseudonyme de George Sand.

Ava

Fête le 29 avril.
Prénom d'origine hébraïque, dérivé de Ève.

• **Étymologie** : vient de *hawwâh* : vivante.

• **Symbolique** : 6 - bleu - Bélier - saphir.

• **Caractère** : sentimentale, esthète, Ava attache une grande importance à ses relations affectives. Les turbulences de la vie professionnelle peuvent la pertuber ; elle préfère s'investir dans sa vie familiale dont elle attend confort et protection.

Prénom rare.

• **Prénoms associés** : Aviva - Ève*.

Sainte Ava est une jeune aveugle qui vit en Artois au 9e siècle ; elle prie chaque jour pour recouvrer la vue, et se rend en pèlerinage ; Dieu l'exauce, elle décide de prendre le voile pour lui consacrer sa vie.

Personnage célèbre : l'actrice américaine Ava Gardner.

Axelle

Fête le 21 mars.
Prénom d'origine hébraïque, dérivé de Absalom.

• **Étymologie** : signifie *père de la paix.*

• **Symbolique** : 5 - jaune - Lion - topaze.

• **Caractère** : enthousiaste et curieuse, Axelle aime le changement et fuit la routine. La discipline l'exaspère, les conseils l'ennuient, la patience est un vain mot pour elle. Sa grande émotivité la rend fragile, et elle a besoin d'être entourée pour être heureuse.

Prénom en vogue depuis 1970.

Saint Axel* est le patron d'Axelle.

B

(filles)

Barbara

Fête le 4 décembre.
Prénom d'origine grecque,
dérivé de Barbe.

• **Étymologie** : vient de *barbaros* : barbare.

• **Symbolique** : 7 - jaune - Gémeaux - topaze.

• **Caractère** : secrète et timide, Barbara est sociable dès qu'elle se sent en confiance, car elle est curieuse et aime les contacts, mais elle n'extériorise pas facilement ses sentiments. Peu attachée aux biens matériels, elle n'attache pas un intérêt primordial à sa vie professionnelle.

Prénom rare.

Sainte Barbe est la patronne de Barbara.

Barberine

Fête le 4 décembre.
Prénom d'origine grecque,
dérivé de Barbe.

• **Étymologie** : vient de *barbaros* : barbare.

• **Symbolique** : 2 - Cancer - violet -

• **Caractère** : douce et charmante, Barberine est la féminité même. L'affectivité domine sa vie et la fragilise parfois. Épouse aimante et mère dévouée, amie fidèle, elle est à l'écoute de son entourage, mais se réfugie dans le rêve si elle se sent menacée.

Prénom rare.

Sainte Barbe est sa patronne.

Bathilde

Fête le 30 janvier.
Prénom d'origine germanique.

• **Étymologie** : vient de *bald* : audacieux et *hild* : combat.

• **Caractère** : élégante, fière, Bathilde intimide par son port altier ; elle est, en réalité, très sensible et cette froideur cache sa méfiance. Active et courageuse, elle s'investit tout entière dans les causes qu'elle défend, au risque de paraître autoritaire et intransigeante.

Prénom médiéval rare.

• **Prénoms associés** : Balthilde - Bathille - Bathylle - Beaudour.

Sainte Bathilde eut une vie pour le moins extraordinaire : jeune fille belle et douce, native d'une famille aristocratique anglo-saxonne, elle est enlevée par des pirates et vendue au maire du palais de Neustrie ; Clovis II la remarque et l'épouse. La belle captive devient reine, et donne le jour à trois fils. Mais le roi meurt à 23 ans ; Bathilde est régente pendant la minorité de ses enfants, puis se retire au monastère de Chelles, près de Paris, qu'elle a fondé ; elle meurt en 680.

Béatrice

Fête le 13 février.
Prénom d'origine latine,
dérivé de Béat.

- **Étymologie** : vient de *beatus* : heureux.
- **Symbolique** : 9 - bleu - Capricorne - aigue-marine.
- **Caractère** : psychologue, intuitive, observatrice, Béatrice est à l'écoute des autres, malgré son apparence fière ; elle tient à préserver son intimité et ne se révèle pas facilement, bien qu'elle ait un grand besoin d'affection.

Prénom à la mode de 1940 à 1970.

- **Prénoms français associés** : Baucis - Béa - Béat - Béate.
- **Prénoms étrangers associés** : Béata - Béato - Béatris - Béatrix - Beatty - Bettris - Bice - Bietris - Biétriz - Trixie - Vatrix.

Sainte Béatrice est la fondatrice de la Chartreuse d'Eymeu, dans la Drôme.

Personnages célèbres : la reine de France Béatrice de Vermandois, l'écrivain Béatrix Beck, la reine Béatrix des Pays-Bas.

Bénédicte

Fête le 16 mars.
Prénom d'origine latine,
dérivé de Benoît.

- **Étymologie** : vient de *benedictus* :béni.
- **Symbolique** : 4 - jaune - Lion - topaze.
- **Caractère** : secrète, Bénédicte aime bien préserver son aura mystérieuse. Elle entend ainsi se protéger, car, hypersensible, elle est consciente de sa vulnérabilité. Elle privilégie sa vie privée et redoute les stress de la vie professionnelle.

Prénom assez répandu de 1950 à 1980.

- **Prénom français associé** : Benoîte*.
- **Prénoms étrangers associés** : Benedetta - Bénédicta - Bénédikta - Bénédikte - Bénézeita - Bénita.

Sainte Bénédicte est moniale au couvent fondé par sainte Claire, à Assise. Elle lui succède en 1253.

Benoîte

Fête le 11 juillet.
Prénom d'origine latine,
dérivé de Benoît.

- **Étymologie** : vient de *benedictus* : béni.
- **Symbolique** : 7 - jaune - Balance - topaze.
- **Caractère** : hypersensible, Benoîte s'inquiète facilement. Dotée d'un grand esprit d'analyse et d'une forte intuition, elle a une rapide perception des événements. Mais en quête de tranquillité et de sécurité affective, elle préfère la solitude aux mondanités.

Prénom rare.

Saint Benoît* est le patron de Benoîte.

Personnage célèbre : Benoîte Groult, écrivain.

Bérangère

Fête le 26 mai.
Prénom d'origine germanique, dérivé de Béranger.

- **Étymologie** : vient de *ber* : ours et *gari* : lance.
- **Symbolique** : 3 - vert - Cancer - émeraude.
- **Caractère** : sociable, enjouée, serviable, Bérangère est une amie charmante, qui aime cependant préserver son indépendance. Curieuse, elle se disperse facilement et a besoin d'une forte motivation pour parvenir à ses fins.

Prénom peu répandu.

- **Autre orthographe** : Bérengère.

Saint Béranger* est le patron de Bérangère.

Bérénice

Fête le 4 octobre.
Prénom d'origine grecque.

- **Étymologie** : vient de *pherenniké* : porteuse de victoires.
- **Symbolique** : 7 - vert - Capricorne - émeraude.
- **Caractère** : prudente, réfléchie, Bérénice a parfois une apparence un peu hautaine et semble autoritaire. Elle est en fait inquiète, et ne sait pas toujours se faire apprécier à sa juste valeur. Aussi préfère-t-elle la solitude lorsqu'elle se sent incomprise.

Prénom rare.

- **Prénoms français associés** : Bernicé - Venisse - Véronique*.

Sainte Bérénice est chrétienne à Antioche au début du 3e siècle. Des soldats romains, envoyés par Dioclétien pour persécuter les chrétiens, menacent sa vertu. Elle préfère se jeter dans le fleuve plutôt que de céder à leurs avances.

Bernadette

Fête le 18 février.
Prénom d'origine germanique, dérivé de Bernard.

- **Étymologie** : vient de *bern* : ours et *hard* : fort.
- **Symbolique** : 4 - bleu - Poissons - saphir.
- **Caractère** : timide, naturelle, Bernadette a un charme discret, qui s'épanouit dans un climat harmonieux ; elle est franche, exigeante, très rationnelle, et n'aime guère les changements. À vrai dire, elle ne déteste pas une certaine routine.

Prénom en faveur au début du 20e siècle.

• **Prénoms associés** : Bernardine - Nanette.

Sainte Bernadette Soubirous voit le jour à Lourdes en 1844. Elle a 14 ans lorsque la Vierge lui apparaît en lui demandant de prêcher paix, amour et pénitence. Bernadette prend le voile à Nevers, tandis que Lourdes devient un lieu de pèlerinage. Elle meurt à 35 ans.

Berthe

Fête le 4 juillet.
Prénom d'origine germanique.

• **Étymologie** : vient de *berht* : illustre.

• **Symbolique** : 4 - orange - Sagittaire - topaze.

• **Caractère** : prudente et réservée, Berthe attend d'être conquise pour se montrer accorte. Elle révèle alors son aisance, son élocution brillante, mais protège toujours son jardin secret. Passionnée et sélective, elle est très susceptible et rancunière.

Prénom médiéval, courant au 19e siècle, devenu rare.

• **Prénoms français associés** : Berteline - Bertrade - Bertie - Bertilie - Bertillon - Bertin - Bertrude.

• **Prénoms étrangers associés** : Berta - Berteli - Bertha - Bertl - Berto.

Sainte Berthe est l'épouse du comte Rigobert. À la mort de son mari, en 702, ses cinq filles étant élevées, elle se retire dans le monastère qu'elle a fondé sur ses terres, y mène une vie recluse et y meurt en 725.

Personnages célèbres : la reine Berthe au grand pied, épouse de Pépin le Bref, le peintre Berthe Morisot.

Bertille

Fête le 6 novembre.
Prénom d'origine germanique, dérivé de Bertil.

• **Étymologie** : vient de *berht* : illustre et *til* : habile.

• **Symbolique** : 3 - vert - Capricorne - émeraude.

• **Caractère** : généreuse et altruiste, Bertille a cependant un redoutable esprit critique. C'est une meneuse qui a le sens des réalités, mais, d'une extrême émotivité, elle subit fortement l'influence de ses relations affectives.

Prénom rare, dont la forme masculine, Bertil, est en revanche assez répandue en Suède.

Sainte Bertile entre très jeune dans les ordres. Elle devient la première abbesse du monastère de Chelles que la reine Bathilde fait bâtir. Elle meurt en 713.

Blanche

Fête le 3 octobre.
Prénom d'origine latine.

• **Étymologie** : vient de *bianca* : blanche.

• **Symbolique** : 9 - blanc - Cancer - aigue-marine.

• **Caractère** : curieuse, vive, intelligente, Blanche fuit la routine et recherche un idéal politique, artistique ou humanitaire dans lequel elle pourra donner toute sa mesure. Émotive et très franche, elle affiche ouvertement ses passions comme ses aversions.

Prénom en faveur au Moyen Âge, au 19e siècle et depuis 1990.

• **Prénoms français associés** : Blancheflor - Blanchette - Gwenn (breton).

• **Prénoms étrangers associés** : Bianca - Blanca - Branca.

Sainte Blanche vit à Rome au 3e siècle, avec son mari et sa fille Pauline. Chrétienne, elle est dénoncée, arrêtée et condamnée au martyre.

Personnage célèbre : la reine Blanche de Castille, mère de saint Louis.

Blandine

Fête le 2 juin.
Prénom d'origine latine.

• **Étymologie** : vient de *blanda* : caressante.

• **Symbolique** : 9 - jaune - Cancer - topaze.

• **Caractère** : sa réserve cache une certaine méfiance, sa timidité une grande inquiétude. Prudente, Blandine réfléchit, raisonne avant d'agir, et, très sélective, elle ne se révèle pas facilement ; consciencieuse et perfectionniste, elle déteste la médiocrité.

Prénom rare.

• **Prénom français associé** : Blandin.

• **Prénoms étrangers associés** : Blanda - Blandina - Blandino - Dina.

Sainte Blandine est esclave, à Lyon au 2e siècle ; elle fait partie de la petite communauté chrétienne, qui se réunit clandestinement pour échapper aux persécutions. En 177, tous les membres sont arrêtés, et conduits dans l'arène pour y être livrés aux fauves. Ses compagnons sont dévorés, mais les lions épargnent Blandine, qui est alors jetée à un taureau furieux, emballée dans un filet.

Brune

Fête le 6 octobre.
Prénom d'origine germanique,
dérivé de Bruno.

• **Étymologie** : vient de *brun* : bouclier.

• **Symbolique** : 6 - bleu - Sagittaire - saphir.

• **Caractère** : très attachée aux valeurs traditionnelles, généreuse et sensible, Brune prône l'attachement à la famille ; ses relations amicales tiennent aussi une place importante dans sa vie. L'agressivité la paralyse, la violence l'effraie.

Prénom peu répandu.

Saint Bruno* est le patron de Brune.

Brunehaut

Fête le 6 octobre.
Prénom d'origine germanique, dérivé de Brunehilde.

• **Étymologie** : vient de *brun* : bouclier et *hild* : combat.

• **Symbolique** : 2 - bleu - Verseau - saphir.

• **Caractère** : déterminée et dotée d'une volonté farouche, Brunehaut ne se laisse pas intimider facilement ; elle met toute sa passion au service des causes qui lui semblent justes, et y consacre sa grande puissance de travail.

Prénom médiéval rare.

Saint Bruno* est son patron.

Personnage célèbre : la reine d'Austrasie Brunehaut, rivale de Frédégonde.

Brunehilde

Fête le 6 octobre.
Prénom d'origine germanique.

• **Étymologie** : vient de *brun* : bouclier et *hild* : combat.

• **Symbolique** : 2 - bleu - Verseau - saphir.

• **Caractère** : volontaire et courageuse, Brunehilde mène sa vie tambour battant, avec parfois beaucoup d'autorité et d'ambition. Elle recherche le pouvoir, et se donne les moyens de l'obtenir. Elle est peu encline à la sentimentalité.

Prénom médiéval rare.

• **Prénom français associé** : Brunehaut*.

• **Prénoms étrangers associés** : Brunilde - Brunhilda - Brunilla - Brünnhild.

Saint Bruno* est son patron.

C

(filles)

Callista

Fête le 14 octobre.
Prénom d'origine grecque, féminin de Calliste.

• **Étymologie** : vient de *kallistos* : le plus beau.

• **Symbolique** : 2 - Taureau - rouge - rubis.

• **Caractère** : sociable et conciliante, Callista a le sens de l'amitié, mais elle est susceptible et se vexe à la moindre réflexion. Peu encline à l'effort, elle cède souvent à la facilité et joue à merveille de ses talents artistiques et oratoires.

Prénom rare.

• **Prénoms associés** : Callistine - Calixta.

Son patron, saint Calliste, esclave à Rome au 3e siècle, fait preuve d'une telle intelligence que son maître l'affranchit et lui confie la gestion de ses biens. Hélas, le cher homme n'est guère doué pour les comptes ; il est arrêté et condamné aux travaux forcés. À sa libération, il se rend à Rome, étudie la théologie, et est élu pape à la mort de Zéphirin. Il est assassiné peu après par un fanatique.

Calypso

Fête le 10 novembre.
Prénom d'origine grecque.

• **Étymologie** : vient de *kalyx* : calice.

• **Caractère** : dynamique et communicative, Calypso est une meneuse d'hommes. Elle rallie tous les suffrages par son charme, sa facilité d'élocution et a grande confiance en elle.

Sainte Nymphe, jeune sicilienne convertie au christianisme, emprisonnée et torturée sur ordre de son père, préfet, est la patronne de Calypso.

Dans la mythologie grecque, Calypso est une nymphe, reine de l'île d'Ogygie, où elle accueillit Ulysse après son naufrage et le retint pendant dix années.

Camille

Fête le 14 juillet.
Prénom mixte d'origine latine.

• **Étymologie** : vient de *Camillus*, nom donné aux garçons et aux filles qui, à Rome, assistaient les prêtres pendant les sacrifices aux dieux païens.

• **Symbolique** : 1 - jaune - Lion - topaze.

• **Caractère** : énergique, responsable, travailleuse, sociable, Camille apprécie d'être aimé(e), respecté(e), admiré(e). Il (elle) tient cependant à préserver son indépendance et une certaine intimité, car il (elle) aime la méditation.

Prénom à l'honneur au 19e siècle, et depuis 1980.

• **Prénoms français associés** : Camel - Camelle - Camiho (provençal).

• **Prénoms étrangers associés** : Camila - Camilo - Camill - Camilla - Camillo - Cammie - Kamil - Kamilka - Kamillus - Millie.

Saint Camille de Leilis vit à Rome au 16e siècle dans une famille aisée ; après une jeunesse dissipée, il part combattre les Turcs aux côtés de son père, revient blessé, guérit, retourne guerroyer, revient, s'adonne au jeu, et totalement démuni, entre comme homme de peine chez les capucins ; repenti, il devient novice, mais les frères refusent qu'il prononce ses vœux perpétuels. Engagé comme infirmier dans un hôpital, la négligence du personnel le révolte : il fonde l'Institut des clercs réguliers ministres des infirmes, érigé en ordre religieux en 1591. Il meurt en 1614.

Personnage célèbre : la sculptrice Camille Claudel.

Candice

Fête le 3 octobre.
Prénom d'origine latine,
dérivé de Candide.

• **Étymologie** : vient de *candidus* : blanc.

• **Symbolique** : 3 - blanc - Cancer - aigue-marine.

• **Caractère** : enjouée, sociable, élégante, Candice est le charme même. Elle est raffinée, spirituelle, et la vie sociale l'intéresse davantage que l'étude ; d'ailleurs, elle excelle dans les métiers de la communication où elle ravit son entourage.

Prénom rare.

• **Prénoms associés** : Candie - Candy.

Sainte Blanche* est la patronne de Candice.

Cannelle

Fête le 5 octobre.
Prénom d'origine française.

• **Étymologie** : vient de *cannelle*, substance aromatique extraite de l'écorce du cannelier.

• **Symbolique** : 3 - violet - Balance - améthyste.

• **Caractère** : vive et indépendante, Cannelle tient avant tout à préserver sa liberté. Si elle aime jouer de son pouvoir de séduction, elle accorde beaucoup d'attention à sa famille qui est pour elle le symbole de la sécurité.

Prénom à l'honneur depuis 1980.

Sainte Fleur* est la patronne de Cannelle.

Capucine

Fête le 5 octobre.
Prénom d'origine italienne.

• **Étymologie** : vient de *cappucino* : capucin.

• **Symbolique** : 9 - bleu - Balance - saphir.

• **Caractère** : passionnée, Capucine est à la recherche d'un idéal ; elle est opiniâtre, travailleuse dès qu'elle est motivée. Mais son hyperémotivité l'expose aux déceptions cruelles lorsqu'elle s'aperçoit que la réalité se révèle moins belle que ses rêves.

Prénom en vogue depuis 1990.

• **Prénoms étrangers associés** : Cappuccia - Capucina - Capucino - Cina - Pucci.

Sainte Fleur* est la patronne de Capucine.

Carine

Fête le 7 novembre.
Prénom d'origine grecque,
dérivé de Catherine.

• **Étymologie** : vient de *katharos* : pur.

• **Symbolique** : 5 - rouge - Capricorne - rubis.

• **Caractère** : courageuse et volontaire, Carine sait s'imposer, car elle a de grandes ambitions ; positive, elle aime rallier son entourage à ses opinions, avec une fermeté qui tend parfois à l'autoritarisme. Il faut dire que Carine a confiance en son charme… et elle n'a pas tout à fait tort.

Prénom en faveur de 1970 à 1980.

• **Prénoms français associés** : Carène - Karine.

• **Prénoms étrangers associés** : Cara - Caren - Carina - Carrie - Carry - Karen - Kerin.

Sainte Carine est une jeune mère de famille chrétienne, en Asie Mineure, au 4e siècle ; elle est arrêtée, jugée et martyrisée avec son mari et son fils.

Personnage célèbre : la romancière danoise Karen Blixen.

Carole

Fête le 18 novembre.
Prénom d'origine germanique,
dérivé de Charles.

• **Étymologie** : vient de *karl* : viril.

• **Symbolique** : 9 - rouge - Lion - rubis.

• **Caractère** : charmante, accueillante, Carole reste pourtant sur la réserve, car elle est prudente ; très émotive, elle craint les blessures affectives et n'accorde pas facilement sa confiance ; l'agressivité la déstabilise, la culpabilité l'étouffe.

Prénom à la mode au milieu du 20e siècle.

Sainte Caroline* est la patronne de Carole.

Personnages célèbres : les actrices Carole Bouquet, Carole Laure.

Caroline

Fête le 18 novembre.
Prénom d'origine germanique,
dérivé de Charles.

• **Étymologie** : vient de *karl* : viril.

• **Symbolique** : 6 - bleu - Bélier - saphir.

• **Caractère** : elle apparaît sensible, féminine, enjoleuse… mais attention,

Caroline est une maîtresse-femme qui sait ce qu'elle veut, et parvient à jouer avec maestria de son charme et de sa belle éloquence. Elle est fiable en affaires et fidèle en amitié.

Prénom à l'honneur depuis 1960.

- **Prénoms français associés** : Coralie* - Coralise.

- **Prénoms étrangers associés** : Carlyn - Carolla - Carolyn.

Sainte Caroline est un jeune fille très pieuse qui vit dans une ferme en Pologne avec sa famille. Un jour qu'elle travaille aux champs, un soldat russe tente de la violer ; elle se débat, il la poignarde. Elle meurt à 16 ans.

Personnage célèbre : la reine de Naples, Caroline Bonaparte, sœur de Napoléon 1er.

Cassandre

Fête le 1er novembre.
Prénom d'origine grecque.

- **Étymologie** : vient de *Kassandra*, prénom d'une héroïne de la mythologie.

- **Symbolique** : 3 - bleu - Vierge - saphir.

- **Caractère** : sociable, expressive, enjouée, Cassandre est une femme de communication. Sa gaieté enchante, sa curiosité intrigue, sa franchise dérange parfois peut-être un peu... Mais elle est si charmante ! Elle s'intéresse à tout et à tous, au risque de se disperser.

Prénom fréquent dans l'Antiquité.

- **Prénoms associés** : Cassandra - Cassandréa - Cassandrée - Cassandria - Kassandra.

Cassandre est, dans la mythologie grecque, la fille du roi Priam et de la reine Hécube. Appolon l'aime. Elle lui promet ses faveurs en échange du don de prophétie. Apollon accepte, mais la belle se refuse à lui. Par esprit de vengeance, Apollon décide que jamais plus Cassandre ne serait prise au sérieux. Lorsqu'elle annonce la prochaine prise de la ville de Troie... personne ne la croit. Après la bataille, elle est réduite en esclavage par Agamemnon, roi de Mycènes, qui la ramène dans son palais. La reine Clytemnestre, folle de jalousie, la tue.

Catherine

Fête le 29 avril ou 25 novembre.
Prénom féminin d'origine grecque.

- **Étymologie** : vient de *katharos* : pur.

- **Symbolique** : 2 - rouge - Lion - rubis.

- **Caractère** : très affective, imaginative, intuitive, Catherine a un besoin vital de tendresse ; elle s'investit toute entière dans sa vie personnelle. Épouse attentive, mère aimante, amie fidèle, elle est la gardienne des valeurs traditionnelles.

Prénom en faveur aux 15e et 16e siècles, et au milieu du 20e siècle.

- **Prénoms français associés** : Carine* - Catarino (provençal) - Cathel et

Cathelle (alsace) - Cathie - Cathy - Catoun (provençal) - Karine - Kathel (breton).

• **Prénoms étrangers associés** : Caitlin - Catalina - Catarina - Caterina - Cathalyn - Catharina - Cathleen - Catiana - Catino - Catarineto - Ekaterina - Katalin - Katarina - Kate - Katel - Katell - Kateri - Käthe - Kathleen - Katia - Katinka - Katiouchka - Katje - Katrina - Katriona - Katy - Kay - Keet - Ketty - Kitty - Trina - Trinke.

Sainte Catherine d'Alexandrie, d'après la légende, appartient à une famille patricienne au 3e siècle ; au cours de ses études, elle apprend à connaître le christianisme. Lorsque les chrétiens sont persécutés par l'empereur Maxence, elle va lui reprocher sa cruauté et son idolâtrie. Il convoque des philosophes pour réfuter les arguments de la jeune fille : elle les convertit, il les fait brûler vifs. Catherine a 18 ans, elle est ravissante : il lui propose de l'épouser ; elle refuse, il l'emprisonne. Mais Catherine convertit aussi les soldats de la garde et leur famille. Furieux, l'empereur la condamne au supplice.

Sainte Catherine de Sienne naît en 1347. Elle est la cadette des vingt-cinq enfants d'un teinturier. C'est à six ans qu'elle prend conscience de sa vocation. À douze ans, elle se fait tirer l'oreille pour s'habiller et se coiffer comme les jeunes filles de son âge, et annonce qu'elle refusera de se marier. Ses parents constituent pourtant sa dot et se mettent en quête d'un parti digne d'elle. Peine perdue, elle coupe ses cheveux, et refuse de s'alimenter, pour s'enlaidir et décourager les prétendants. Malgré les gronderies, les punitions, Catherine tient bon : elle veut devenir religieuse. Ses parents cèdent, et elle prend l'habit chez les dominicaines. Elle se dévoue aux malades, aux déshérités, et multiplie les conversions, arbitre les conflits. Sa réputation de sainteté, d'intelligence et de diplomatie se répand très vite. Elle est sollicitée pour intervenir dans les affaires politiques, les papes lui demandent conseil. Elle va de Pise à Florence, de Gênes en Avignon. Elle meurt dans la fleur de l'âge, à trente-huit ans. Elle fut proclamée docteur de l'Église.

Personnages célèbres : la reine de France Catherine de Médicis, la reine de Russie Catherine II la Grande, la romancière anglaise Katherine Mansfield.

Cécile

Fête le 22 novembre.
Prénom d'origine latine.

• **Étymologie** : vient de *caecus* : aveugle.

• **Symbolique** : 1 - bleu - Gémeaux - saphir.

• **Caractère** : indépendante, exigeante avec elle-même comme avec les autres, Cécile est une femme de tête qui aime commander. Elle accepte difficilement les seconds rôles et fait preuve d'impatience si on restreint sa liberté.

Prénom classique à l'honneur de 1960 à 1990.

• **Prénoms français associés** : Azilis*

(breton) - Cécilian et Céciliane (occitans) - Cécilie - Cécilien - Cécilienne - Céciloun (provençal) - Célia - Célie.

• **Prénoms étrangers associés** : Cäcilia - Cäcilie - Caese - Cecil - Cécilia - Cecielo - Ceci - Cecilius - Cecily - Ceco - Cici - Sheila - Shelley - Sherre - Shirley - Sézille - Sile - Sileas - Silia - Sisley - Tsila - Zielge.

Sainte Cécile est une jeune patricienne qui vit à Rome au 2e siècle. Elle se fait baptiser et fait vœu de chasteté, mais elle est contrainte d'épouser un païen, Valérien ; elle le persuade d'écouter saint Urbain qui lui enseigne la parole de Dieu. Valérien se fait baptiser avec son frère Tiburce, mais ils sont dénoncés et martyrisés, Cécile les ensevelit avant de subir elle aussi le martyre. La légende raconte qu'elle chantait des louanges à Dieu tout au long du jour.

Personnage célèbre : la comédienne Cécile Sorel.

Céleste

• (prénom mixte, voir page 224).

Célestine

Fête le 6 avril.
Prénom d'origine latine,
dérivé de Céleste.

• **Étymologie** : vient de *caelestis* : céleste.

• **Symbolique** : 6 - jaune - Cancer - topaze.

• **Caractère** : douce et calme en apparence, Célestine est une femme passionnée ; très sélective, elle choisit avec soin ses amis ; elle donne beaucoup, mais, exigeante, elle attend aussi beaucoup en échange, et la déception entraîne chez elle dépit et colère.

Prénom à l'honneur à la fin du 19e siècle et au début du 20e siècle.

Saint Célestin* est le patron de Célestine.

Célimène

Fête le 21 octobre.
Prénom d'origine grecque,
dérivé de Séléné.

• **Étymologie** : vient de *séléné* : lune.

• **Symbolique** : 3 - Vierge - bleu - saphir.

• **Caractère** : joyeuse, brillante, charmeuse, Célimène est la joie de vivre en personne. Sa vitalité, son optimisme sont pour ceux qui l'entourent un vrai bain de jouvence. Mais sensible, elle est susceptible et se renferme dans le mutisme à la plus petite réflexion.

Prénom rare.

• **Prénom associé** : Séléné.

Célimène est un personnage de la comédie de Molière, *le Misanthrope*, jeune femme belle, élégante, spirituelle et séductrice.

Sa patronne est sainte Céline*.

Céline

Fête le 21 octobre.
Prénom d'origine latine,
dérivé de Célin.

- **Étymologie** : vient de *celare* : celer.
- **Symbolique** : 3 - bleu - Cancer - saphir.
- **Caractère** : volontaire, très ambitieuse, et sociable, Céline a, par son charisme, un incontestable ascendant sur les autres, qu'elle sait très habilement rallier à ses idées.

Prénom classique à l'honneur depuis 1970.

- **Prénoms français associés** : Célimène* - Célinie - Ciline - Line - Linette - Séléné - Sélène.
- **Prénoms étrangers associés** : Célina - Lina - Sélina.

Sainte Céline vit à Laon au 5e siècle ; mère de saint Rémi, elle consacre sa vie à l'éducation de ses enfants, à la prière et aux œuvres caritatives.

Cerise

Fête le 5 octobre.
Prénom français.

- **Étymologie** : vient du nom du fruit.
- **Symbolique** : 5 - Balance - rouge - rubis.
- **Caractère** : indépendante, Cerise refuse les contraintes. Enthousiaste, elle aime la nouveauté adaptable, elle est tentée par l'aventure, mais elle recherche avant tout la facilité et a tendance à se disperser.

Sa patronne est sainte Fleur*.

Chantal

Fête le 12 décembre.
Prénom inspiré du patronyme de sainte Jeanne-Françoise de Chantal.

- **Symbolique** : 5 - jaune - Lion - topaze.
- **Caractère** : coquette et séductrice, Chantal est l'image même de la féminité. L'affectivité mène sa vie, elle se dévoue pour faire plaisir à sa famille et à ses amis. Fantaisiste, elle ne supporte ni la routine ni la discipline, et s'épanouit dans les voyages et les changements.

Prénom en vogue entre 1940 et 1960.

Sainte Jeanne-Françoise vit à Dijon au 16e siècle ; elle épouse le baron Rabutin de Chantal, qui la laisse veuve avec quatre enfants ; elle fonde avec saint François de Sales, évêque de Genève, l'ordre de la Visitation, à Annecy.

Charlotte

Fête le 17 juillet.
Prénom d'origine germanique, dérivé de Charles.

- **Étymologie** : vient de *karl* : viril.
- **Symbolique** : 3 - rouge - Taureau - rubis.

• **Caractère** : hypersensible, Charlotte est une grande affective qui avance dans la vie de coup de cœur en coup de foudre. Communicative, généreuse, intuitive, elle se nourrit d'amour et d'amitié. La rigueur n'est pas son fort : elle recherche avant tout la facilité.

Prénom en faveur au 19e siècle et depuis 1980.

• **Prénoms français associés** : Arlène - Arlette - Carole* - Caroline* - Charlaine - Charlène - Charbella - Charbelle - Charlette - Charline - Karelle - Liselotte.

• **Prénoms étrangers associés** : Carla - Carola - Carlomane - Carlotta - Karela - Karola - Karlouchka - Lola - Loletta - Lolita - Lotta - Lottie - Linchen - Lini - Sarel - Sherry - Sheryl.

La bienheureuse Charlotte est la doyenne des Carmélites de Compiègne ; elle est arrêtée à la veille de ses 80 ans avec quatorze de ses compagnes. Accusées d'être ennemies de la Révolution, elles sont guillotinées en 1794 ; elles montèrent à l'échafaud en chantant le *Salve Regina*.

Personnages célèbres : la reine de France Charlotte de Savoie, femme de Louis XI, la romancière anglaise Charlotte Brontë.

Chine

Fête le 15 août.
Prénom français.

• **Étymologie** : vient du nom du pays.

• **Symbolique** : 3 - Cancer - bleu - saphir.

• **Caractère** : l'amitié, le plaisir, l'amour de la vie caractérisent Chine, toute en sensibilité et en charme. Créative, artiste, elle n'aime guère l'effort, le travail, l'étude, mais manifeste cependant une grande curiosité intellectuelle.

Prénom rare.

Sainte Marie est la protectrice de Chine.

Chloé

Fête le 1er novembre.
Prénom d'origine grecque.

• **Étymologie** : vient de *chloe* : jeune pousse.

• **Symbolique** : 7 - vert - Lion - émeraude.

• **Caractère** : rapide, spontanée, Chloé est peu conformiste. Son intense activité, sa curiosité naturelle la conduisent parfois à la dispersion, à moins que, lassée du rythme trépidant qu'elle s'impose, elle se réfugie dans le silence et la réflexion.

Prénom à l'honneur depuis 1980.

Chloé est fêtée le jour de la Toussaint, à moins qu'elle ne préfère adopter pour patronne sainte Fleur, dont la fête est le 5 octobre.

Chloé est, dans la mythologie grecque, la déesse des fleurs. À Athènes, au mois de mai, non loin de l'Acropole, on célébrait son culte dans un temple qui lui était consacré.

Christel

Fête le 24 mars.

Prénom d'origine grecque.

- **Étymologie** : vient de *christos* : messie.
- **Symbolique** : 4 - vert - Sagittaire - émeraude.
- **Caractère** : volontaire, Christel est peu influençable ; son sens moral très rigoureux l'incline parfois à l'autoritarisme et à l'intolérance. Mais elle est fiable, très consciencieuse, et va jusqu'au bout de ses projets.

Prénom en vogue entre 1960 et 1980.

- **Autres orthographes** : Christèle - Christelle - Kristell (breton).
- **Prénoms français associés** : Christal - Christale.

Sainte Kristell est la cousine de saint Hervé ; ils sont élevés ensemble dans la lande bretonne au 6e siècle, et mènent la même vie exemplaire.

Christine

Fête le 24 juillet.

Prénom d'origine grecque.

- **Étymologie** : vient de *kristos* : messie.
- **Symbolique** : 6 - vert - Scorpion - émeraude.
- **Caractère** : sociable, distinguée, accueillante, Christine est une agréable hôtesse. Elle attache une grande importance à sa vie privée, prend en charge sa famille jusqu'au sacrifice, mais ne dédaigne pas les responsabilités professionnelles.

Prénom classique à l'honneur de 1950 à 1970.

- **Prénoms étrangers associés** : Christina - Cristina - Kristina.

Sainte Christine meurt à 20 ans en 1150. D'après la légende, elle ressuscite le jour de ses obsèques, et accomplit, pendant sa "seconde vie", de nombreux miracles.

Personnages célèbres : la reine Christine, souveraine de Suède au 17e siècle, la femme de lettres du 14e siècle Christine de Pisan, les écrivains contemporains Christine Arnothy, Christine de Rivoyre.

Cindy

Fête le 15 août.

Prénom diminutif de Cinderella, Cendrillon en anglais.

- **Symbolique** : 1 - rouge - Cancer - rubis.
- **Caractère** : réfléchie, studieuse, réservée, Cindy sait être coquette sans affectation. Elle est volontaire, énergique, et ambitieuse. Sa facilité d'expression, son sens de l'humour lui permettent de s'imposer en société.

Prénom à l'honneur depuis 1990.

• **Prénoms associés** : Cinderella - Cindie - Cyndi - Cyndie - Sindy.

Sainte Marie* est la patronne de Cindy.

Cendrillon est l'héroïne de conte de fées la plus universellement connue. Elle voit le jour en 1697 sous la plume de Charles Perrault, enfant timide persécutée par sa marâtre, qui, par sa grâce et sa beauté, séduit le prince charmant.

Circé

Fête le 19 mai.
Prénom d'origine grecque.

• **Étymologie** : vient de *Circea*, nom d'une divinité grecque.

• **Symbolique** : 1 - Sagittaire - bleu - aigue-marine.

• **Caractère** : sociable et charmeuse, Circé s'épanouit dans un environnement amical et chaleureux. Elle charme les siens par son éloquence, sa vivacité d'esprit, mais tient beaucoup à son indépendance. Elle est ambitieuse et énergique.

Prénom rare.

Dans la mythologie grecque, Circé est une dangereuse magicienne, beauté enchanteresse qui transforme en animal tout homme qui s'en approche. Elle règne sur le royaume d'Aea. Ulysse, qui ne connaît pas cette terre, y envoie ses hommes en reconnaissance. La belle les change en pourceaux. Ulysse ne les voyant pas revenir débarque à son tour ; il rencontre sur le rivage Hermès, sous l'apparence d'un jeune homme qui le met en garde des maléfices de Circé et lui propose une herbe pour le mettre à l'abri de ses artifices. Ulysse est reçu par Circé, qui lui fait boire un mystérieux breuvage… mais le charme n'opère pas : Ulysse est inchangé. Impressionnée, Circé s'éprend de lui, et accepte de rendre à l'équipage sa forme humaine. Elle est si généreuse que les hommes restent plus d'une année chez leur hôtesse avant de reprendre la mer.

Sainte Nymphe, pieuse jeune fille qui vécut au 6e siècle en Provence, est la protectrice de Circé.

Claire

Fête le 11 août.
Prénom d'origine latine.

• **Étymologie** : vient de *clara* : claire.

• **Symbolique** : 3 - vert - Sagittaire - émeraude.

• **Caractère** : fine et spirituelle, doztée d'une belle éloquence, Claire aime avoir un public attentif. Son sens aigu de l'observation, son désir de plaire en font une femme de communication exceptionnelle. Elle a d'ailleurs besoin d'un environnement affectif et amical serein pour être parfaitement heureuse.

Prénom classique indémodable depuis 1960.

• **Prénoms français associés** : Clair - Clairette - Clairmonde - Clarence - Clarent - Clarette - Clarie - Clarimonde - Clarinde - Clarine - Claris - Clarisse* - Claroun (provençal).

• **Prénoms étrangers associés** : Chiara - Chiarella - Chiaretta - Claatje - Clairmonda - Clara - Clareta - Clarinda - Clarissa - Clarita - Klaar - Klara - Sorcha.

Sainte Claire naît à Assise en 1193 dans une famille noble. À douze ans, elle informe ses parents qu'elle n'acceptera pas de se marier ; à dix-huit ans, suivie par sa sœur, elle quitte sa famille pour suivre l'enseignement de saint François d'Assise, et entre en religion ; ses parents et ses amis viennent l'enlever de force du couvent où elle réside ; peine perdue, Claire résiste. Elle fonde sur les conseils de saint François l'ordre des "pauvres dames" ou "clarisses". Atteinte par la maladie, elle passera les dernières années de sa vie à prier et à broder des vêtements liturgiques.

Clarisse

Fête le 12 août.
Prénom d'origine latine,
dérivé de Claire.

• **Étymologie** : vient de *clara* : claire.

• **Symbolique** : 5 - rouge - Lion - rubis.

• **Caractère** : autoritaire, énergique, Clarisse a confiance en elle. Elle est très active, mais son manque de rigueur nuit parfois à son efficacité. Curieuse, adaptable, elle aime le changement, s'intéresse à tout, au risque de se disperser.

Prénom rare.

• **Prénom étranger associé** : Clarissa.

Sainte Clarisse fonde un monastère, dans les Vosges, au 6e siècle, à l'emplacement actuel de Remiremont.

Claude

• (voir ce prénom mixte page 227).

Claudie

Fête le 15 février.
Prénom d'origine latine,
dérivé de Claude.

• **Étymologie** : vient de *Claudius*, patronyme d'une illustre famille romaine.

• **Symbolique** : 1 - rouge - Gémeaux - rubis.

• **Caractère** : autoritaire et exigeante, Claudie a le souci de la perfection et se contente rarement de la seconde place. Elle est individualiste, mais sait faire preuve de générosité et se montre digne de confiance lorsqu'elle a donné sa parole.

Prénom rare.

Saint Claude* est le patron de Claudie.

Claudine

Fête le 17 juillet.
Prénom d'origine latine,
dérivé de Claude.

• **Étymologie** : vient de *Claudius*, nom d'une célèbre famille patricienne de Rome.

• **Symbolique** : 6 - orange - Lion - topaze.

• **Caractère** : charmante et communicative, Claudine cherche dans ses relations sociales un encadrement qui la guide ; elle doute d'elle-même et hésite avant de faire des choix dans sa vie. Davantage tournée vers la réflexion, elle s'intéresse peu aux contingences matérielles.

Prénom en vogue de 1920 à 1950.

La bienheureuse Claudine est prieure du carmel de Compiègne. Elle est arrêtée avec quatorze de ses compagnes, et accusée comme elles d'être dangereuses pour la Révolution. Elle est guillotinée en 1794.

Clélie

Fête le 13 juillet.
Prénom d'origine latine.

• **Étymologie** : vient de *clavis* : clé.

• **Symbolique** : 1 - jaune - Cancer - topaze.

• **Caractère** : éprise de douceur et d'harmonie, Clélie aime avant tout son foyer ; très responsable, elle s'investit tout entière dans une vie familiale qu'elle cherche à préserver, car les tumultes de l'univers professionnel la déstabilisent.

Prénom rare.

• **Prénom français associé** : Léliane.

• **Prénoms étrangers associés** : Cloelia - Clélia - Cléa - Laelia - Leïla - Lélia - Loélia.

Sainte Clélia consacre sa vie à l'éducation d'enfants, en Émilie, au 19e siècle ; elle leur apprend à lire, à écrire, mais leur enseigne aussi à prier. Elle meurt à vingt-trois ans.

Clémence

Fête le 21 mars.
Prénom d'origine latine, dérivé de Clément.

• **Étymologie** : vient de *clemens* : indulgence.

• **Symbolique** : 6 - bleu - Vierge - saphir.

• **Caractère** : douce et calme, Clémence est plutôt casanière, et très attachée à son foyer. Elle craint les conflits, l'agressivité, la lutte, et redoute une vie professionnelle compétitive. Elle préfère la vie familiale, ou les activités bénévoles.

Prénom médiéval, à l'honneur à la fin du 19e siècle et depuis 1970.

Sainte Clémence d'Hohenberg, à la mort de son mari, le comte de Spanheim, entre dans les ordres à l'abbaye des Bénédictines à Trèves. Elle y meurt en 1176, après une vie exemplaire de dévotion.

Personnage célèbre : la reine Clémence de Hongrie, épouse de Louis X le Hutin.

Clémentine

Fête le 21 mars.
Prénom d'origine latine,
dérivé de Clément.

- **Étymologie** : vient de *clemens* : indulgent.
- **Symbolique** : 1 - vert - Balance - émeraude.
- **Caractère** : travailleuse, disciplinée, Clémentine est sage ; perfectionniste jusqu'à en être maniaque, elle aime le travail bien fait, et désire progresser, s'améliorer en permanence. Sociable, serviable, elle est une amie fidèle.

Prénom rare.

Sainte Clémence* est la patronne de Clémentine.

Clio

Fête le 13 juillet.
Prénom d'origine grecque.

- **Étymologie** : vient de *Kleiô*, nom d'une muse de la mythologie grecque.
- **Symbolique** : 3 - orange - Lion - topaze.
- **Caractère** : charmante, enjouée, gracieuse, Clio a le don de la communication ; l'échange est pour elle primordial. Très observatrice, elle a un sens critique aigu, rapide, elle se tire de tous les embarras. Elle aime les voyages, le mouvement, la nouveauté.

Prénom rare.

Sainte Clélie* est la patronne de Clio.

Clio est, dans la mythologie grecque, fille de Zeus et de la déesse de la mémoire ; elle est la muse de l'Histoire.

- **Prénoms associés** : Clélia - Clélie - Cléa - Lélia - Loélia.

Clotilde

Fête le 4 juin.
Prénom d'origine germanique.

- **Étymologie** : vient de *hlod* : gloire et *hild* : combat.
- **Symbolique** : 8 - orange - Balance - topaze.
- **Caractère** : dévouée, Clotilde bâtit sa vie autour de sa famille ; elle met au service des siens sa grande énergie, sa faculté d'écoute et de partage. Prudente et avisée, elle ne dédaigne pas pour autant l'argent et les biens matériels qu'il procure.

Prénom médiéval, en faveur au 19e siècle et depuis 1980.

- **Autre orthographe** : Clothilde.
- **Prénoms étrangers associés** : Clotilda - Tilda - Tilde.

Sainte Clotilde, douce princesse burgonde, est chrétienne. Elle épouse Clovis 1er, roi des Francs et païen endurci. Les époux s'entendent bien, mais Clotilde déplore les mœurs un tantinet barbares de son mari et voudrait le convertir. Elle demande conseil à saint Rémi ; par son exemple, et de discrètes mais incessantes allusions au Christ, elle persuade le roi de se faire baptiser. Épouse aimante et mère attentive, Clotilde se préoccupe aussi des affaires du royaume : elle favorise l'extension du christianisme par la dotation de terres à des ordres religieux, la création de monastères, la construction d'églises. À la fin de sa vie, elle assiste impuissante à des luttes fratricides entre ses enfants et ses petits-enfants avant de rendre l'âme en 545.

Coline

Fête le 6 décembre.

Prénom d'origine grecque, dérivé de Nicolas.

• **Étymologie** : vient de *nikê* : victoire et *laos* : peuple.

• **Symbolique** : 4 - Balance - vert - émeraude.

• **Caractère** : sensible, émotive, Coline est prudente ; elle réfléchit longuement et ne s'engage pas à la légère. Elle pèse ses mots et ses actes. Elle se réfugie dans le rêve dès qu'elle se sent menacée.

Prénom en vogue depuis 1995.

• **Prénoms associés** : Colette - Nicole* - Nicoline.

Saint Nicolas* est son patron.

Colombe

Fête le 31 décembre.

Prénom d'origine celte, dérivé de Colman*.

• **Étymologie** : vient de *koulma* : colombe.

• **Symbolique** : 2 - bleu - Scorpion - saphir.

• **Caractère** : féminine, vive et créative, Colombe a un charme qui séduit ceux qui l'approchent. Très chaleureuse et accueillante, elle a un sens aigu de l'amitié ; elle attache beaucoup d'importance à son foyer, mais elle tient aussi beaucoup à sa réussite sociale.

Prénom en vogue depuis 1990.

• **Prénoms français associés** : Colombelle - Colombine - Coulombe.

• **Prénoms étrangers associés** : Collie - Colly - Colomba - Colombella - Colombina - Columba - Columbia - Columbina - Columkille.

Sainte Colombe est, au 3e siècle, une jeune noble espagnole issue d'une famille païenne. À seize ans, elle demande le baptême et quitte sa famille pour rejoindre une colonie chrétienne à Sens, en Gaule. L'empereur Aurélien arrête les pèlerins, les somme d'abjurer. Colombe refuse : elle est décapitée en 274.

Constance

Fête le 17 juillet.
Prénom d'origine latine.

• **Étymologie** : vient de *constantia* : persévérance.

• **Symbolique** : 4 - vert - Balance - émeraude.

• **Caractère** : éprise d'harmonie et gardienne des traditions, Constance sécurise et protège. Malgré un comportement parfois superficiel, elle a le sens du devoir et des responsabilités tant au plan professionnel que dans sa vie familiale.

Prénom fréquent au Moyen Âge, à l'honneur depuis 1980.

• **Prénoms étrangers associés** : Constancia - Constanta - Costanza - Costenza - Consancia - Constantina.

Sainte Constance est une jeune novice du carmel de Compiègne, sous la Révolution. Elle est arrêtée et condamnée avec quatorze autres religieuses, dont la doyenne Charlotte et la prieure Claudine ; elle monte la première à l'échafaud.

Personnages célèbres : la reine Constance d'Arles, épouse de Robert II le Pieux, Constance Weber, l'épouse de Mozart.

Coralie

Fête le 18 novembre.
Prénom d'origine germanique, dérivé de Charles.

• **Étymologie** : vient de *karl* : viril.

• **Symbolique** : 9 - rouge - Poissons - rubis.

• **Caractère** : charmante, d'une extrême gentillesse, Coralie est un peu timide. Inquiète, elle est souvent sur le qui-vive, car sa grande sensibilité l'expose aux blessures affectives. Elle supporte très mal l'agressivité et les tensions.

Prénom à l'honneur depuis 1980.

• **Prénoms français associés** : Cora - Corail - Coraline - Coralise.

• **Prénom étranger associé** : Korella.

Sainte Caroline* est la patronne de Coralie.

Cordélia

Fête le 9 juin.
Prénom d'origine grecque.

• **Étymologie** : vient de *Delya* : originaire de Delos.

• **Symbolique** : 4 - bleu - Lion - saphir.

• **Caractère** : créative, expressive, Cordelia est une artiste. Éprise de beauté et d'harmonie, elle apprécie la solitude, pour composer, écrire, peindre... mais très relationnelle, elle a besoin d'amitié. Elle recherche la fantaisie aux dépens de la rigueur.

Prénom rare.

• **Prénoms français associés** : Délia - Déliane - Diane*.

Sainte Diane* est la patronne de Cordélia.

Cornélie

Fête le 16 septembre.
Prénom d'origine latine,
dérivé de Corneille.

- **Étymologie** : vient de *cornix* : corneille.
- **Symbolique** : 3 - vert - Bélier - émeraude.
- **Caractère** : émotive et idéaliste, Cornélie a de grandes inspirations qu'elle a parfois du mal à réaliser ; exigeante, elle préfère la solitude aux relations superficielles, et craint les déceptions. Elle a cependant un grand besoin d'affection.

Prénom rare.

- **Prénoms français associés** : Corneille - Cornélian - Cornely - Cornille.
- **Prénoms étrangers associés** : Corneli - Cornélia - Cornélio - Cornélius - Cornélis - Kornel.

Saint Corneille est le patron de Cornélie. Pape en 251, Corneille est l'ami de saint Cyprien, évêque de Carthage qu'il soutient dans la défense des chrétiens parjures par crainte des persécutions. Il est arrêté par les soldats de l'empereur Gallien, emprisonné, et succombe sous les mauvais traitements en 253.

Personnages célèbres : Cornélia, fille de Scipion l'Africain, et mère des Gracques, Cornélie, la seconde épouse de Pompée, l'historien latin Cornélius Nepos.

Cosima

Fête le 26 septembre.
Prénom d'origine grecque,
dérivé de Côme.

- **Étymologie** : vient de *kosmos* : ordre.
- **Symbolique** : 6 - Gémeaux - jaune - topaze.
- **Caractère** : charmante, créative, Cosima est déstabilisée par les exigences de la vie professionnelle. Elle lui préfère la sécurité du foyer, la vie de famille, les activités artistiques.

Prénom rare.

- **Prénoms associés** : Cosimo - Cosmana - Kosma - Kosmas.

Saint Côme* est le patron de Cosima.

Cunégonde

Fête le 3 mars.
Prénom d'origine germanique.

- **Étymologie** : vient de *kühn* : hardi et *gund* : combat.
- **Symbolique** : 7 - orange - Scorpion - topaze.
- **Caractère** : distinguée, élégante, Cunégonde est un peu distante. Elle éprouve quelques réticences à exprimer ses sentiments et peut paraître sauvage.

À la moindre difficulté, elle a tendance à se renfermer.

Prénom rare.

Sainte Cunégonde, jeune fille de la noblesse luxembourgeoise, épouse Henri, empereur germanique, en 1014. Elle fonde des monastères, fait édifier des cathédrales. À la mort de son mari en 1024, elle prend le voile, et, quittant la cour, consacre les dernières années de sa vie à la prière et les visites aux malades. Elle meurt en 1033.

Cynthia

Fête le 30 janvier.
Prénom d'origine grecque, dérivé de Jacinthe.

• **Étymologie** : vient de *huakinthos* : zircon.

• **Symbolique** : 8 - blanc - Lion - saphir.

• **Caractère** : ambitieuse, courageuse, Cynthia avance tout droit sur la voie qu'elle s'est tracée, sans faiblesse, mais aussi parfois sans tact ni tolérance. Orgueilleuse, elle refuse l'échec, et persévère coûte que coûte jusqu'à la réussite.

Prénom rare en France, plus courant dans les pays anglo-saxons.

• **Prénoms associés** : Cencia - Cenzia - Cinthia - Cinthie - Cynthis - Jacinthe.

Sainte Jacinthe est la patronne de Cynthia.

Cyrielle

Fête le 16 juin.
Prénom d'origine grecque, dérivé de Cyr.

• **Étymologie** : vient de *kurios* : maître.

• **Symbolique** : 8 - jaune - Verseau - topaze.

• **Caractère** : franche et loyale, Cyrielle ne cache pas ses sentiments. Elle sait ce qu'elle veut, et elle est bien décidée à l'obtenir. Pratique et réaliste, elle a le sens des affaires, et ne tolère pas les compromis.

Prénom à la mode depuis 1980.

Saint Cyr* est le patron de Cyrielle.

D

(filles)

Daliane

Fête le 5 octobre.
Prénom d'origine hébraïque
et également d'origine scandinave,
dérivé de Dahlia.

• **Étymologie** : vient de *dahlia*, nom d'une fleur inspiré du patronyme du botaniste suédois Dhal.

• **Symbolique** : 1 - Cancer - vert - émeraude.

• **Caractère** : organisée, efficace, Daliane s'astreint à une discipline sévère pour mener à bien ses projets. Elle y parvient grâce à une opiniâtreté qui confine parfois à l'entêtement, une énergie débordante, et une fierté qui lui interdit l'échec.

Prénom rare.

• **Prénom de la même famille** : Dahlia.

Sainte Fleur est la patronne de Daliane.

Danaé

Fête le 11 décembre.
Prénom d'origine grecque.

• **Étymologie** : vient de *Danaé*, prénom d'une héroïne de la mythologie.

• **Symbolique** : 7 - bleu - Gémeaux - saphir.

• **Caractère** : très affective, Danae est passionnée et impatiente ; lorsque la réalité lui semble trop sévère, elle préfère s'enfuir dans ses rêves plutôt que d'affronter les difficultés. Timide, elle paraît souvent distante.

Prénom rare.

• **Prénom associé** : Dana.

Saint Daniel* est le patron de Danaé.

Danaé est, dans la mythologie grecque, fille du roi d'Argos. Un oracle prédit au roi qu'un jour, le fils de Danaé le tuerait ; inquiet, le roi enferme sa fille dans une tour de bronze afin de la protéger de ses soupirants. Mais Zeus rend visite à la belle sous la forme d'une pluie d'or... et Daphné conçoit un fils, Persée. Furieux, le roi enferme sa fille et l'enfant dans un coffre et les jette à la mer, qui les dépose dans une île où ils sont recueillis par un pêcheur. Danaé est enlevée par le roi de l'île qui la sequestre pour la contraindre à l'épouser ; elle est délivrée par son fils, qui, de retour à Argos, tue accidentellement le roi... Danaé quitte la Grèce, se rend en Italie et y fonde une cité.

Daphné

Fête le 10 novembre.
Prénom d'origine grecque.

• **Étymologie** : vient de *daphnê* : laurier.

• **Symbolique** : 3 - vert - Lion - émeraude.

• **Caractère** : raffinée, gracieuse, Daphné est une séductrice. Sa belle éloquence, son sens de l'humour lui valent mille succès. Curieuse et vive, elle s'intéresse à tout, au risque de se disperser parfois, ou de chercher en priorité la facilité.

Prénom à l'honneur depuis 1990.

Sainte Nymphe est la patronne de Daphné.

Daphné, dans la mythologie grecque, est une nymphe chasseresse. Apollon s'était moqué d'Éros, dieu de l'amour, qui, pour le punir, lui décocha une flèche qui le fit soupirer pour la belle, et frappa Daphné d'une flèche qui la rendit insensible aux soupirs de son prétendant... Apollon, fou de désir, poursuivit Daphné à travers la forêt jusqu'au fleuve Pénée ; la nymphe pria si instamment le dieu du fleuve de la sauver qu'il la changea en laurier. Apollon décora sa lyre et son carquois d'une branche de laurier en souvenir de l'aimée.

Dauphine

Fête le 26 novembre.
Prénom d'origine latine,
dérivé de Delphine.

- **Étymologie** : vient de *delphinus* : dauphin.
- **Symbolique** : 6 - vert - Vierge - émeraude.
- **Caractère** : sentimentale, Dauphine cherche avant tout l'harmonie familiale. Inquiète, perplexe, elle doute souvent de la vie et d'elle-même, et a besoin de sécurité. Peu armée pour la lutte, elle se réfugie dans ses rêves à la moindre difficulté.

Prénom à la mode depuis 1990, qui prend la succession de Delphine*.

Sainte Delphine* est la patronne de Dauphine.

Déborah

Fête le 21 septembre.
Prénom d'origine hébraïque.

- **Étymologie** : vient de *deborah* : abeille.
- **Symbolique** : 8 - orange - Capricorne - topaze.
- **Caractère** : ambitieuse, décidée, Déborah est une fonceuse que ne rebutent pas les obstacles, mais rapide et impatiente, elle est parfois intolérante. Son sens aigu des affaires, son opportunisme lui garantissent bien des succès professionnels.

Prénom biblique assez répandu.

- **Prénoms associés** : Deb - Debbie - Debby - Debra.

Déborah est une prophétesse au 12e siècle avant J.-C., dans la montagne d'Éphraïm ; pour remercier Yavhé d'avoir donné la victoire à son peuple contre les Cananéens, elle compose un cantique.

Delphine

Fête le 26 novembre.
Prénom d'origine latine.

- **Étymologie** : vient de *delphinus* : dauphin.
- **Symbolique** : 1 - jaune - Balance - topaze.

• **Caractère** : drôle, espiègle, communicative, Delphine adore s'entourer d'un public admiratif. Sa grande sensibilité, sa détermination, son esprit d'initiative et sa puissance de travail ne laissent d'ailleurs personne indifférent.

Prénom à l'honneur de 1970 à 1990.

• **Prénoms français associés** : Dauphin - Dauphine* - Delphie - Delphin.

• **Prénoms étrangers associés** : Delfia - Delfina - Delfino - Delfo.

Sainte Delphine naît en 1280 dans le Vaucluse. Elle fait vœu de chasteté, mais ses parents la marient néammoins. Le soir de ses noces, elle réussit à convaincre son époux, Elzéar, de ne pas consommer le mariage. Il accepte ; tous deux distribuent leurs biens aux pauvres, et consacrent leur vie aux œuvres charitables.

Denise

Fête le 6 décembre.
Prénom d'origine latine.

• **Étymologie** : vient de *Dionysius* : Dionysos, dieu de la vigne et du vin.

• **Symbolique** : 2 - jaune - Bélier - topaze.

• **Caractère** : bien que profondément altruiste, Denise est une indépendante. Elle a un sens profond de l'amitié, et donne sans compter son temps, son écoute, ses conseils, mais elle poursuit ses ambitions personnelles avec beaucoup de ténacité.

Prénom en vogue pendant la première moitié du 20e siècle.

• **Prénom français associé** : Denyse.

• **Prénoms étrangers associés** : Deneza - Denijse - Denisa - Denissa - Denissia - Deonisa - Deonniza - Diona - Dione - Dionigia - Dionisia - Dionysia.

Sainte Denise vit en Afrique du Nord avec les siens, au 5e siècle. Elle est arrêtée avec son fils, sa sœur et un moine venu les confesser. Elle refuse de renier sa foi : son fils succombe sous la torture devant elle. Elle l'enterre et meurt martyrisée à son tour.

Désirée

Fête le 8 mai.
Prénom d'origine latine,
dérivé de Désiré.

• **Étymologie** : vient de *Deus dedit* : Dieu donne.

• **Symbolique** : 2 - violet - Cancer - améthyste.

• **Caractère** : courageuse et décidée, Désirée exerce un fort ascendant sur son entourage. Sa grande intuition, alliée à un esprit d'analyse pointu lui confèrent un jugement très sûr. Sous une apparence de douceur et de féminité, elle a une farouche volonté.

Prénom en vogue au 19e siècle.

Saint Désiré* est le patron de Désirée.

Personnage célèbre : Désirée Clary, épouse

de Charles Bernadotte, maréchal de France et roi de Suède.

Diane

Fête le 9 mai.

Prénom d'origine latine.

• **Étymologie** : vient de *Diana*, déesse romaine de la chasse et de la nature.

• **Symbolique** : 6 - rouge - Gémeaux - rubis.

• **Caractère** : éprise de beauté, de grâce, d'harmonie, Diane attache une grande importance à la séduction, physique et intellectuelle. Mais elle n'est pas forcément futile, car les vertus morales ont également une grande valeur à ses yeux.

Prénom à l'honneur à la Renaissance et depuis 1970.

• **Prénoms étrangers associés** : Deana - Dee - Dian - Diana.

Sainte Diane d'Andalo naît dans une famille riche de Bologne en 1201. Belle, intelligente, cultivée, elle est promise à un brillant avenir. Mais peu sensible aux biens de ce monde, Diane adolescente annonce son désir de se faire religieuse. Elle prend le voile, malgré l'opposition de ses parents. Elle devient mère supérieure d'un couvent de dominicaines, et s'éteint en 1256 à trente-cinq ans.

Personnages célèbres : la déesse Diane chasseresse, et Diane de Poitiers, favorite de Henri II.

Dominique

• (prénom mixte, voir page 240).

Domitille

Fête le 28 décembre.

Prénom d'origine latine,
dérivé de Domitien.

• **Étymologie** : vient de *domus* : maison.

• **Symbolique** : 9 - vert - Scorpion - émeraude.

• **Caractère** : émotive, elle craint l'hostilité et recherche avant tout un climat serein. Elle idéalise souvent la vie, et manifeste beaucoup d'exigence à l'égard de ses proches. Si elle est déçue, elle se renferme sur elle-même ; si elle est rassurée, elle donne libre cours à sa générosité naturelle.

Prénom rare.

Sainte Domitille est mère de sept enfants qu'elle élève dans la foi chrétienne à Rome, au Ier siècle ; arrêtée, elle aurait pu être livrée aux lions du cirque… mais elle est seulement exilée dans une île au large de l'Italie.

Dorothée

Fête le 6 février.
Prénom d'origine grecque.

• **Étymologie** : vient de *théodoros* : don de Dieu.

• **Symbolique** : 8 - jaune - Poissons - topaze.

• **Caractère** : réaliste, Dorothée a cependant une imagination fertile. Bien qu'elle soit sensible et sociable, elle préserve jalousement son indépendance. Elle est très affective et recherche avant tout l'équilibre familial.

Prénom rare.

• **Prénoms français associés** : Dorante - Dorée - Dorian* - Doriane - Dorienne - Dorine - Doron.

• **Prénoms étrangers associés** : Dora - Doria - Doreen - Doris - Dorota - Dorothy.

Sainte Dorothée est une jeune chrétienne de Césarée, en Asie Mineure, au 3e siècle. Arrêtée, le juge lui ordonne de renier sa foi ; elle refuse : elle marche vers le supplice après avoir converti Théophile, un écrivain, et les femmes chargées de la garder.

E

(filles)

Edmée

Fête le 20 novembre.
Prénom d'origine germanique, dérivé de Edmond.

- **Étymologie** : vient de *ed* : richesse et *mund* : protection.
- **Symbolique** : 5 - vert - Taureau - émeraude.
- **Caractère** : enjouée mais ombrageuse, vive mais autoritaire, Edmée cherche à s'imposer et déploie une grande activité ; rapide et curieuse, elle s'intéresse à de multiples sujets, au risque de se disperser. Indépendante, elle accepte mal toute atteinte à sa liberté.

Prénom rare.

Saint Edmond* est le patron de Edmée.

Edwige

Fête le 16 octobre.
Prénom d'origine germanique.

- **Étymologie** : vient de *ed* : richesse et *wig* : combat.
- **Symbolique** : 8 - vert - Taureau - émeraude.
- **Caractère** : énergique, autoritaire, Edwige peut être charmante si on sait ménager sa susceptibilité… et la laisser dominer, car elle aime le pouvoir. Peu concernée par la vie domestique, elle consacre toute son énergie à ses ambitions professionnelles.

Prénom rare.

- **Prénom français associé** : Hedwige.
- **Prénoms étrangers associés** : Hedda - Heddi - Heddy - Hedel - Hedgen - Hedvig - Hedwig - Hedwiga - Hetti - Jodwiga - Wiegel - Wig - Wigge.

Sainte Edwige est la fille du comte de Bavière ; son père la marie à douze ans à Henri 1er, futur roi de Pologne. Elle a sept enfants. Lorsque son fils Louis meurt au combat, elle se retire au couvent que dirige sa fille Gertrude. Elle y meurt en 1267.

Églantine

Fête le 5 octobre.
Prénom d'origine latine.

- **Étymologie** : vient de *aculeatus* : porteur d'épines.
- **Symbolique** : 6 - vert - Balance - émeraude.
- **Caractère** : charmante, un tantinet coquette, Églantine cherche à faire régner autour d'elle l'harmonie. Elle est hypersensible, et préfère la vie au foyer aux turbulences du monde professionnel qui l'angoissent.

Prénom rare.

- **Prénoms étrangers associés** : Eglé - Egléa - Egléa.

Sainte Fleur* est la patronne d'Églantine.

Éléonore

Fête le 25 juin.

Prénom d'origine grecque.

• **Étymologie** : vient de *eleos* : compassion.

• **Symbolique** : 8 - orange - Gémeaux - topaze.

• **Caractère** : conquérante, Éléonore est une femme de pouvoir. Entreprendre, organiser, diriger, voilà sa vie. Elle doit souvent affronter querelles, rivalités, conflits, mais elle reste déterminée et garde le courage de rester fidèle à ses idées sans céder aux pressions.

Prénom médiéval à l'honneur depuis 1980.

• **Prénoms français associés** : Aanor (breton) - Aénor* - Aliénor* - Eliénor - Énora - Éléanor - Éléonor - Ellenore - Élianor - Élinor - Élinore - Léonor - Léonore - Liénor - Noriane.

• **Prénoms étrangers associés** : Alianora - Elianore - Eléonora - Elenora - Elinora - Ella - Elly - Elna - Lénore - Léonora - Léonoria - Lora - Lore - Leora - Noor - Noortje - Nora - Nore - Norina - Nour - Noreen - Noriana.

Sainte Éléonore, fille du comte de Provence, belle-sœur de saint Louis, épouse en 1236 Henri III d'Angleterre. La jeune reine a l'esprit de famille, puisqu'elle fait nommer aux postes clés du royaume ses parents et amis. Mais cette maladresse entraîne l'insurrection des seigneurs qui emprisonnent le roi. Éléonore retourne en France et y lève une armée pour délivrer son mari... et reprend son rôle de piètre conseillère. Henri meurt : Éléonore, éplorée, se retire chez les bénédictines au grand soulagement de la noblesse anglaise ! Elle y passe vingt années en prières et méditations.

Élisabeth

Fête le 17 novembre.

Prénom d'origine hébraïque.

• **Étymologie** : vient de *elisaba* : Dieu est plénitude.

• **Symbolique** : 9 - orange - Taureau - topaze.

• **Caractère** : distante, Élisabeth semble hautaine, mais son port altier et son élégance cachent une sensibilité exacerbée. Tenace et responsable, elle fait face aux difficultés avec courage, mais se réfugie dans la solitude si elle se sent agressée.

Prénom classique en faveur depuis le Moyen Âge.

• **Prénoms français associés** : Babet - Babette - Belle - Cydalise - Eliboubann (breton) - Élisa - Élisane - Élise* - Élissa - Élizabeth - Elsa* - Elsie - Isabeau - Isabelle* - Liboubann (breton) - Lilian - Liliane - Lise* - Liselotte - Lison - Lisette - Liselotte - Sissi - Xytilis - Xytilise.

• **Prénoms étrangers associés** : Babetta - Belita - Bella - Bess - Bessie - Beth - Betsey - Betsy - Bettina - Betty - Eilis - Eizsebet - Elisa - Elisabetta - Elisana -Elisenne - Elisheba - Elisia - Eliza - Elizabetha - Elizaveta - Elsbeth - Elsebein - Elsje - Iliana - Ilsabe - Ilse - Ilsebey - Isabel - Isabela - Leslie - Libby - Lillah - Lillibet - Lisbeth - Lisena - Lissonnia - Lisy - Lizza - Lizzie - Lysje.

Sainte Élisabeth de Hongrie est mariée à quatorze ans au duc de Thuringe.

Heureuse union, mais hélas le duc meurt à la croisade six ans plus tard, laissant Élisabeth seule avec ses trois enfants. Les puissants vassaux dépouillent la jeune veuve de ses biens, car ils l'accusent de dilapider sa fortune pour les pauvres. Sa belle-mère la chasse ; elle s'enfuit avec ses enfants, revient pour faire couronner son fils, puis se consacre au service des malades dans l'hôpital qu'elle a fondé à Marlburg ; elle y meurt quatre ans plus tard.

Élisabeth est, dans la Bible, l'épouse de Zacharie et la cousine de Marie. Elle déplore de ne pas avoir d'enfant, et lorsque la naissance prochaine d'un fils lui est annoncée malgré son grand âge, elle rend grâce à Dieu. Jean le Baptiste naît quelques mois plus tard. Élisabeth recevant sa cousine l'accueillit par ces mots : "Je te salue Marie…" qui deviendra la prière de tous les chrétiens.

Personnages célèbres : Élisabeth 1re, reine d'Angleterre, Élisabeth impératrice d'Autriche, surnommée Sissi.

Élise

Fête le 17 novembre.
Prénom d'origine hébraïque, dérivé de Élisabeth.

• **Étymologie** : vient de *elisaba* : Dieu est plénitude.

• **Symbolique** : 5 - orange - Poissons - topaze.

• **Caractère** : indépendante, Élise déteste les contraintes et l'autorité. Elle entend bien mener sa vie à sa guise, et l'aventure ne lui fait pas peur ; impatiente et passionnée, elle séduit par son bel appétit de vivre.

Prénom à l'honneur depuis 1980.

• **Prénom associé** : Élisa.

Sainte Élisabeth* est la patronne de Élise.

Ella

Fête le 1er février.
Prénom d'origine hébraïque, dérivé de Élie.

• **Étymologie** : vient de *el yah* : Seigneur Dieu.

• **Symbolique** : 3 - rouge - Gémeaux - rubis.

• **Caractère** : amusante, expressive, comédienne à ses heures, Ella enchante son entourage par sa facilité d'expression et son charisme. Peu encline à l'effort soutenu, elle papillonne un peu, toute occupée à séduire et à se faire aimer.

Prénom rare.

Sainte Ella est la belle-sœur de Richard-Cœur-de-Lion. Elle est douce, pieuse, mais son mari, Guillaume, court le guilledou. Au retour de la croisade, alors que son bateau est pris dans une effroyable tempête, Guillaume croit voir Ella priant pour lui, et soutenant le mât prêt à se briser. Il jure de faire pénitence et de ne plus la tromper. Lorsqu'il meurt, Ella fonde une abbaye de moniales dont elle devient abbesse. Elle meurt en 1261.

Personnage célèbre : Ella Fitzgerald, chanteuse américaine.

Élodie

Fête le 22 octobre.
Prénom d'origine latine.

- **Étymologie** : vient de *elodis* : propriété.
- **Symbolique** : 5 - bleu - Lion - saphir.
- **Caractère** : secrète et distante, mais dynamique et active, Élodie aime l'aventure. La routine la rebute, elle sait s'adapter en permanence aux circonstances, même si l'inconnu l'inquiète parfois un peu. Très indépendante, elle ne craint pas la solitude si sa liberté est à ce prix.

Prénom à l'honneur de 1970 à 1990.

- **Prénoms étrangers associés** : Alodi - Alodia - Elodia - Lodi.

Sainte Élodie vit à Cordoue au 9e siècle ; elle est la fille d'un musulman et d'une chrétienne. Avec sa sœur Nunilon, elle embrasse la religion catholique, mais l'émir interdit la pratique du catholicisme ; les jeunes filles sont arrêtées, le juge tente de les persuader d'apostasier ; en vain. Elles sont décapitées en 851.

Elsa

Fête le 17 novembre.
Prénom d'origine hébraïque, dérivé de Élisabeth.

- **Étymologie** : vient *elisaba* : Dieu est plénitude.
- **Symbolique** : 1 - rouge - Poissons - rubis.
- **Caractère** : réservée, exigeante, Elsa est une femme de tête. Elle est faite pour les premiers rôles, s'impose par son autorité naturelle et sa force de persuasion. Assez stricte, elle a un sens moral élevé et se montre parfois intolérante.

Prénom rare.

Sainte Élisabeth* est la patronne d'Elsa.

Personnage célèbre : l'écrivain Elsa Triolet.

Elvire

Fête le 16 juillet.
Prénom d'origine germanique.

- **Étymologie** : vient de *adal* : noble et *wart* : gardien.

• **Symbolique** : 8 - jaune - Sagittaire - topaze.

• **Caractère** : courageuse, opiniâtre, Elvire avance dans la vie avec détermination. Susceptible, elle supporte mal les critiques et les échecs ; elle n'est guère tentée par la vie domestique, mais cherche à se faire admirer, respecter par ses succès professionnels.

Prénom rare.

• **Prénoms étrangers associés** : Alvera - Alvira - Elvia - Elvie - Elvira.

Sainte Elvire est abbesse d'un couvent en Rhénanie au 12e siècle.

Émilie

Fête le 19 septembre.
Prénom d'origine latine,
dérivé d'Émile.

• **Étymologie** : vient de *aemulus* : émule.

• **Symbolique** : 8 - bleu - Cancer - saphir.

• **Caractère** : courageuse et énergique, Émilie est une femme de tête ; elle sait ce qu'elle veut, et lutte pour l'obtenir avec de grandes chances de réussite, car elle est très opiniâtre. C'est une amie fidèle sur qui on peut compter.

Prénom en vogue au 19e siècle et depuis 1980.

Sainte Émilie de Rodat est une adolescente heureuse et insouciante au château familial, en Auvergne au 19e siècle ; le jour de sa confirmation, elle décide de se consacrer à l'enseignement des enfants pauvres. Elle fonde en 1815 une institution, la Sainte Famille, à Villefranche-de-Rouergue, pour les accueillir. Trente-six maisons furent créées par la suite.

Personnage célèbre : la romancière anglaise Emily Brontë.

Emma

Fête le 19 avril.

Prénom d'origine hébraïque,
dérivé de Emmanuel.

• **Étymologie** : vient de *immanuel* : Dieu avec nous.

• **Symbolique** : 5 - orange - Gémeaux - topaze.

• **Caractère** : volontaire, active, travailleuse, Emma pourrait tout réussir si elle se montrait plus assidue et plus organisée. Hélas, sa dispersion nuit à son efficacité. Très vite autonome, elle défend farouchement sa liberté, et cède à la colère si elle se sent brimée.

Prénom à l'honneur au 19e siècle et depuis 1990.

Sainte Emma vit en Rhénanie au 11e siècle. Devenue veuve très jeune, elle repousse tous ses prétendants et se voue au secours des miséreux ; elle fonde plusieurs églises, et deux monastères en Westphalie.

Emmanuelle

Fête le 11 octobre.
Prénom d'origine hébraïque.

• **Étymologie** : signifie *Dieu avec nous.*

• **Symbolique** : 2 - orange - Vierge - topaze.

• **Caractère** : indépendante et active, Emmanuelle se révèle parfois passive lorsqu'elle se sent en confiance. Très émotive, elle ressent intensément joies et peines, et a besoin d'être sécurisée pour s'épanouir. Elle est une amie fidèle et généreuse.

Prénom en faveur de 1960 à 1980.

• **Prénoms français associés** : Emma* - Manuelle.

• **Prénoms étrangers associés** : Emmanuella - Mania - Manola - Manolita - Manuela - Manuelita - Manouchka.

Sainte Emmanuelle, moniale espagnole, fonde au 19e siècle un ordre de religieuses qui assiste les malades et les infirmes à domicile. Elle affronte l'épidémie de choléra de 1885, multipliant les visites et les soins aux malades.

Emmeline

Fête le 27 octobre.
Prénom d'origine germanique.

• **Étymologie** : de *heim* : maison, *lind* : doux.

• **Symbolique** : 4 - vert - Balance - émeraude.

• **Caractère** : sensible, sentimentale et susceptible, Emmeline n'est pas faite pour les tensions et les affrontements de la vie professionnelle. Elle préfère l'intimité du cercle d'amis qu'elle a très soigneusement choisis, et se réfugie dans le rêve dès qu'elle se sent menacée.

Prénom rare.

• **Autre orthographe** : Émeline.

• **Prénom français associé** : Emmelie.

• **Prénoms étrangers associés** : Aemelina - Hemelina - Emelina - Emelyn - Emme.

Sainte Emmeline vit en Champagne au 12e siècle. Elle entre dans les ordres chez les cisterciennes et consacre toute sa vie à Dieu.

Énéa

Fête le 15 août.
Prénom d'origine grecque, dérivé de Énée.

• **Étymologie** : vient de *Aeneas*, prince troyen, héros de l'Énéide, poème de Virgile.

• **Symbolique** : 7 - Gémeaux - vert - émeraude.

• **Caractère** : c'est sa soif de connaissances qui incite Énéa à l'aventure. Curieuse, elle aime les voyages autant que les livres, l'action autant que l'étude. En toutes choses, elle est perfectionniste.

Prénom rare.

Énée est le héros de l'*Énéide*, poème épique de Virgile écrit en 29-19 avant J.-C., qui raconte l'établissement des Troyens en Italie et annonce la fondation de Rome. Fils de Vénus, il combat les Grecs pendant la guerre de Troie, s'enfuit en Italie et épouse Lavinia, fille du roi Latinus. Son fils, Ascagne, est l'ancêtre de Romulus, fondateur de Rome.

Énéa peut être fêtée avec Marie.

Ernestine

Fête le 7 novembre.
Prénom d'origine germanique, dérivé d'Ernest.

- **Étymologie** : vient de *ernst* : sérieux.
- **Symbolique** : 1 - orange - Taureau - topaze.
- **Caractère** : sérieuse et volontaire, Ernestine s'impose une discipline qui lui permet d'atteindre ses objectifs. Elle est intelligente, travailleuse et exigeante parfois jusqu'à l'intolérance. L'harmonie familiale est indispensable à son équilibre.

Prénom à l'honneur au 19e siècle.

Saint Ernest* est le patron d'Ernestine.

Esméralda

Fête le 10 mars.
Prénom d'origine grecque.

- **Étymologie** : *smaragdos* : émeraude.
- **Symbolique** : 6 - vert - Scorpion - émeraude.
- **Caractère** : vive et charmante, Esmeralda séduit, enjôle ; sa bonne humeur et son optimisme lui attirent tous les suffrages. Elle n'apprécie guère les contraintes, et recherche avant tout la facilité. Mais son don de persuasion est tel qu'on ne sait lui résister.

Prénom rare.

- **Prénoms français associés** : Emeraude - Smaragde.
- **Prénoms étrangers associés** : Emerald - Emeralda - Esma - Smerald - Smeralda.

Saint Smaragde est un soldat romain chrétien qui, refusant d'adorer les dieux païens, fut noyé avec trente-neuf compagnons dans un lac près de Sébaste, en Cappadoce, au 12e siècle.

Estelle

Fête le 11 mai.
Prénom d'origine latine.

- **Étymologie** : vient de *stella* : étoile.
- **Symbolique** : 6 - bleu - Taureau - saphir.
- **Caractère** : douce et raffinée, charmante et généreuse, Estelle réunit bien des qualités de l'idéal féminin. Éprise de beauté, de luxe et d'harmonie, elle préfère l'art à la vie des affaires dont elle redoute les turbulences.

Prénom à l'honneur de 1960 à 1980.

• **Prénoms étrangers associés** : Estela - Estella - Estrella - Estrellita - Ethel - Eustella - Stella - Stellio - Stellin - Stello - Stilla.

Sainte Estelle est la fille du légat romain de Saintes au 1er siècle. Convertie au christianisme par l'évêque de la ville, elle se fait baptiser à l'insu de son père. Estelle abandonne le toit familial pour vivre en ermite. Son père, furieux, fait décapiter l'évêque qu'Estelle enterre chez elle. Malgré les menaces, elle refuse de renier sa foi, elle est décapitée elle aussi.

Esther

Fête le 1er juillet.
Prénom d'origine hébraïque.

• **Étymologie** : vient de *aster* : étoile.

• **Symbolique** : 3 - rouge - Balance - rubis.

• **Caractère** : curieuse et communicative, Esther s'adapte rapidement aux circonstances. Elle passe d'un sujet à un autre avec la plus grande facilité, grâce à son sens pratique, sa rapidité d'esprit et son excellente mémoire.

Prénom biblique peu répandu.

• **Autres orthographes** : Eister - Ester - Hester - Hesther.

• **Prénoms associés** : Essa - Ettie.

Esther, nièce de Mardochée, un sage vieillard, vit en Perse avec sa famille. Elle est remarquée par le roi Assuérus ; elle l'épouse sans lui révéler ses origines juives, et obtient la grâce des juifs menacés d'extermination par le vizir.

Eugénie

Fête le 7 février.
Prénom d'origine grecque, dérivé de Eugène*.

• **Étymologie** : vient de *eugenios* : bien né.

• **Symbolique** : 3 - bleu - Gémeaux - saphir.

• **Caractère** : raffinée, élégante, Eugénie charme par son apparence mais aussi par sa vivacité d'esprit et sa créativité. Enjouée, optimiste, elle est facile à vivre et s'attire beaucoup d'amis et de soupirants. Elle aime la fantaisie, les plaisirs de la vie et redoute un peu l'effort.

Prénom en vogue à la fin du 19e siècle, et depuis 1990.

Saint Eugène* est le patron d'Eugénie.

Personnage célèbre : Eugénie de Montijo de Guzman, épouse de Napoléon III.

Eulalie

Fête le 12 février.
Prénom d'origine grecque.

• **Étymologie** : vient de *eulalia* : bonne parole.

• **Symbolique** : 1 - rouge - Gémeaux - rubis.

• **Caractère** : calme et réservée, Eulalie est douce et émotive ; très dépendante de son environnement affectif, elle recherche la tranquillité, et privilégie la vie familiale à la vie professionnelle. Un peu fantaisiste, voire bohême, elle n'a aucun goût pour la rigueur.

Prénom rare.

• **Prénoms étrangers associés** : Eula - Eulali - Eulalia - Lalia - Lallie - Lia.

Sainte Eulalie est une enfant de douze ans, en Espagne au 4e siècle. Les persécutions des chrétiens sévissent, et ses amis sont menacés. Eulalie, révoltée du sort qu'on leur réserve, va reprocher au juge sa barbarie ; elle est arrêtée, emprisonnée, torturée, puis brûlée vive.

Évangéline

Fête le 24 juin.
Prénom d'origine grecque.

• **Étymologie** : vient de eu *aggelion* : bonne nouvelle.

• **Symbolique** : 4 - Vierge - bleu - saphir.

• **Caractère** : curieuse et intrépide, Évangéline affiche un grand amour de la liberté ; elle est instinctive, rapide, impulsive, même parfois. Son goût prononcé pour l'aventure l'entraîne dans des péripéties dont elle se sort brillamment, car elle s'adapte vite et bien aux circonstances.

Prénom associé : Évangélista.

Saint Jean* l'Évangéliste est le patron d'Évangéline. Il est l'auteur présumé du 4e Évangile, de trois épîtres et de l'Apocalyse. Compagnon très proche de Jésus, il prit Marie sous sa protection après l'Ascension du Christ. La tradition veut qu'il ait évangélisé l'Asie Mineure.

Ève

Fête le 6 septembre.
Prénom d'origine hébraïque.

• **Étymologie** : vient de *hawwâh* : vivante.

• **Symbolique** : 5 - bleu - Bélier - saphir.

• **Caractère** : indépendante et volontaire, Ève est l'ennemie des contraintes. Active et opportuniste, elle s'adapte facilement à toutes les situations, mais réagit avec impatience et colère si on la contrarie. Conquérante en affaires comme en amour, elle aime diriger dans tous les domaines.

Prénom peu courant.

• **Prénoms français associés** : Évelyne* - Maève*.

• **Prénoms étrangers associés** : Ava - Aeva - Eva - Evi - Evie - Evita - Evka - Ewa - Ewe - Ieva - Maeva.

Sainte Ève est une jeune chrétienne gauloise du 3e siècle, morte en martyre à Dreux.

Ève est, d'après la Bible, la première femme créée par Dieu. Elle vit avec son compagnon Adam dans un bonheur absolu, au jardin d'Éden. Hélas, curieuse, sans doute, gourmande, peut-être, Ève se laisse tenter par le diable qui a pris l'apparence d'un serpent, et goûte le fruit défendu. Elle le propose à Adam et s'attire la malédiction divine. Tous deux sont chassés du paradis terrestre, et tous leurs descendants naîtront entachés de la faute originelle.

Évelyne

Fête le 6 septembre.
Prénom d'origine hébraïque, dérivé de Ève.

- **Étymologie** : vient de *hawwâh* : vivante.
- **Symbolique** : 7 - bleu - Lion - saphir.
- **Caractère** : réfléchie, discrète, Évelyne avance doucement dans la vie, avec une grande prudence. Très travailleuse, obstinée et consciencieuse, elle fait preuve d'une patience à toute épreuve. Elle se montre volontiers chaleureuse, mais exprime peu ses sentiments.

Prénom en faveur de 1940 à 1950.

- **Autre orthographe** : Éveline.
- **Prénom français assocé** : Aveline.
- **Prénoms étrangers associés** : Aileen - Avelina - Evaleen - Evalyn - Evelina - Evelino - Evlyn.

Sainte Ève* est la patronne d'Évelyne.

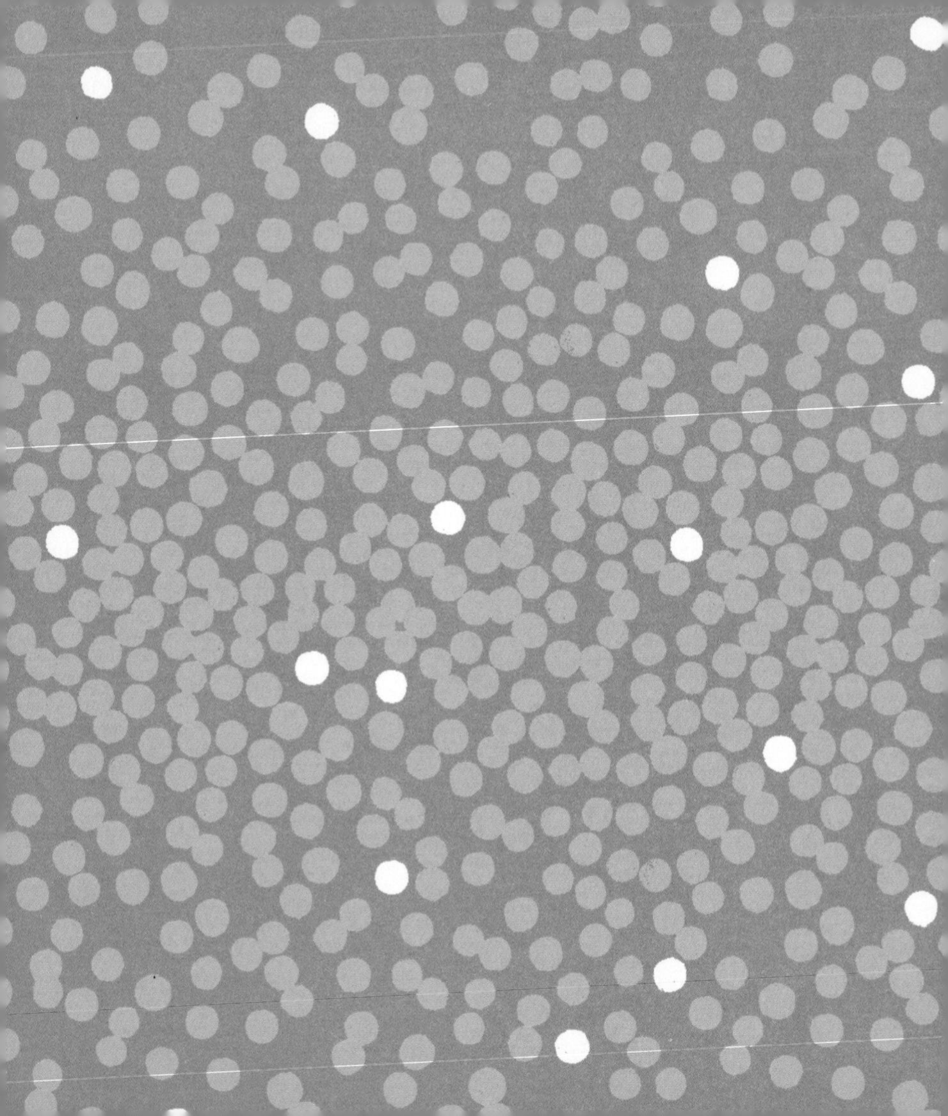

F

(filles)

Fabienne

Fête le 20 janvier.

Prénom d'origine latine, dérivé de Fabien.

• **Étymologie** : vient de *Fabius*, patronyme d'une famille romaine.

• **Symbolique** : 2 - jaune - Balance - topaze.

• **Caractère** : affective et sensible, Fabienne recherche la sécurité dans ses relations familiales et amicales. Charmante et féminine, elle a beaucoup d'intuition et d'imagination. Mais elle craint les responsabilités et les turbulences de la vie professionnelle.

Prénom en faveur de 1950 à 1970.

Sainte Fabiola est la patronne de Fabienne. Fabiola naît dans une riche famille patricienne de Rome au 4e siècle. Elle a treize ans lorsque ses parents la contraignent à se marier avec un jeune homme qui a des penchants homosexuels. Fabiola demande alors le divorce malgré les menaces de sa belle-famille. Elle épouse un homme riche mais débauché, qu'elle réussit à convertir ; elle transforme son palais en refuge pour des prostituées repenties, et persuade son richissime mari d'investir sa fortune dans la construction d'un hôpital pour déshérités. Fabiola meurt en 399.

Fanny

Fête le 2 janvier.
Prénom d'origine grecque, dérivé de Stéphanie.

• **Étymologie** : vient de *stéphanos* : couronné.

• **Symbolique** : 6 - vert - Balance - émeraude.

• **Caractère** : sensible et émotive, Fanny est éprise d'harmonie. Son sens de la conciliation, sa douceur l'inclinent souvent à jouer un rôle de médiateur. Elle a un grand attachement à la vie familiale et aux valeurs traditionnelles.

Prénom à la mode de 1970 à 1990.

Sainte Stéphanie* est la patronne de Fanny.

Fantine

Fête le 30 août.
Prénom d'origine latine.

• **Étymologie** : vient de *infans* : enfant.

• **Symbolique** : 6 - Scorpion - bleu - saphir.

• **Caractère** : douce, calme, Fantine est casanière. Déstabilisée par les conflits, la lutte, l'agressivité, elle redoute la compétition du monde professionnel et préfère la sécurité du foyer, ou le bénévolat.

Prénom rare.

• **Prénom associé** : Fantin.

Saint Fantin est abbé en Calabre au 10e siècle ; sa piété et sa charité sont notoires. Il meurt en Macédoine au cours d'un voyage.

Faustine

Fête le 15 janvier.
Prénom d'origine latine,
dérivé de Faust.

- **Étymologie** : vient de *faustus* : fortuné.
- **Symbolique** : 5 - jaune - Lion - topaze.
- **Caractère** : curieuse, rapide, Faustine s'adapte vite à l'imprévu ; elle recherche les aventures et ne craint pas les difficultés qui la stimulent ; elle les affronte facilement grâce à sa grande intuition et son intelligence fine.

Prénom antique à la mode depuis 1990.

- **Prénoms français associés** : Faust - Fauste - Faustin.
- **Prénoms étrangers associés** : Fausta - Faustina - Faustino - Fausto - Faustinus - Faustyn.

Sainte Faustine vit au 6e siècle en Italie ; avec sa sœur Libérate, elle décide de ne pas se marier et de se retirer du monde ; elles passent leur vie chacune dans une cellule en prière et en contemplation.

Personnages célèbres : les impératrices romaines Faustine l'Ancienne, épouse de Antonin le Pieux, et Faustine la Jeune, épouse de Marc-Aurèle.

Félicie

Fête le 10 mai.
Prénom d'origine latine,
dérivé de Félix.

- **Étymologie** : vient de *félix* : heureux.
- **Symbolique** : 4 - orange - Vierge - topaze.
- **Caractère** : réservée et méfiante, Félicie ne se livre pas facilement, bien qu'elle soit dotée d'un réel don de communication. Elle paraît distante parfois, indifférente même : cette attitude cache une grande sensibilité qui craint d'être blessée.

Prénom en vigueur au 19e siècle qui réapparaît aujourd'hui.

- **Prénom français associé** : Félicité*.
- **Prénoms étrangers associés** : Félicia - Féliciana - Félicidad - Félicita - Félicitas - Félicity - Félizita.

Sainte Félicie est l'épouse de saint Isidore, près de Madrid, au 12e siècle. Tous deux cultivent la terre, élèvent leurs enfants, prient le Seigneur et sont un modèle de piété pour leur entourage.

Félicité

Fête le 7 mars.
Prénom d'origine latine,
dérivé de Félix.

- **Étymologie** : vient de *félix* : heureux.

• **Symbolique** : 6 - orange - Balance - topaze.

• **Caractère** : émotive, sensible, Félicité est pleine de tact, et sait être diplomate et préserver jalousement l'harmonie familiale. Affectueuse et serviable, elle s'attire de nombreux amis, mais a besoin d'une forte motivation pour réussir.

Prénom du 19e siècle, rare aujourd'hui.

Sainte Félicité est une jeune esclave chrétienne à Carthage au 3e siècle. Elle est enceinte lorsqu'elle est arrêtée avec plusieurs compagnons. Elle accouche dans sa cellule trois jours avant les jeux du cirque, et confie son enfant à une chrétienne qui promet de l'élever. Elle est livrée aux fauves avec sainte Perpétue, puis égorgée en l'an 203.

Fernande

Fête le 30 mai.
Prénom d'origine germanique,
dérivé de Fernand.

• **Étymologie** : vient de *frido* : paix et *nanthjan* : oser.

• **Symbolique** : 4 - jaune - Taureau - topaze.

• **Caractère** : très émotive, Fernande cherche avant tout la sécurité affective. Elle redoute la solitude, et s'entoure d'amis fiables qu'elle comble d'attentions et de conseils. Elle préfère s'investir dans son foyer, car le monde professionnel l'effraie.

Prénom rare.

Saint Ferdinand* est le patron de Fernande.

Flavie

Fête le 24 février.
Prénom d'origine latine,
dérivé de Flavien.

• **Étymologie** : vient de *flavus* : jaune.

• **Symbolique** : 1 - jaune - Lion - topaze.

• **Caractère** : simple et discrète, Flavie a une riche personnalité tout en nuances : élégante sans affectation, décidée sans autoritarisme, ferme sans entêtement. Travailleuse et ambitieuse, elle est perfectionniste et déteste la médiocrité.

Prénom rare.

• **Prénoms français associés** : Flaviane (occitan) - Flavienne - Flavière - Flavine.

• **Prénoms étrangers associés** : Flavia - Flavina - Flavinia.

Saint Flavien* est le patron de Flavie.

Fleur

Fête le 5 octobre.
Prénom d'origine latine,
dérivé de Flore.

• **Étymologie** : vient de *flor* : fleur.

• **Symbolique** : 8 - rouge - Verseau - rubis.

• **Caractère** : passionnée, pétulante, Fleur est une femme d'action ; son ambition, sa soif de pouvoir sont servies par un dynamisme à toute épreuve. Franche, elle peut être brutale ; déterminée, elle peut être rebelle et entêtée ; impatiente, elle est coléreuse, mais elle a un cœur d'or.

Prénom rare.

- **Prénoms français associés** : Fleurette - Fleurimond - Fleurimonde.

Sainte Fleur a pris le voile dans le Quercy en 1318. Elle consacre sa vie à soigner les malades ; elle obtint, dit-on, de miraculeuses guérisons pendant une épidémie de peste. Elle meurt en 1347.

Flore

Fête le 5 octobre.
Prénom d'origine latine.

- **Étymologie** : vient de *flor* : fleur.
- **Symbolique** : 2 - vert - Bélier - émeraude.
- **Caractère** : altruiste et généreuse, Flore met son extrême sensibilité au service des autres ; pour eux, ou avec eux, elle mobilise toute son énergie. Idéaliste, elle est peu attachée aux contingences matérielles, et se réfugie dans le rêve lorsqu'elle se sent menacée.

Prénom à la mode depuis 1980.

- **Prénoms français associés** : Fiorelle - Fleur* - Flora - Floraine - Florestine - Florelle - Florette - Floriane - Florie - Florinde - Florine - Floris.
- **Prénoms étrangers associés** : Fiora - Fiorella - Fioretta - Fiorisa - Fiorita - Florenda - Floriana - Florida - Florina - Florinda.

Sainte Flore naît à Cordoue en 830. Coupable d'être chrétienne, elle subit le martyr en 851.

Flora était la déesse de la végétation et de l'épanouissement des fleurs. Son culte était célébré à Rome sur le Quirinal lors des "floralies", fêtes un peu licencieuses qui avaient lieu au printemps.

Florence

Fête le 1er décembre.
Prénom d'origine latine.

- **Étymologie** : vient de *florens* : florissant.
- **Symbolique** : 6 - orange - Taureau - topaze.
- **Caractère** : sensible, esthète, Florence est éprise d'harmonie. Ambitieuse, et indépendante, elle a le sens ses responsabilités, mais se montre allergique à l'autorité. Sa grande force de caractère lui permet d'affronter efficacement les difficultés.

Prénom à l'honneur de 1950 à 1970.

- **Prénoms français associés** : Fleurance - Florange - Florencianna - Florencienne - Florentine - Flossie - Flourenço (provençal).
- **Prénoms étrangers associés** : Fiorenza - Florenca - Florencia - Florentia - Florenza - Florenzia - Florenxa.

Sainte Florence est une jeune fille païenne qui vit en Asie Mineure au 4e siècle. Elle rencontre saint Hilaire, évêque de Poitiers, qui est en exil. Il la convertit avec toute sa famille. Lorsque le bon saint rentre en France, elle le suit et prend le voile ; elle meurt en 367.

France

Fête le 9 mars.
Prénom d'origine latine,
dérivé de Françoise.

- **Étymologie** : vient de *Franci*, nom latin des Francs.
- **Symbolique** : 2 - bleu - Poissons - saphir.
- **Caractère** : exigeante et intuitive, France est très sélective dans sa vie privée comme dans sa vie professionnelle, car elle recherche l'harmonie.
- Sous un abord calme et réservé, elle est très passionnée et capable d'une puissante force de travail.

Prénom rare.

- **Prénoms français associés** : Franciane - Francienne - Francine.
- **Prénoms étrangers associés** : Franca - Francès - Francia - Francovea - Franka - Franke - Franxa.

Sainte Françoise* est la patronne de France.

Personnage célèbre : la chanteuse France Gall.

Françoise

Fête le 9 mars.
Prénom d'origine latine,
dérivé de François.

- **Étymologie** : vient de *Franci*, nom latin des Francs.
- **Symbolique** : 9 - rouge - Bélier - rubis.
- **Caractère** : douce, calme, réservée, Françoise est en réalité une inquiète qui craint les blessures affectives. Elle s'investit jusqu'au sacrifice dans son foyer, sa famille, ses amitiés, mais redoute les turbulences de la vie sociale et professionnelle.

Prénom à la mode de 1930 à 1950.

- **Prénoms français associés** : Ceska - Ciska - Fanchette - Fanchon - Fannette - Fanny* - France* - Franceline - Franceso (provençal) et Francette - Francine - Franseza, Soazic - Soizic (bretons).
- **Prénoms étrangers associés** : Fania - Francesca - Frankiska - Frannie - Franny - Paquita.

Sainte Françoise est mariée à 13 ans, contre son gré, par ses parents, à un noble romain ; le mari imposé se révèle un brave homme, et elle serait presque heureuse. Hélas, ses enfants meurent en bas-âge, son mari est exilé, sa maison pillée... Françoise ne perd pas la foi. Elle soigne les malades pendant l'épidémie de peste qui ravage Rome en 1413. À son veuvage, elle se retire dans un monastère qu'elle a fondé.

Personnages célèbres : Françoise d'Aubigné, marquise de Maintenon, Françoise Sagan, Françoise Mallet-Joris, Françoise Giroux, Françoise Dorin, Françoise Chandernagor, romancières contemporaines.

Frédérique

Fête le 18 juillet.
Prénom d'origine germanique, dérivé de Frédéric.

• **Étymologie** : vient de *frido* : paix et *rik* : roi.

• **Symbolique** : 9 - jaune - Sagittaire - topaze.

• **Caractère** : communicative, généreuse et altruiste, Frédérique brille par un puissant charisme. Désintéressée, elle prône les valeurs morales traditionnelles et épouse avec passion les grandes causes, mais elle a parfois tendance à oublier les contingences matérielles.

Prénom en faveur de 1950 à 1980.

• **Prénoms étrangers associés** : Fédérica - Frédérica - Frédérika - Frédérike - Frérika - Frida - Frieda - Friederica - Frigga - Frika - Rika.

Saint Frédéric* est le patron de Frédérique.

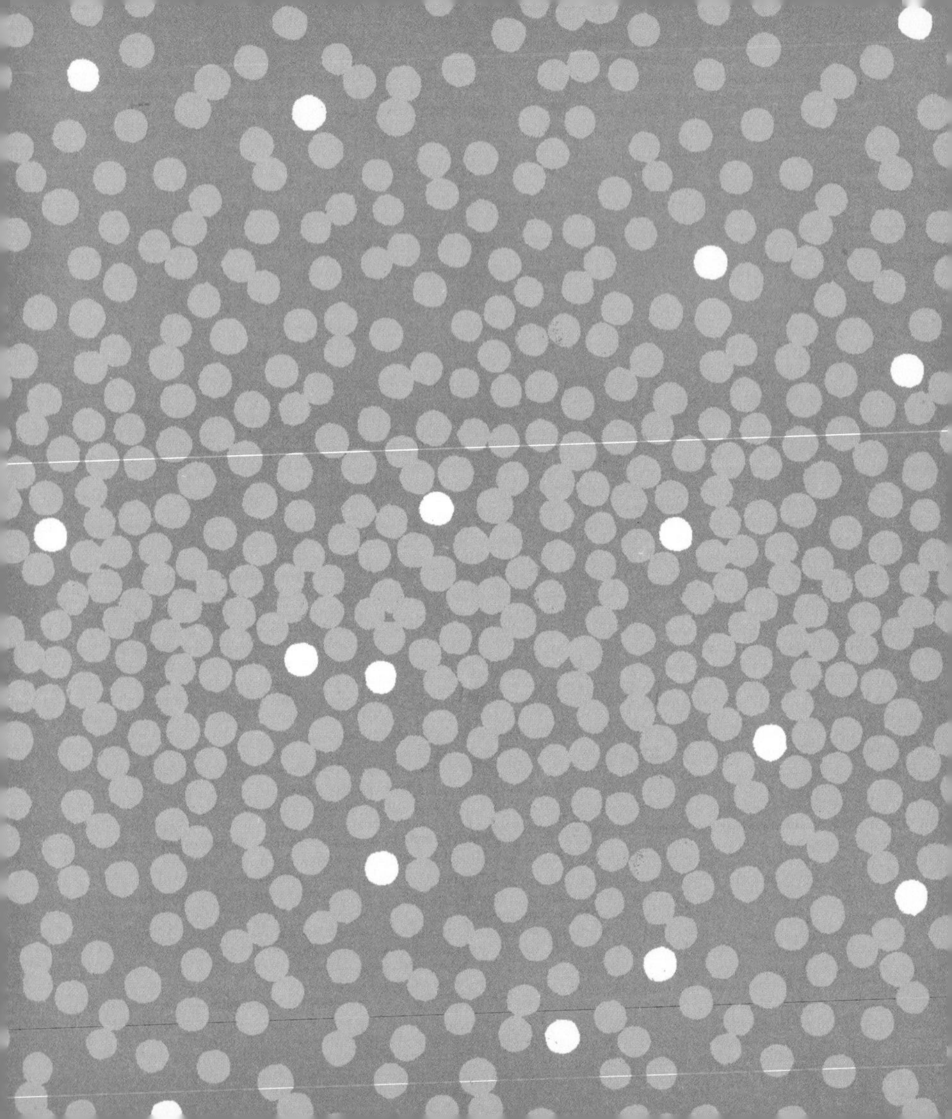

G

(filles)

Gabrielle

Fête le 26 juin.
Prénom d'origine hébraïque,
dérivé de Gabriel.

• **Étymologie** : vient de *gabar* : force et *el* : Dieu.

• **Symbolique** : 8 - bleu - Capricorne - saphir.

• **Caractère** : courageuse et énergique, Gabrielle a l'esprit d'entreprise et le sens de l'organisation. Elle est très exigeante et il faut savoir mériter son amitié.

Prénom biblique peu répandu.

• **Prénom français associé** : Gaby.

• **Prénoms étrangers associés** : Gabriela - Gabriella - Gavrila - Gavrionna.

Sainte Gabrielle est Fille de la Charité à Arras, ordre créé par saint Vincent de Paul. Sous la Révolution, elle est guillotinée, en 1794, pour avoir refusé de prêter serment.

Personnages célèbres : Gabrielle d'Estrées, favorite de Henri IV, Gabrielle Chanel, dite Coco.

Gaëlle

Fête le 17 décembre.
Prénom d'origine celte,
dérivé de Gwenaël.

• **Étymologie** : vient de *lud* : seigneur et *haël* : généreux.

• **Symbolique** : 6 - jaune - Gémeaux - topaze.

• **Caractère** : sentimentale, Gaëlle privilégie sa vie familiale, car elle recherche avant tout confort et sécurité ; épouse attentive, mère tendre, maîtresse de maison raffinée sont les rôles préférés de Gaëlle, à moins que sa riche imagination, son amour de la beauté et du luxe ne l'orientent vers l'art.

Prénom breton peu répandu.

• **Prénom associé** : Gaëlla.

Saint Gaël* est le patron de Gaëlle.

Gaïa

Fête le 22 septembre.
Prénom d'origine grecque.

• **Étymologie** : vient de *Gaïa*, nom de la déesse de la terre.

• **Symbolique** : 9 - vert - Bélier - émeraude.

• **Caractère** : ambitieuse, volontaire, Gaïa est une femme de caractère ; son opiniâtreté lui permet de parvenir à ses fins. Peu influençable, elle s'adapte facilement aux circonstances, mais a tendance à imposer très fermement son point de vue.

Prénom mythologique rare.

• **Prénom associé** : Gaïane.

Sainte Gaïane, jeune fille de la bonne société romaine au 3e siècle, fonde avec quelques compagnes une communauté de jeunes vierges au service de Dieu. L'empereur Dioclétien les remarque et les convoque dans un but inavouable ; elles s'enfuient. Retrouvées par ses soldats, elles sont décapitées.

Gaïa, dans la mythologie grecque, est la première créature issue du chaos originel ; elle est la mère du ciel, des eaux, et des montagnes. La légende conte qu'elle fonda le sanctuaire de Delphes, où le culte lui était rendu. Elle présidait à l'accomplissement des serments qu'on prononçait souvent en son nom, et punissait les parjures…

Garance

Fête le 5 octobre.

Prénom d'origine française.

- **Étymologie** : vient du nom d'une plante à fleurs jaunes qui pousse dans les bois ; *garance* désigne également une couleur rouge foncé.
- **Symbolique** : 4 - rouge - Capricorne - rubis.
- **Caractère** : timide et secrète, Garance préfère l'intimité de sa maison aux mondanités, la réflexion solitaire aux joutes oratoires, et la sécurité, la routine même, à l'imprévu et à l'innovation.

Prénom à la mode depuis 1990.

Sainte Fleur* est la patronne de Garance.

Geneviève

Fête le 3 janvier.

Prénom d'origine germanique.

- **Étymologie** : vient de *geno* : race et *weva* : femme.
- **Symbolique** : 4 - rouge - Cancer - rubis.
- **Caractère** : travailleuse et perfectionniste, Geneviève compense par l'effort son manque de confiance en elle. Elle protège sa grande sensibilité derrière une attitude parfois hautaine et préfère l'intimité d'un cercle restreint de bons amis aux mondanités.

Prénom classique à l'honneur au début du 20e siècle.

- **Prénoms français associés** : Génevote - Genn - Genna - Génovéfa - Ginette* - Gwenivar (breton).
- **Prénoms étrangers associés** : Geneva - Geneviva - Genovera - Geva - Gin - Gina - Ginévra - Guenia.

Sainte Geneviève naît à Nanterre en 422. Elle a sept ans lorsque saint Germain la remarque et lui prédit sa vocation. À quinze ans, elle prend le voile, et gagne Paris. Pendant la famine qui sévit dans Paris assiégé par les Huns, elle organise la résistance, va à Troyes se procurer des vivres en dépit du danger. Elle meurt à quatre-vingts ans. Son corps est enseveli dans la basilique construite sur la colline appelée aujourd'hui montagne Sainte-Geneviève.

Personnages célèbres : les actrices Geneviève Casile et Geneviève Page, la romancière Geneviève Dormann.

Georgette

Fête le 23 avril.

Prénom d'origine grecque, dérivé de Georges.

• **Étymologie** : vient de *gê* : terre et *ergon* : travail.

• **Symbolique** : 3 - jaune - Bélier - topaze.

• **Caractère** : enjouée, expressive, communicative, Georgette est très sensible ; elle privilégie ses relations affectives, et aime exercer un ascendant sur son entourage, au risque d'être parfois indiscrète ou envahissante.

Prénom moins courant au 19e et 20e siècles que son masculin.

• **Prénoms français associés** : Georgia - Georgiane - Georgienne - Georgina - Georgine.

• **Prénoms étrangers associés** : Georgeta - Georgiana - Giorga - Giorgina - Jordane - Jourgueta - Jurriana - Yourassia - Youria.

Saint Georges* est le patron de Georgette.

Personnages célèbres : les chanteuses Georgette Plana et Georgette Lemaire.

Géraldine

Fête le 29 mai.

Prénom d'origine germanique, dérivé de Gérald.

• **Étymologie** : vient de *gari* : lance et *wald* : gouvernant.

• **Symbolique** : 3 - bleu - Verseau - saphir.

• **Caractère** : enthousiaste, Géraldine communique sa joie de vivre à son entourage grâce à son élocution brillante et son sens de la répartie. Elle est rapide, curieuse, s'adapte vite aux situations, mais a tendance à se disperser un peu.

Prénom rare.

• **Prénoms étrangers associés** : Géralda - Géraldina.

Sainte Géraldine vit à Pise au 13e siècle. Elle est mariée de force par ses parents à un jeune homme aussi pieux qu'elle ; ils se séparent d'un commun accord pour vivre dans la pauvreté et la chasteté chacun de leur côté ; elle vit en ermite dans une cellule contiguë à l'abbaye du monastère où il s'est retiré.

Personnage célèbre : Géraldine Chaplin, actrice.

Ghislaine

Fête le 10 octobre.

Prénom d'origine germanique.

• **Étymologie** : *ghil* : otage et *lind* : doux.

• **Symbolique** : 3 - bleu - Bélier - saphir.

• **Caractère** : chaleureuse, enjouée, Ghislaine est très sociable. Elle apprécie d'avoir un public qu'elle charme par sa facilité d'élocution et son humour. Elle préfère l'action à l'étude, le plaisir au travail, et se laisse facilement aller à la facilité.

Prénom à l'honneur de 1940 à 1960.

• **Prénoms français associés** : Ghislena - Ghislie - Ghisline - Gislena - Guilaine - Guillaine.

Saint Ghislain* est le patron de Ghislaine.

Gilberte

Fête le 11 août.
Prénom d'origine germanique, dérivé de Gilbert.

• **Étymologie** : vient de *ghil* : otage et *behrt* : brillant.

• **Symbolique** : 6 - orange - Sagittaire - topaze.

• **Caractère** : émotive, sensible, Gilberte s'investit en priorité dans sa vie familiale. Elle est cependant indépendante, active, et capable d'assumer de lourdes responsabilités. Très impulsive, elle se laisse souvent aller à de violentes colères ou à des crises de nerfs.

Prénom à l'honneur, comme son masculin, au début du 20e siècle.

• **Prénoms français associés** : Agilberte - Guilberte - Wilberte.

• **Prénoms associés** : Gilberta - Wilberta.

Sainte Gilberte est une pieuse abbesse du monastère de Jouarre, au 7e siècle.

Ginette

Fête le 3 janvier.
Prénom d'origine germanique, dérivé de Geneviève.

• **Étymologie** : vient de *geno* : race et *weva* : femme.

• **Symbolique** : 8 - jaune - Lion - topaze.

• **Caractère** : courageuse, ambitieuse, Ginette est une femme de caractère qui a un grand attrait pour le pouvoir. Elle l'obtient grâce à son énergie, sa volonté et sa puissance de travail. Elle n'aime guère la vie domestique et préfère la compétition à la tranquillité.

Prénom en vogue au début du 20e siècle.

Sainte Geneviève* est la patronne de Ginette.

Personnages célèbres : les actrices Ginette Garcin et Ginette Leclerc.

Gisèle

Fête le 7 mai.
Prénom d'origine germanique, dérivé de Ghislaine.

• **Étymologie** : *ghil* : otage et *lind* : doux.

• **Symbolique** : 3 - jaune - Poissons - topaze.

• **Caractère** : ambitieuse et volontaire, Gisèle a le goût de la réussite, et l'esprit d'entreprise. Sociable, elle exerce un fort ascendant sur son entourage ; elle apprécie le travail d'équipe et se montre une très habile négociatrice.

Prénom à l'honneur de 1910 à 1940.

• **Autres orthographes** : Gisel - Giselle.

• **Prénoms français associés** : Gigi - Gixane - Gizane.

• **Prénoms étrangers associés** : Gisela - Giselo - Giselda - Gisella - Gisla - Gleitje - Silke.

Sainte Gisèle, épouse de saint Étienne de Hongrie, est la mère de saint Emeric. Après son veuvage en 1038, elle se retire dans un monastère.

Glwadys

Fête le 29 mars.
Prénom d'origine celte.

• **Étymologie** : vient de *glad* : richesse.

• **Symbolique** : 1 - bleu - Poissons - saphir.

• **Caractère** : sociable, enjouée, Glwadys est très communicative, mais elle est aussi très indépendante. Volontaire et ambitieuse, elle entend mener sa vie comme elle le souhaite, et ne se laisse pas facilement influencer.

Prénom rare.

• **Autre orthographe** : Gladys.

• **Prénoms associés** : Gladez - Gladdie.

Sainte Gladez est galloise, au 5e siècle. À la mort de son mari, elle se convertit au christianisme, et se retire dans un ermitage pour se consacrer à la prière et à la méditation.

Grace

Fête le 21 août.
Prénom d'origine latine.

• **Étymologie** : vient de *gratia* : grâce.

• **Symbolique** : 7 - bleu - Scorpion - saphir.

• **Caractère** : raffinée, altière, Grace en impose par son élégance. Très affective, elle est attachée à l'harmonie familiale et consacre toute son attention à son foyer. Réfléchie, volontaire, rigoureuse, elle ne laisse rien au hasard.

Prénom rare.

• **Prénoms français associés** : Graciane - Graziane - Gracie - Gracieuse - Griselda - Gratian - Gratianne - Gratien* - Gratienne.

• **Prénoms étrangers associés** : Grazia - Graziana - Graziella - Grazilla - Grizelda - Grazetta - Grazia - Graziano - Grazida - Grazina - Grazio - Griselda - Grisélidis.

Sainte Grace est une jeune musulmane prénommée Zaïda, fille de l'émir de Valence en Espagne ; elle se convertit en cachette de son père et prend le nom de Grace. Dénoncée, elle est arrêtée et décapitée en 1180.

Personnage célèbre : la princesse Grace de Monaco.

Guillemette

Fête le 10 janvier.
Prénom d'origine germanique, dérivé de Guillaume.

• **Étymologie** : vient de *wil* : volonté et *helm* : protection.

• **Symbolique** : 3 - vert - Balance - émeraude.

• **Caractère** : féminine, charmeuse, Guillemette séduit par son imagination, sa créativité. Elle est chaleureuse, accueillante et a un sens inné de l'amitié. Elle aime recevoir et attache une grande importance à sa vie sociale et familiale.

Prénom rare.

Saint Guillaume* est le patron de Guillemette.

Gwenaëlle

Fête le 3 novembre.
Prénom d'origine celte, dérivé de Gwenaël.

• **Étymologie** : vient de *gwenn* : blanc et *haël* : généreux.

• **Symbolique** : 3 - blanc - Lion - aigue-marine.

• **Caractère** : sociable, expressive, Gwenaëlle garde cependant une certaine réserve à l'égard des inconnus ; prudente, elle se méfie de sa sensibilité et recherche la stabilité affective, même si elle ne manque pas, par ailleurs, de fantaisie.

Prénom rare.

Saint Gwenaël* est le patron de Gwenaëlle.

Gwendoline

Fête le 14 octobre.

Prénom d'origine celte.

• **Étymologie** : vient de *gwenn* : blanc et *laouen* : joyeux.

• **Symbolique** : 9 - blanc - Balance - aigue-marine.

• **Caractère** : très émotive, rêveuse, Gwendoline est une idéaliste ; elle préfère s'orienter vers l'art et la créativité plutôt que d'affronter les turbulences de la vie professionnelle qui l'exposent aux désillusions. La solitude lui convient mieux que la vie sociale.

Prénom rare.

• **Prénoms associés** : Gwenda - Gwendal - Gwendolina.

Sainte Gwendoline est abbesse d'un monastère au pays de Galles au 6e siècle.

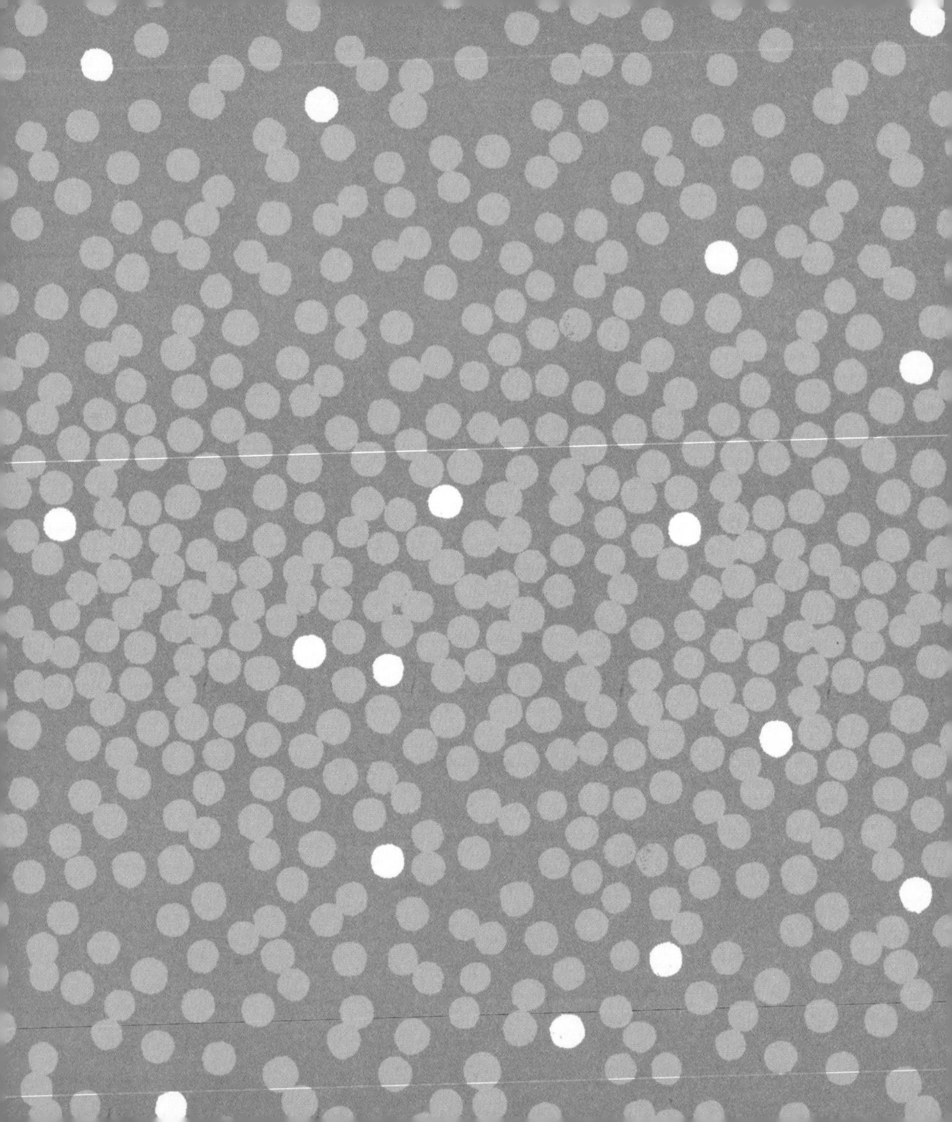

H

(filles)

Hélène

Fête le 18 août.
Prénom d'origine grecque.

• **Étymologie** : vient de *hêlê* : éclat du soleil.

• **Symbolique** : 4 - jaune - Cancer - topaze.

• **Caractère** : sensible et sentimentale, Hélène est une idéaliste qui se retranche dans une certaine froideur pour ne pas être inquiétée. Émotive, elle n'est pas armée pour affronter le stress et les conflits. Possessive et exigeante, elle supporte mal d'être incomprise.

Prénom classique indémodable.

• **Prénoms français associés** : Lenaïc (breton) - Milène - Mylène - Nelly*.

• **Prénoms étrangers associés** : Aileen - Aliona - Aliouka - Alena - Elaine - Elane - Elayne - Elena - Eleni - Elina - Eline - Ellen - Ellina - Ellenia - Elna - Eileen - Eilith - Eliena - Elioussa - Elinie - Ellyn - Helaine - Helen - Héléna - Hélénia - Hélénius - Hélénos - Hélénum - Héliéna - Hellen - Hilchen - Iléana - Ilonka - Ilona - Lana - Leentie - Lena - Lenchen - Leni - Lengen - Leno - Nellchen - Nellette - Nelliana - Nell - Oliona.

Sainte Hélène est fille d'aubergiste à Rome au 3e siècle ; séduite par Constance Chlore, empereur romain d'Occident, elle met au monde un fils, Constantin. Répudiée, elle quitte la cour, mais son fils la rappelle lorsqu'il accède au trône en 306. Hélène se convertit à soixante ans. Très influente, elle défend la cause des chrétiens, multiplie les dons et favorise la construction de monastères en Palestine.

Hélène, héroïne de *l'Iliade*, d'Homère, est la sœur de Clytemnestre et de Castor et Pollux, et la femme de Ménélas, roi de Sparte. Pâris, fils du roi de Troie, séduit par sa beauté, l'enlève, provoquant ainsi la guerre de Troie.

Personnage célèbre : Hélène Carrère d'Encausse, journaliste, écrivain, secrétaire perpétuel de l'Académie Française.

Héloïse

Fête le 1er novembre.
Prénom d'origine germanique, dérivé de Louise.

• **Étymologie** : vient de *chlodwig* : glorieux vainqueur.

• **Symbolique** : 1 - bleu - Gémeaux - saphir.

• **Caractère** : chaleureuse et amicale, spontanée, dotée d'une belle éloquence, Héloïse est une amie agréable, mais indépendante, elle fuit les contraintes. Son esprit vif, sa grande puissance de travail et sa volonté farouche lui permettent d'atteindre ses objectifs.

Prénom à la mode depuis 1980.

• **Autre orthographe** : Éloïse.

• **Prénoms français associés** : Aloïse - Aloyse - Loïs - Loïse.

• **Prénoms étrangers associés** : Aloïsa - Aloysa - Aloysia - Aloyssa - Eloïsa - Loïsa - Loïsia.

Sainte Louise* est la patronne d'Héloïse.

Héloïse voit le jour à Paris en 1101. Elle est la nièce du chanoine Fulbert qui, après l'avoir placée dans un monastère, la rappelle auprès de lui pour parfaire son éducation. Il lui donne pour précepteur Abélard, philosophe et théologien breton renommé. Une passion violente naît entre le maître et l'élève. Héloïse met au monde un fils et épouse secrètement Abélard. Fulbert accuse le précepteur d'avoir trahi sa confiance, et le fait émasculer. Héloïse se retire au couvent du Paraclet dont elle devient abbesse, et Abélard termine ses jours à l'abbaye de Saint-Denis. Ils ne cesseront jamais de s'écrire.

Henriette

Fête le 13 juillet.
Prénom d'origine germanique,
dérivé de Emeric.

• **Étymologie** : vient de *helm* : maison et *rik* : roi.

• **Symbolique** : 4 - rouge - Bélier - rubis.

• **Caractère** : déterminée et courageuse, Henriette sait ce qu'elle veut. Elle se montre d'ailleurs autoritaire et coléreuse si l'on contrarie ses projets. Curieuse, vive, elle est dynamique et défend âprement son indépendance, mais elle apprécie l'harmonie familiale.

Prénom en vogue à la fin du 19e siècle.

• **Prénoms étrangers associés** : Enriqueta - Erietta - Etta - Hattie - Harriet - Hattie - Hendrica - Hendrina - Hendrika - Henrica - Henrietta - Hettie - Hetty - Netta - Nettie - Riqua - Riquita.

Sainte Henriette est carmélite à Compiègne ; accusée avec quinze autres sœurs d'être ennemies de la Révolution, elle est conduite à l'échafaud en 1794.

Personnage célèbre : la reine Henriette d'Angleterre.

Hermance

Fête le 8 avril.
Prénom d'origine grecque,
dérivé de Hermès.

• **Étymologie** : vient de *Hermès*, nom d'un dieu de la mythologie.

• **Symbolique** : 4 - Verseau - jaune - topaze.

• **Caractère** : prudente, Hermance avance dans la vie lentement mais sûrement ; son opiniâtreté et sa grande conscience professionnelle la mènent au succès. Très affective, elle a besoin d'un environnement sécurisant pour donner le meilleur d'elle-même.

Prénom rare.

Saint Hermès, patron d'Hermance, fut évêque en Italie au 1er siècle.

Hermès est, dans la mythologie grecque, le fils de Zeus et de Maïa, l'une de ses conquêtes. Il est le messager de son père, ainsi que le dieu protecteur du commerce... et des voleurs, le dieu qui accompagnait les âmes des défunts jusqu'à leur dernière demeure.

Hermine

Fête le 9 juillet.
Prénom d'origine latine.

• **Étymologie** : vient de *armenius mus* : rat d'Amérique fournissant une fourrure recherchée.

• **Symbolique** : 9 - vert - Verseau - émeraude.

• **Caractère** : franche, directe, fière et exigeante, Hermine n'aime pas les attitudes équivoques. Tout en étant sensible, elle attache peu d'importance aux médisances comme aux flatteries, mais lorsqu'elle est déçue, elle se réfugie volontiers dans ses rêves.

Prénom médiéval rare jusqu'en 1990.

• **Prénoms français associés** : Hermien - Hermienne - Herminie - Irma* - Irmine.

• **Prénoms étrangers associés** : Erminia - Herma - Irminia.

Sainte Hermine, née en Bourgogne, est franciscaine ; partie évangéliser la Chine, elle est massacrée par les Boxers, membres d'une société secrète hostile aux Occidentaux, en 1900.

Hildegarde

Fête le 17 septembre.
Prénom d'origine germanique.

• **Étymologie** : vient de *hild* : combat et *gardan* : savoir.

• **Symbolique** : 1 - rouge - Sagittaire - rubis.

• **Caractère** : active et audacieuse, Hildegarde prend en main sa destinée avec autorité. Indépendante, elle supporte mal les contraintes ; combative elle ne craint pas les difficultés, même si sa nature émotive en souffre parfois.

Prénom médiéval rare.

Sainte Hildegarde, une des femmes les plus cultivées de son temps, vit en Allemagne au 12e siècle ; musicienne, moraliste, philosophe, historienne, elle échange une brillante correspondance avec papes et empereurs et rédige de très nombreux ouvrages dans des domaines aussi divers que l'astrologie, la médecine, la théologie. Elle fonde plusieurs monastères avant de s'éteindre en 1179, à près de quatre-vingt-dix ans.

Honorine

Fête le 27 février.
Prénom d'origine latine,
dérivé de Honoré.

• **Étymologie** : vient de *honoris* : honneur.

• **Symbolique** : 8 - orange - Cancer - topaze.

• **Caractère** : généreuse, dynamique et passionnée, Honorine est tout feu tout flammes. Avec elle, pas de routine, pas de tiédeur. Son énergie est débordante, sa soif de pouvoir insatiable. La vie domestique l'ennuie profondément alors qu'elle s'épanouit dans la compétition.

Prénom en vogue au 19e siècle.

Sainte Honorine, jeune chrétienne à Paris au 4e siècle, est arrêtée et martyrisée par les hommes de l'empereur Dioclétien. Son corps, jeté dans la Seine, est repêché par des bateliers témoins du drame.

Hortense

Fête le 11 janvier.
Prénom d'origine latine.

• **Étymologie** : vient de *Hortensius*, patronyme d'une illustre famille romaine.

• **Symbolique** : 5 - bleu - Vierge - saphir.

• **Caractère** : courageuse et passionnée mais secrète, Hortense est une adepte du tout ou rien. Elle cultive le paradoxe : réfléchie un jour, impulsive le lendemain, intrépide ou timorée selon les jours ; enthousiaste de nature, elle devient pessimiste à la moindre difficulté.

Prénom en vogue au 19e siècle et depuis 1990.

• **Prénoms étrangers associés** : Hortens - Hortensia - Hortenz - Ortensia - Ourtensi.

Saint Hortens est un homme ; il fut évêque de Césarée au 3e siècle.

Personnage célèbre : Hortense de Beauharnais, belle-fille de Napoléon 1er, reine de Hollande.

Huguette

Fête le 1er avril.
Prénom d'origine germanique, dérivé de Hugues.

• **Étymologie** : vient de *hug* : intelligence.

• **Symbolique** : 8 - violet - Cancer - améthyste.

• **Caractère** : volontaire, efficace et ambitieuse, Huguette est une maîtresse femme qui aime le pouvoir. Elle s'impose avec autorité, saisit les opportunités et travaille avec acharnement, mais elle ignore la docilité et la complaisance.

Prénom assez répandu au début du 20e siècle.

Saint Hugues* est le patron d'Huguette.

I

(filles)

Ida

Fête le 13 avril.
Prénom d'origine germanique.

- **Étymologie** : vient de *idh* : travail.
- **Symbolique** : 5 - bleu - Bélier - saphir.
- **Caractère** : gourmande, sensuelle, Ida est audacieuse. Elle s'intéresse à tout, tente les expériences, s'adapte à toutes les situations et dépense une énergie exceptionnelle lorsqu'elle est motivée. Prénom rare.
- **Prénoms étrangers associés** : Idaïa - Idalia - Idalie - Ide - Ides - Idye - Ilda - Ydes.

Sainte Ida vit à la cour de Charlemagne au 9e siècle. À la mort de son mari, elle entre dans les ordres et se consacre aux pauvres.

Inès

Fête le 10 septembre.
Prénom d'origine grecque, dérivé d'Agnès.

- **Étymologie** : vient de *agnê* : chaste.
- **Symbolique** : 2 - rouge - Bélier - rubis.
- **Caractère** : paisible, Inès apprécie le calme avant tout. Les responsabilités, la vie trépidante, le travail acharné ne sont pas pour elle. Très dépendante, elle a besoin d'être entourée, protégée. Dans l'adversité, elle se réfugie dans le rêve.

Prénom en vogue depuis 1990.

Sainte Inès Takeya est une jeune veuve, dans le Japon du 17e siècle. Chrétienne, elle reçoit des missionnaires qu'elle héberge chez elle. Dénoncée, elle est décapitée avec eux en 1622.

Personnages célèbres : Inès de Castro favorite du roi Pierre de Portugal, le mannequin Inès de la Fressange.

Ingrid

Fête le 2 septembre.
Prénom d'origine scandinave.

- **Étymologie** : vient de *Ing* : nom d'un dieu nordique et *rida* : chevalier.
- **Symbolique** : 7 - vert - Capricorne - émeraude.
- **Caractère** : réservée, Ingrid cultive une aura de mystère pour mieux observer son entourage. Son esprit critique acéré, sa logique implacable et son ironie corrosive cachent une hypersensibilité.

Prénom rare.

- **Prénoms associés** : Inger - Ingerid - Ingri - Ingrida.

Sainte Ingrid est la petite-fille du roi Knut de Suède, au 13e siècle.

Lorsque son mari meurt, elle part en pèlerinage en Terre Sainte, et sur le chemin du retour demande au pape la permission de fonder un monastère dans son pays. Elle en devient la première abbesse et y meurt en 1282. Personnage célèbre : Ingrid Bergman.

Irène

Fête le 5 avril.
Prénom d'origine grecque.

- **Étymologie** : vient de *eirênê* : paix.

• **Symbolique** : 6 - jaune - Sagittaire - topaze.

• **Caractère** :émotive et sensible, Irène est une femme pleine de tact qui sait être diplomate et prend un soin jaloux de l'harmonie familiale. Affectueuse, serviable, elle s'attire de nombreuses amitiés. Scrupuleuse et perfectionniste, elle a un sens aigü de devoir qui la pousse parfois à la maniaquerie.

Prénom en vogue de 1920 à 1930.

• **Prénoms français associés** : Arine (breton) - Earine - Irénée.**Prénoms étrangers associés** : Arina - Earina - Erinna - Ira - Iraïs - Iren - Irena - Irenca - Irénéa - Irénéo - Irénio - Iréno - Ireny - Iria - Irina - Raissa - Reni - Renia - Rénie.

Sainte Irène, née de parents païens en Macédoine, au 3e siècle, se fait baptiser avec ses sœurs. Toutes trois sont arrêtées et condamnées à mort. Ses sœurs sont brûlées vives devant elle ; Irène subit un nouvel interrogatoire, refuse d'abjurer. Elle monte sur le bûcher à son tour.

Personnages célèbres : la physicienne Irène Joliot-Curie, l'écrivain Irène Frain.

Iris

Fête le 4 septembre.
Prénom d'origine grecque.

• **Étymologie** : vient de *Iris*, nom d'une nymphe de la mythologie.

• **Symbolique** : 1 - vert - Vierge - émeraude.

• **Caractère** : autoritaire et exigeante, Iris n'aime pas les contraintes, mais est sensible aux compliments. Elle cherche à s'imposer par la force, parfois même par la tyrannie. Loyale et généreuse, elle est une amie fidèle, mais exigeante et jalouse.

Prénom rare.

• **Prénoms étrangers associés** : Irès - Iréa - Iria - Iride - Iridia.

Sainte Iris est la fille de Philippe, diacre en Asie Mineure au 2e siècle. Elle meurt en martyre peu après son père.

Iris est, dans la mythologie grecque, la messagère ailée des dieux de l'Olympe. Elle porte l'arc-en-ciel en écharpe.

Irma

Fête le 9 juillet.
Prénom d'origine latine,
dérivé de Hermine.

• **Étymologie** : vient de *armenius mus* : rat d'Amérique fournissant une fourrure recherchée.

• **Symbolique** : 5 - bleu - Sagittaire - saphir.

• **Caractère** : curieuse et très indépendante, Irma a toutes les audaces.

• Elle aime l'aventure et s'adapte à toutes les situations avec une facilité déconcertante. Vive, spirituelle, enjouée, elle est une amie fort agréable.

Prénom rare.

• **Prénoms français associés** : Irmeline - Irmine.

• **Prénoms étrangers associés** : Emela - Imela - Irmchen - Irme - Irmela - Irmouchka.

Sainte Hermine* est la patronne d'Irma.

Isabelle

Fête le 22 février.
Prénom d'origine hébraïque, dérivé d'Élisabeth

• **Étymologie** : vient de *elisaba* : Dieu est plénitude.

• **Symbolique** : 3 - jaune - Bélier - topaze.

• **Caractère** : féminine, sensible, généreuse, Isabelle est toute douceur. Sa soif d'absolu, son idéalisme, son imagination débordante la dirigent vers l'art et le rêve. Dépendante de son environnement affectif, elle est soumise.

Prénom à l'honneur au Moyen Âge, et de 1940 à 1970.

• **Prénoms français associés** : Aesa (breton) - Belle - Eisabeu (provençal) - Isabe - Isabeau - Isaline - Isaut - Iseline - Iseult - Iseut - Isolde - Isoline - Izaut - Izold - Yseult*- Yseut.

• **Prénoms étrangers associés** : Eisabella - Eisabeu - Isabel - Isabella - Isabeu - Isabrelette - Isambour - Isolt - Isotta - Izabel - Izabella - Izild - Izolda - Ysabel - Ysabella - Ysabeu - Ysaline - Yselune - Ysoline - Yzabel - Yzobel - Zolda.

Sainte Isabelle est la sœur de saint Louis. Elle refuse d'épouser le fils de l'empereur Frédéric II, et fonde un monastère de clarisses à Longchamp, près de Paris ; elle s'y retire et meurt en 1270, comme son frère.

Personnages célèbres : la reine Isabeau de Bavière, les actrices Isabelle Adjani, Isabelle Huppert, Isabella Rossellini.

Isaure

Fête le 19 juillet.
Prénom d'origine grecque.

• **Étymologie** : vient de *Isaura*, ville d'une ancienne province d'Asie Mineure.

• **Symbolique** : 1 - bleu - Vierge - saphir.

• **Caractère** : autoritaire, exigeante et volontaire, Isaure est perfectionniste et ambitieuse. Elle revendique la première place, ou la solitude. Femme de parole, elle respecte ses engagements, mais ne s'engage pas à la légère.

• **Prénoms associés** : Isaura - Isaurie.

Sainte Aura, patronne d'Isaure est moniale à Cordoue au 9e siècle. Arrêtée, elle est sommée d'abjurer ; elle refuse puis est mise à mort avec d'autres religieuses de sa congrégation.

J

(filles)

Jacqueline

Fête le 8 février.
Prénom d'origine hébraïque, dérivé de Jacob.

• **Étymologie** : signifie *Dieu a soutenu.*

• **Symbolique** : 7 - bleu - Scorpion - saphir.

• **Caractère** : active, dynamique et enthousiaste, Jacqueline est très travailleuse. Elle est ambitieuse, tenace, et ne se laisse ni décourager ni impressionner. Sociable, elle est cependant très exigeante sur la qualité de ses relations.

Prénom en vogue au 16e, au 17e siècle et au début du 20e siècle.

• **Prénoms français associés** : Jacquemine - Jacquine - Jacquotte - Jacotte - Jakeza (breton).

• **Prénoms étrangers associés** : Jacquelina - Jackaleen - Jackalène - Jackie - Jacky - Jaggie - Jamesa - Jamie - Jamila.

Sainte Jacqueline Frangipani, noble italienne fortunée, au 13e siècle, perd son mari très jeune. Elle élève ses enfants, et devient amie et confidente de saint François d'Assise. Elle a des biens, et de nombreuses relations. Elle s'en sert pour aider l'ordre franciscain à s'établir, et soigne saint François à la fin de sa vie. Elle meurt en 1239.

Personnages célèbres : Jackie Kennedy, et l'historienne Jacqueine de Romilly.

Jade

Fête le 29 juin.
Prénom d'origine française.

• **Étymologie** : vient de *jade* : pierre précieuse de couleur verte.

• **Symbolique** : 2 - vert - Bélier - émeraude.

• **Caractère** : passionnée et active, Jade cache sous une apparente douceur une grande force de caractère. Elle est très déterminée, volontaire et travailleuse et ne craint pas les difficultés. Exigeante avec les autres comme avec elle-même, elle recherche la perfection.

Prénom rare.

Saint Pierre* est le patron de Jade.

Jasmine

Fête le 5 octobre.
Prénom d'origine persane.

• **Étymologie** : vient de *yâsimin* : jasmin.

• **Symbolique** : 8 - blanc - Taureau - aigue-marine.

• **Caractère** : courageuse et volontaire, Jasmine a de l'ambition ; elle dépense sa grande nervosité dans l'action... ou dans la colère. Impatiente, elle ne sait guère être tolérante ; perfectionniste, elle se montre exigeante.

Prénom rare.

• **Prénom français associé** : Jasmin.

• **Prénoms étrangers associés** : Gelsomina - Gelsomino - Jasmina - Mina - Yasmina.

Sainte Fleur* est la patronne de Jasmine.

Jeanne

Fête le 30 mai.
Prénom d'origine hébraique, dérivé de Jean.

• **Étymologie** : vient de *Yahvé hanan* : Dieu est miséricordieux.

• **Symbolique** : 4 - jaune - Lion - topaze.

• **Caractère** : émotive, Jeanne a besoin pour s'épanouir d'un climat affectif sécurisant. Sa forte motivation, sa grande capacité de travail lui permettent d'avoir toutes les ambitions, à condition de pouvoir surmonter les embûches en dépit de sa grande nervosité.

Prénom classique, en faveur au Moyen Âge, aux 18e et 19e siècles et depuis 1990.

• **Prénoms français associés** : Évane - Ivanne - Janeto (provençal) - Janie - Janine - Janik (breton) - Jano (provençal) - Jeannie - Jeannequine - Jehanne - Johanne - Nanette.

• **Prénoms étrangers associés** : Evana - Gianna - Giannina - Giovanna - Ioanna - Iona - Ionna - Ivana - Ivanda - Ivanka - Jane - Janet - Janeta - Janetta - Janina - Jemma - Jemmie - Jenna - Jennie - Jennifer* - Jenny - Jennyfer - Joan - Joanna - Johanna - Jonka - Jouna - Jovanka - Juana - Juanita - Netta - Sheona - Shiona - Sinead - Vanina - Vassina.

Sainte Jeanne d'Arc naît à Domrémy dans une famille de paysans en 1412. Elle garde les moutons dans le pré familial lorsqu'elle entend "des voix". Elle a treize ans. Elle n'ose pas en parler à ses parents tout d'abord. Mais pendant quatre ans, ces voix, "celles de Messire saint Michel et de Mesdames sainte Catherine et sainte Marguerite" dira-t-elle à son procès, l'exhortent à sauver son pays. Comment prendre les armes contre le puissant envahisseur lorsqu'on est une petite paysanne illettrée ? "Les voix" la rassurent : Dieu l'y aidera. La France est réduite à la pire détresse : les Anglais l'occupent, la famine sévit, les épidémies menacent, les caisses du trésor sont vides et le roi est écarté de son trône. Il faut le rétablir. Jeanne persuade le capitaine royal à Vaucouleurs de lui donner une escorte. En février 1429, Jeanne se rend à Chinon, portant des vêtements masculins pour être reçue par Charles VII. Le roi l'écoute et lui donne une armée. Conduite devant Orléans, elle pénètre dans la cité assiégée. Peu à peu, de victoire en victoire, Jeanne et son armée repoussent les Anglais. Charles VII est couronné à Reims. Mais voici venue l'heure des revers. Jeanne est faite prisonnière à Rouen, et jugée pour hérésie. Elle meurt sur le bûcher le 30 mai 1431 ; elle n'a pas 20 ans. Elle sera réhabilitée vingt-cinq ans plus tard et deviendra l'une des plus grandes saintes de l'Église de France.

Personnages célèbres : la reine de France

Jeanne de Navarre, Jeanne Bécu, comtesse du Barry et Jeanne-Antoinette Poisson, marquise de Pompadour, favorites de Louis XIV, la romancière anglaise Jane Austen, Jeanne Moreau, Jane Birkin.

Jennifer

Fête le 30 mai.
Prénom d'origine hébraïque, dérivé de Jeanne.

• **Étymologie** : vient de *Yahve hanan* : Dieu est miséricorde.

• **Symbolique** : 7 - vert - Taureau - émeraude.

• **Caractère** : courageuse, autonome et responsable, Jennifer est loyale ; elle supporte mal l'injustice, le mensonge. Hypersensible, elle est réservée, sociable et généreuse, mais exigeante avec son entourage, et se révèle parfois dominatrice dans sa vie privée.

Prénom anglo-saxon assez répandu depuis 1980.

• **Autre orthographe** : Jennyfer.

Sainte Jeanne* est la patronne de Jennifer.

Jéromine

Fête le 30 septembre.
Prénom d'origine grecque, dérivé de Jérôme.

• **Étymologie** : vient de *hieros* : sacré et *onoma* : nom.

• **Symbolique** : 8 - vert - Gémeaux - émeraude.

• **Caractère** : vive, enjouée, Jéromine est peu attirée par la vie du foyer et les activités domestiques. Elle investit sa fougue et sa puissance de travail dans sa vie personnelle et professionnelle. Attirée par le luxe et la réussite, elle n'accepte ni l'échec ni la médiocrité.

Prénom rare.

Saint Jérôme* est le patron de Jéromine.

Jessica

Fête le 29 décembre.
Prénom d'origine hébraïque, dérivé du nom Jessé.

• **Étymologie** : signifie *Dieu est*.

• **Symbolique** : 3 - bleu - Lion - saphir.

• **Caractère** : fine et spirituelle, Jessica est très expressive ; elle adore charmer son entourage par sa belle éloquence. Dotée d'un sens aigu de l'observation, d'une grande intuition, elle est une femme de communication exceptionnelle.

Prénom biblique répandu aux États-Unis.

• **Prénoms associés** : Jessalyne - Jesse - Jessie - Jessy - Seasaid.

Saint Jessé est le père du roi David, en Israël, au 10e siècle avant J.-C.

Personnages célèbres : l'actrice Jessica Lange, la chanteuse Jessie Norman.

Joëlle

Fête le 13 juillet.
Prénom d'origine hébraïque,
dérivé de Joël.

- **Étymologie** : signifie *Yahvé est Dieu.*
- **Symbolique** : 5 - bleu - Lion - saphir.
- **Caractère** : taciturne ou enjouée, pessimiste ou enthousiaste, secrète ou expansive, Joëlle est la femme des contrastes. Qui sait ce qu'elle sera demain ? Son entourage s'y perd souvent et elle s'étonne d'être incomprise !

Prénom en vogue comme son masculin de 1940 à 1960.

- **Prénoms étrangers associés** : Joëlla - Joïlita.

Saint Joël* est son patron.

Jonelle

Fête le 13 juillet.
Prénom d'origine hébraïque,
dérivé de Joël.

- **Étymologie** : signifie *Yavhé est Dieu.*
- **Symbolique** : 1 - bleu - Balance - aigue-marine.
- **Caractère** : intuitive, sensible, émotive, Jonelle a un besoin vital d'affection. Elle se sait vulnérable et, susceptible, elle est sans cesse sur la défensive. La stabilité la rassure, l'imprévu l'inquiète, et elle ne craint pas la routine.
- **Prénoms associés** : Jodelle - Jodie - Jonella - Yaëlle - Yoëlle.

Saint Joël* est le patron de Jonelle.

Josée

Fête le 9 juin.
Prénom d'origine hébraïque,
dérivé de Joseph.

- **Étymologie** : signifie *Dieu ajoute.*
- **Symbolique** : 9 - rouge - Bélier - rubis.
- **Caractère** : hypersensible et idéaliste, Josée se réfugie dans la solitude et le rêve à la moindre désillusion. Elle cherche protection et sécurité dans des relations affectives sûres, mais extériorise peu ses sentiments. Ses dons artistiques lui permettent souvent de s'épanouir.

Prénom rare, plus souvent composé avec Marie.

Saint Joseph* est son patron.

Joséphine

Fête le 8 février.
Prénom d'origine hébraïque,
dérivé de Joseph.

- **Étymologie** : signifie *Dieu ajoute.*

• **Symbolique** : 2 - rouge - Cancer - rubis.

• **Caractère** : indépendante et secrète, Joséphine cultive le mystère. Paraissant timide, elle est dotée d'une grande force de caractère : responsable, exigeante, intuitive, volontaire, travailleuse. Attachée aux valeurs morales, sa fidélité est à toute épreuve.

Prénom en vogue au 19e siècle et depuis 1990.

Sainte Josépmhina, née au Soudan au 19e siècle, est enlevée, vendue comme esclave, se convertit, demande le baptême. Elle entre au couvent et y termine ses jours.

Personnages célèbres : Joséphine de Beauharnais, Joséphine Baker.

Judith

Fête le 5 mai.
Prénom d'origine hébraïque.

• **Étymologie** : vient de *yehudit* : juive.

• **Symbolique** : 9 - bleu - Cancer - saphir.

• **Caractère** : chaleureuse, conciliante, diplomate, Judith est très communicative. Elle se dévoue sans compter pour les autres. Contrepartie de son extrême sensibilité, elle est vulnérable et craint les tensions, les conflits.

Prénom biblique rare.

• **Prénoms français associés** : Jude - Judette - Judie.

• **Prénoms étrangers associés** : Jodie - Jody - Jud - Judinta - Juditha - Judy - Jutta - Yehudi.

Sainte Judith, veuve très jeune, vend ses biens, en Thuringe, quitte son pays, pour la Prusse, où elle se met au service des indigents.

Judith, personnage biblique, séduit le général ennemi pour sauver la ville de Béthulie, l'enivre, et le décapite pendant son sommeil.

Julie

Fête le 8 avril.
Prénom d'origine latine, dérivé de Jules.

• **Étymologie** : vient de *Iulius* : de la famille de Iule, descendant d'Énée, prince légendaire de Troie.

• **Symbolique** : 3 - rouge - Gémeaux - rubis.

• **Caractère** : réaliste, Julie a les pieds sur terre. Sans être matérialiste, elle apprécie la sécurité financière, car l'argent lui permet de donner libre cours à son bel appétit de vivre. Sociable et communicative, elle garde cependant une certaine réserve pour préserver son intimité.

Prénom courant au 19e siècle et depuis 1980.

• **Prénoms associés** : Julia - Juliette*.

Sainte Julie Billiart vit en Picardie au 19e

siècle ; paralysée des jambes à la suite d'une maladie, elle refuse de rester inactive et réunit les enfants de son village autour de sa chaise pour leur apprendre le catéchisme. Elle ne déclare pas forfait, se réfugie à Amiens, réussit à y ouvrir une école, puis, en 1803, fonde l'institut des sœurs de Notre-Dame pour l'éducation chrétienne des enfants pauvres. Elle lui consacre le reste de sa vie.

Personnages célèbres : Julie Récamier, Julie de Lespinasse.

Juliette

Fête le 30 juillet.
Prénom d'origine latine, dérivé de Jules.

- **Étymologie** : vient de *Iulius*, famille patricienne de la Rome antique.
- **Symbolique** : 3 - rouge - Lion - rubis.
- **Caractère** : séductrice, Juliette a un sourire éclatant, un regard charmeur. Elle semble parfois frivole, mais elle a au contraire beaucoup de ténacité et d'esprit pratique. Très sensible, elle a besoin d'affection pour être heureuse.

Prénom rare en vogue depuis 1980.

- **Prénoms associés** : Julia - Julie*.

Sainte Juliette, appelée aussi Jullitte, vit à Césarée en Cappadoce au 4e siècle ; désemparée par son récent veuvage, elle fait confiance à un homme d'affaires véreux qui la spolie de la plus grande partie de ses biens. Elle lui intente un procès, mais son adversaire la dénonce comme chrétienne. Elle refuse d'abjurer et meurt sur le bûcher en 303.

Personnages célèbres : Juliette Drouet, maîtresse de Victor Hugo, et la chanteuse Juliette Gréco.

Justine

Fête le 12 mars.
Prénom d'origine latine, dérivé de Justin.

- **Étymologie** : vient de *justus* : juste.
- **Symbolique** : 8 - vert - Gémeaux - émeraude.
- **Caractère** : passionnée, courageuse, combative, orgueilleuse, Justine n'est pas de tout repos. Elle sait s'affirmer, défendre ses opinions avec détermination, et sa franchise est sa première qualité. Mais elle méconnaît tolérance et diplomatie !

Prénom en vogue au 19e siècle et depuis 1990.

Sainte Justine est la fille d'un païen d'Antioche ; le récit de l'Évangile la convertit ; elle convainc ses parents et son fiancé Cyprien de se faire baptiser eux aussi. Cyprien et Justine font vœu de chasteté ; il devient évêque, elle, abbesse d'un monastère. Mais, victimes des persécutions de l'empereur Dèce, Justine est décapitée avec Cyprien en 280.

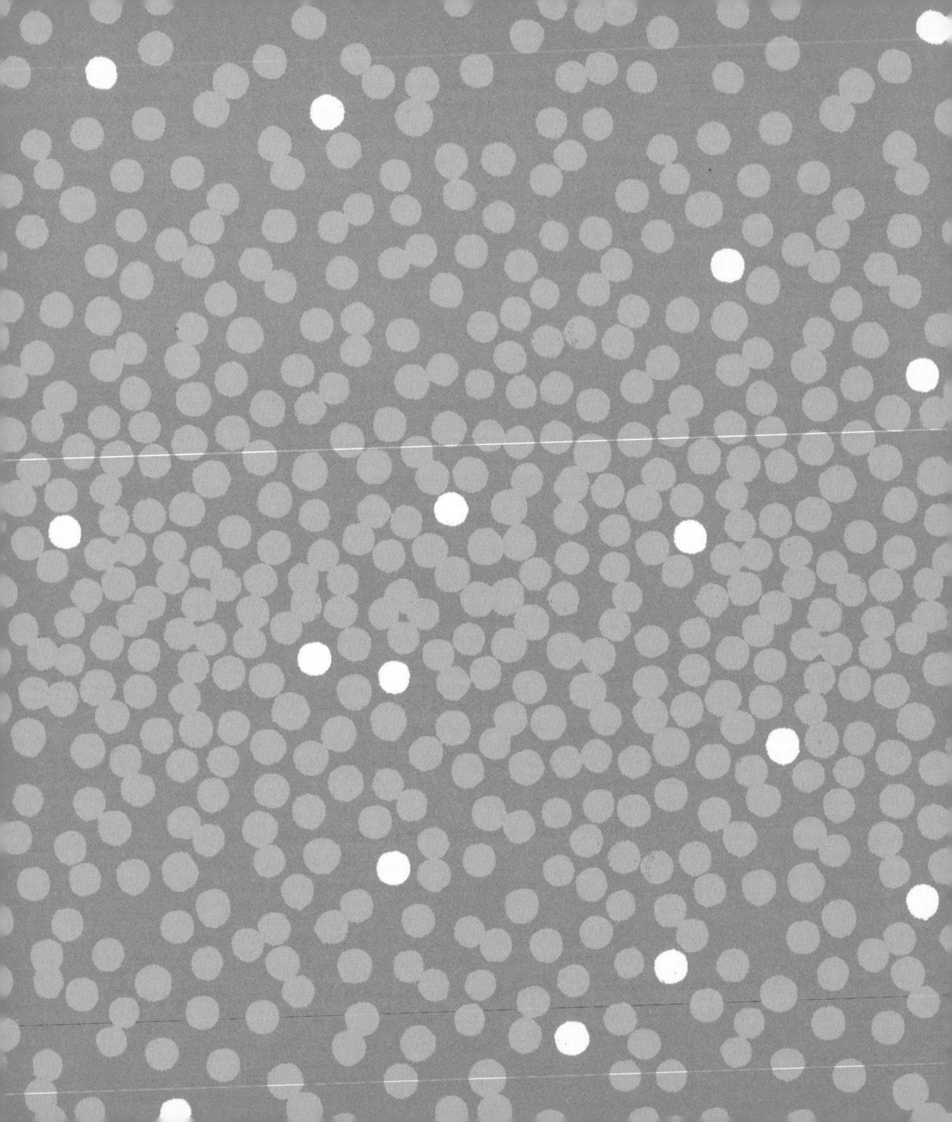

K

(filles)

Karen

Fête le 17 juillet.
Prénom d'origine germanique, dérivé de Charlotte.

- **Étymologie** : vient de *karl* : viril.
- **Symbolique** : 4 - rouge - Capricorne - rubis.
- **Caractère** : secrète et distante, Karen est une inquiète et une sentimentale ; émotive, elle redoute le stress, les conflits et se réfugie dans le mutisme à la moindre alerte. Indépendante, elle gère sa vie sans se laisser influencer.

Prénom peu courant.

Sainte Charlotte* est la patronne de Karen.

Personnage célèbre : l'écrivain danois Karen Blixen.

L

(filles)

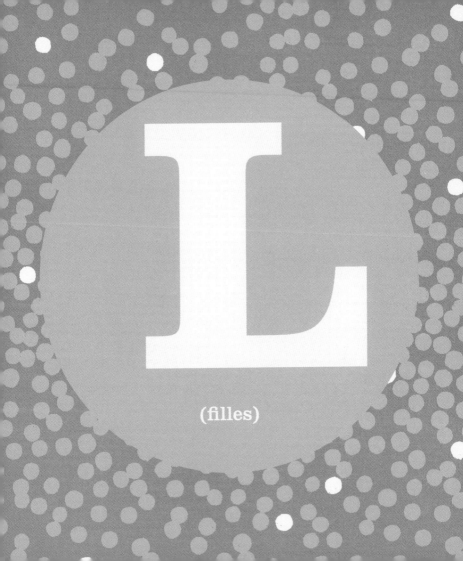

Laetitia

Fête le 18 août.
Prénom d'origine latine.

- **Étymologie** : vient de *laetitia* : allégresse.
- **Symbolique** : 5 - bleu - Lion - aigue-marine.
- **Caractère** : sage, douce et réfléchie mais indépendante, Laetitia sait prendre ses distances pour échapper aux contraintes, et préfère la solitude aux concessions de la vie sociale.

Prénom en faveur au 18e siècle et depuis les années 1970.

- **Prénoms français associés** : Laetitianne - Laetitienne - Lalou.
- **Prénoms étrangers associés** : Allegra - Allegria - Joy - Laetizia - Laetoria - Laetus - Leta - Létizia - Létice - Lettice - Lettie - Letty - Lévenez - Lié - Liède - Titia - Tizia.

Notre-Dame de Liesse est la sainte patronne de Laetitia.

Personnage célèbre : Marie-Laetitia Ramolino, mère de Napoléon Bonaparte.

Lara

Fête le 26 mars.
Prénom d'origine grecque.

- **Étymologie** : vient de *lara* : mouette.
- **Symbolique** : 5 - jaune - Gémeaux - topaze.
- **Caractère** : sociable et très affective, Lara est une séductrice née ; elle déteste l'ordre, la rigueur, la méthode et s'épanouit dans la fantaisie, la créativité, et l'imprévu.

Prénom peu courant.

- **Prénoms étrangers associés** : Larie - Larissa.

Sainte Larissa est une jeune chrétienne qui vit en Grèce au 4e siècle ; elle est brûlée vive dans une église avec plusieurs compagnons pour avoir refusé de renier sa foi. Dans la mythologie romaine, Lara est une nymphe, fille du fleuve Tibre, et mère des dieux lares, protecteurs du foyer.

Laure

Fête le 19 octobre.
Prénom d'origine latine, dérivé de Laurent.

- **Étymologie** : vient de *laurus* : laurier.
- **Symbolique** : 3 - vert - Sagittaire - émeraude.
- **Caractère** : charmeuse, Laure aime plaire, et elle y parvient fort bien ; sensible, douce, douée d'une belle éloquence, elle séduit facilement son entourage. Elle a juste un peu tendance, devant tant de succès, à se laisser aller à la facilité.

Prénom en vogue aux 18e et 19e siècle, puis dès les années 1980.

- **Prénoms français associés** : Laureline - Laurelle - Laurence* - Laurène - Laurette - Laurie - Laurine - Lorette.

• **Prénoms étrangers associés** : Laura - Laureda - Lauredane - Lauren - Laureen - Laurella - Laurena - Lauretta - Lauria - Laurinda - Laurinde - Laurisa - Loredana - Loretta - Lori - Lorinda - Lorita - Lorna - Oredana - Oretta.

Sainte Laure, jeune chrétienne, vit en Andalousie au 9e siècle ; les chrétiens sont mal vus sur cette terre musulmane. Elle refuse d'obéir à l'émir qui la somme d'abjurer pour se convertir à l'Islam. Elle meurt en martyre vers 850.

Laurence

Fête le 10 août.
Prénom d'origine latine, dérivé de Laurent.

• **Étymologie** : vient de *laurus* : laurier.

• **Symbolique** : 7 - vert - Verseau - émeraude.

• **Caractère** : Laurence est sociable, gaie et spontanée, mais elle se montre réfléchie pour prendre les décisions importantes qui engagent son avenir. Elle a une forte puissance de travail qu'elle met au service de ses ambitions. Susceptible, elle est exigeante envers ses amis. Prénom classique dans la seconde moitié du 20e siècle, un peu oublié depuis les années 1970.

• **Prénoms français associés** : Laurentienne - Laurentine.

• **Prénom étranger associé** : Laurenza.

Saint Laurent* est le patron de Laurence.

Léa

Fête le 22 mars.
Prénom d'origine hébraïque.

• **Étymologie** : vient de *leah* : vache sauvage.

• **Symbolique** : 9 - orange - Taureau - topaze.

• **Caractère** : Léa est fantaisiste, parfois bohème, ce qui ne l'empêche pas d'être déterminée ; quand elle fixe un but à sa vie, elle s'y tient. Elle y emploie toute sa sensibilité et son intuition sans craindre les revers, même si son immense émotivité risque d'en souffrir.

Prénom en faveur au 19e siècle et depuis les années 1980.

Sainte Léa est une riche veuve de la société romaine. Peu pressée de se remarier malgré ses nombreux soupirants, elle vit agréablement. Mais elle rencontre saint Jérôme : elle est touchée par ses prédications, devient son disciple, distribue toute sa fortune aux pauvres et termine sa vie dans un monastère vers 384. Léa, dans la Bible, est la sœur de Rachel ; elle épouse le patriarche Jacob et lui donne six fils qui devinrent les ancêtres des tribus d'Israël.

Léone

Fête le 6 décembre.
Prénom d'origine latine, dérivé de Léon.

- **Étymologie** : vient de *léo* : lion.
- **Symbolique** : 6 - vert - Vierge - émeraude.
- **Caractère** : ambitieuse et responsable, Léone a confiance en ses qualités ; elle a raison ; équilibrée, active, perfectionniste, elle se donne les moyens de réussir. Mais bien qu'elle soit sensible à l'affection des siens, elle supporte mal l'autorité.

Prénom peu courant.

- **Prénoms français associés** : Léonie - Léonille* - Léonine - Léonne - Léontine* - Lionelle.
- **Prénoms étrangers associés** : Léona - Léonella - Léonia - Léonila - Léonilla - Léonina - Léonida - Léontia - Léonida - Lionella - Lonni - Nilla.

Sainte Léonie est une jeune chrétienne d'Afrique du Nord ; elle refuse de renier sa foi et meurt en martyre en 484.

Personnage célèbre : Léonie Bathiat, dite Arletty.

Léonille

Fête le 17 janvier.
Prénom d'origine latine, dérivé de Léon.

- **Étymologie** : vient de *léo* : lion.
- **Symbolique** : 3 - Scorpion - jaune - topaze.
- **Caractère** : gaie, optimiste, Léonille respire la joie de vivre. Elle a une plume agile, le verbe haut, le regard aigu, et séduit ceux qui l'approchent. Mais son charisme ne l'empêche pas de nourrir des inquiétudes à l'égard de la vie.

Prénom rare.

- **Prénoms de la même famille** : Léone* - Léonella - Léonie.

Sainte Léonille vit en Cappadoce en Asie Mineure au 1er siècle ; elle a trois petits-fils, emprisonnés pour avoir affirmé leur foi chrétienne ; le préfet lui demande de les faire abjurer ; ils la convertissent et elle subit le martyre avec eux.

Léontine

Fête le 10 novembre.
Prénom d'origine latine, dérivé de Léon.

- **Étymologie** : vient de *léo* : lion.
- **Symbolique** : 4 - vert - Vierge - émeraude.
- **Caractère** : réservée pour ne pas dire secrète, Léontine n'aime guère la société ; elle s'épanouit davantage dans un cercle familial affectueux que dans le monde ; naturelle, franche et rationnelle, elle a besoin de stabilité, car elle ne s'adapte pas facilement aux changements.

Prénom assez répandu au 19e siècle.

Saint Léon* est le patron de Léontine.

Léopoldine

Fête le 15 novembre. Prénom d'origine germanique, dérivé de Léopold.

• **Étymologie** : vient de *liut* : peuple et *bold* : courageux.

• **Symbolique** : 8 - jaune - Poissons - topaze.

• **Caractère** : courageuse et déterminée, Léopoldine sait faire preuve d'autorité pour parvenir à ses fins ; elle mène ses affaires tambour battant, grâce à son solide sens pratique, et à son goût prononcé pour l'argent et la réussite.

Prénom assez répandu au 19e siècle.

Saint Léopold* est le patron de Léopoldine.

Personnage célèbre : Léopoldine, fille cadette de Victor Hugo.

Leslie

Fête le 17 novembre.
Prénom mixte d'origine hébraïque, dérivé de Élisabeth.

• **Étymologie** : vient de *elisaba* : Dieu est plénitude.

• **Symbolique** : 8 - vert - Bélier - émeraude.

• **Caractère** : un peu inquiète et soucieuse d'être reconnue, Leslie éprouve le besoin de s'affirmer ; c'est sans doute pourquoi elle recherche le pouvoir, qu'elle conquiert aisément grâce à sa rapidité d'esprit et son opportunisme.

Prénom usité en Grande-Bretagne et aux États-Unis.

• **Prénoms associés** : Lesley - Lesly.

Sainte Élisabeth* est la patronne de Leslie.

Personnage célèbre : l'actrice Leslie Caron.

Line

Fête le 24 décembre.
Prénom d'origine germanique, dérivé de Adèle.

• **Étymologie** : vient de *adal* : noble.

• **Symbolique** : 4 - orange - Cancer - topaze.

• **Caractère** : simple, naturelle, Line a le sens des réalités ; sa haute moralité la rend digne de confiance, mais elle manque parfois de tolérance. Elle est consciente de ses responsabilités et n'aime pas la superficialité.

Prénom assez apprécié au début du 20e siècle, rare aujourd'hui.

• **Prénom associé** : Lina.

Sainte Adèle* est la patronne de Line.

Personnage célèbre : la chanteuse et actrice Line Renaud.

Lise

Fête le 17 novembre.
Prénom d'origine hébraïque, dérivé de Élisabeth.

• **Étymologie** : vient de *elisaba* : Dieu est plénitude.

• **Symbolique** : 5 - orange - Poissons - topaze.

• **Caractère** : déterminée, travailleuse et efficace, Lise atteint les buts qu'elle s'est fixés ; elle fait preuve de prudence dans sa vie privée comme dans sa vie professionnelle, et n'apprécie pas les imprévus.

Prénom répandu au milieu du 20e siècle, rare aujourd'hui.

• **Prénoms associés** : Lisa - Liz - Liza.

Sainte Élisabeth* est la patronne de Lise.

Personnages célèbres : les actrices américaines Liz Taylor, Liza Minnelli.

Lorelei

Fête le 19 octobre.
Prénom d'origine germanique, inspiré de la littérature.

• **Symbolique** : 4 - vert - Poissons - émeraude.

• **Caractère** : responsable, déterminée et persévérante, Lorelei mène sa vie avec sagesse et rigueur, même si elle ne déteste pas un brin d'originalité et d'espièglerie. Réservée de prime abord, voire timide, elle manifeste optimisme et joie de vivre à ceux qui ont su conquérir son amitié.

Prénom rare.

Lorelei peut être fêtée avec Laure*.

Lorelei est l'héroïne de plusieurs ballades romantiques ; créé par Clemens Brentano en 1801, c'est une magicienne dont l'extraordinaire beauté et la voix de sirène exercent une fascination maléfique sur les navigateurs qui se jettent sur un rocher dangereux qui surplombe le Rhin. L'évêque, lui même envouté par les charmes de la belle, la condamne à la claustration dans un couvent. Lorelei préfère la mort et se noie dans le Rhin. La légende de Lorelei inspira aussi Henrich Heine.

Lorraine

Fête le 10 mai.
Prénom d'origine française.

• **Étymologie** : *la Lorraine*, province de l'Est de la France.

• **Symbolique** : 2 - rouge - Balance - rubis.

• **Caractère** : énergique et combative, Lorraine fait preuve d'une grande force de caractère qui ne nuit pas à son charme et sa sensibilité. Sa volonté, sa puissance de travail lui permettent de surmonter tous les obstacles.

Prénom en vogue depuis les années 1970.

• **Prénoms français associés** : Laurène - Lorène.

• **Prénoms étrangers associés** : Lauren - Laurèna - Lotharia - Lottharia - Lorèna.

Personnage célèbre : Lauren Bacall.

Louanne

Fête le 15 mars.
Prénom d'origine germanique et hébraïque, contraction de Louise et Anne.

• **Étymologie** : vient de *chlodwig* : glorieux vainqueur et de *hannah* : grâce.

• **Symbolique** : 1 - bleu - Scorpion - saphir.

• **Caractère** : réfléchie et déterminée, Louanne est une maîtresse femme. Elle n'aime guère les compromis, mais accepte cependant de se remettre en cause si on lui démontre qu'elle a tort.

Prénom rare.

• **Prénom associé** : Louanna.

Sainte Louise* est la patronne de Louanne.

Louise

Fête le 15 mars.
Prénom d'origine germanique, dérivé de Louis.

• **Étymologie** : vient de *chlodwig* : glorieux combattant.

• **Symbolique** : 9 - vert - Gémeaux - émeraude.

• **Caractère** : discrète, rigoureuse et opiniâtre, Louise a un sens aigu du devoir et s'investit beaucoup dans son travail ; elle est méfiante et doute souvent de son charme.

Prénom en vogue aux 16ᵉ et au 19ᵉ siècles, au début du 20ᵉ, et depuis les années 1980.

• **Prénoms français associés** : Héloïse* - Loïse - Louanne* - Louella - Louisette - Louisiane - Ludovique.

• **Prénoms étrangers associés** : Aloisia - Aloyse - Eloïsa - Louisa - Louisella - Louisetta - Louisia - Louisiana - Louysana - Loysa - Loyse - Ludovica - Ludwiga - Luigia - Luigiana - Luisa - Luise - Luisita - Viki - Viklie - Wisie.

Sainte Louise de Marcillac devient veuve à 35 ans ; elle fait le vœu de ne pas se remarier et de se consacrer à Dieu. En 1633, elle fonde avec saint Vincent de Paul l'ordre des filles de la Charité au service des malades et des pauvres.

Personnages célèbres : l'écrivain Louise Labé, dite la Belle Cordelière, Louise de la Baume Le Blanc, duchesse de La Vallière, favorite de Louis XIV, les femmes de lettres Louise de Vilmorin et Louise Weis

Lucie

Fête le 13 décembre.
Prénom d'origine latine, dérivé de Luc.

• **Étymologie** : vient de *lux* : lumière.

• **Symbolique** : 5 - orange - Gémeaux - topaze.

• **Caractère** : sociable et diplomate, Lucie est très communicative. Mais déterminée et indépendante, elle refuse qu'on contrarie le destin qu'elle s'est tracée.

Prénom répandu au 19ᵉ siècle, en faveur depuis les années 1980.

• **Prénoms associés** : Lucile* - Lucille - Lucine - Lucy.

Sainte Lucie vit à Syracuse au 4e siècle. Chrétienne, elle fait vœu de chasteté et refuse le mari qu'on lui impose. Elle distribue d'ailleurs sa dot aux pauvres. Les persécutions contre les chrétiens sévissent, à cette époque. Le fiancé, païen, furieux d'être éconduit, la dénonce. Lucie est condamnée à se livrer à la prostitution dans une maison close. Mais ceux qui l'approchent sont terrassés. Après de multiples tourments, Lucie a la gorge tranchée. La Sainte-Lucie, fête de la lumière, est célébrée avec beaucoup de réjouissances dans les pays nordiques.

Lucie est le prénom de celle qu'on appelle la première femme de l'humanité : le squelette de notre lointaine ancêtre, qui vivait voici environ 3,5 millions d'années en Éthiopie, a été découvert presque intact en 1974. Elle mesurait 1 m, et marchait en position presque verticale ; elle mourut à 25 ans.

Lucienne

Fête le 7 janvier.
Prénom d'origine latine, dérivé de Luc.

- **Étymologie** : vient de *lux* : lumière.
- **Symbolique** : 2 - orange - Vierge - topaze.
- **Caractère** : timide et affectueuse, Lucienne exige beaucoup de son entourage et recherche une vie calme et organisée, loin des tracas d'une vie professionnelle agitée.

Prénom répandu au début du 20e siècle, comme Lucien, disparu aujourd'hui.

Saint Lucien* est le patron de Lucienne.

Lucile

Fête le 13 décembre.
Prénom d'origine latine, dérivé de Luc.

- **Étymologie** : vient de *lux* : lumière.
- **Symbolique** : 8 - rouge - Cancer - rubis.
- **Caractère** : orgueilleuse et impulsive, Lucile est une femme d'action qui n'aime pas les contretemps et s'impatiente vite, mais elle ne manque pas de sensibilité ; elle sait être généreuse pour défendre ceux qu'elle aime.

Prénom en faveur au 19e siècle, et depuis 1980.

Sainte Lucie* est la patronne de Lucile.

Lucrèce

Fête le 15 mars.
Prénom mixte d'origine latine.

- **Étymologie** : vient de *lucrator* : gagnant.
- **Symbolique** : 4 - bleu - Bélier - saphir.
- **Caractère** : calme, sérieuse et travailleuse, Lucrèce se donne tous les moyens de la réussite ; peu démonstra-

tive, elle préfère la solitude aux relations superficielles.

Prénom rare.

• **Prénoms étrangers associés** : Loukretsia - Lucrecia - Lucrecio - Lucretia - Lucrezia - Lucrezio - Lukretia - Luzia.

Sainte Lucrèce est musulmane et vit à Cordoue au 9e siècle ; elle se convertit au christianisme en cachette de sa famille ; dénoncée, elle est chassée par ses parents, se réfugie chez des amis chrétiens comme elle ; elle est arrêtée et décapitée en 859.

Personnages célèbres : le poète latin Lucrèce, et Lucrèce Borgia.

Ludivine

Fête le 14 avril.

Prénom d'origine germanique.

• **Étymologie** : vient de *lind win* : doux ami.

• **Symbolique** : 6 - rouge - Lion - rubis.

• **Caractère** : réfléchie, sensible, éprise d'harmonie et d'esthétique, Ludivine est très attachée à la vie de famille et aux valeurs morales. Elle est aussi déterminée et motivée, et tient à atteindre les buts qu'elle s'est fixés.

Prénom à la mode dans les années 1970.

• **Prénoms associés** : Ledwine - Lidivina - Lidiwine - Lidwina - Lidwine - Ludivina - Lydwine.

Sainte Ludivine vit en Hollande, au 14e siècle. Elle fait une chute de cheval, et souffre pendant plus de 30 ans de multiples complications ; sa famille et ses amis la délaissent. D'après la légende, elle reçoit la visite du Christ, de la Vierge, et son corps difforme retrouve la santé et la beauté.

Ludmilla

Fête le 16 septembre.

Prénom d'origine slave.

• **Étymologie** : vient de *ljudumilu* : aimée du peuple.

• **Symbolique** : 3 - violet - Vierge - améthyste.

• **Caractère** : sociable, charmeuse, Ludmilla est très communicative et sait mener sa vie avec réalisme. Elle recherche avant tout parmi sa famille et ses amis une ambiance affectueuse et sécurisante.

Prénom rare.

• **Prénoms étrangers associés** : Ludmila - Ludmille - Mila - Milena - Milina - Militza.

Sainte Ludmilla de Prague, grand-mère de saint Wenceslas, meurt étranglée en 921, sur l'ordre de sa belle-fille.

Personnage célèbre : la danseuse Ludmilla Tchérina.

Lydie

Fête le 3 août.
Prénom d'origine latine.

• **Étymologie** : vient de *Lydia*, ancienne contrée d'Asie Mineure sur la mer Égée.

• **Symbolique** : 1 - vert - Taureau - émeraude.

• **Caractère** : discrète mais sociable, active mais prudente, Lydie sait affronter les difficultés avec sérénité. Elle est très sélective et choisit ses amis avec discernement. Entreprenante, elle sait prendre des responsabilités et mener à bien ses projets.
Prénom rare.

• **Prénom français associé** : Lydiane.

• **Prénoms étrangers associés** : Liddie - Liddy - Lidia - Lidija - Lidonia - Lika - Linoulia - Lydia.

Sainte Lydie vit à Philippes, en Macédoine, au 1er siècle. Elle vend de la pourpre pour teindre les étoffes. Saint Paul, de passage dans la ville, lui demande de l'héberger. Elle accepte. Paul la convertit et la baptise.

M

(filles)

Madeleine

Fête le 22 juillet.
Prénom d'origine hébraïque.

• **Étymologie** : vient de *Magdala*, nom d'un village de Galilée.

• **Symbolique** : 5 - violet - Lion - améthyste.

• **Caractère** : un peu mystérieuse, Madeleine n'accorde pas facilement à son entourage le privilège de la découvrir ; elle cultive le paradoxe, tour à tour passionnée et indifférente, expansive et réservée, sociable et solitaire.

Prénom en faveur au 19e siècle.

• **Prénoms français associés** : Madelaine - Madelin - Madeline - Madelle - Madelon - Madeloun (provençal) - Mado - Madou - Magdaleine - Magdeleine - Maggeline - Malaine - Melaine.

• **Prénoms étrangers associés** : Madalen - Maddalena - Maddly - Madelen - Madleen - Mady - Maddy - Magda - Magdala - Magdalena - Maggie - Maggy - Malen.

Sainte Madeleine ou Marie-Madeleine est originaire de Magdala, en Galilée. Elle est la sœur de Marthe et de Lazare. Elle suit le Christ tout au long de sa vie, jusqu'au Golgotha, participe à son ensevelissement. C'est elle qui constate que le tombeau de Jésus est vide et qui va prévenir les apôtres ; c'est à elle que Jésus annonce sa résurrection. Après la Pentecôte, elle serait venue en Gaule évangéliser la Provence, et terminer ses jours dans une grotte du massif de la Sainte-Baume.

Personnages célèbres : Madeleine Paulmier, l'inventrice du petit gâteau, l'écrivain Madeleine Chapsal, l'actrice Madeleine Robinson.

Maëlle

Fête le 13 mai.
Prénom d'origine celte.

• **Étymologie** : vient de *maël* : prince.

• **Symbolique** : 3 - bleu - Cancer - saphir.

• **Caractère** : ouverte et sympathique, Maëlle a une belle assurance ; enjouée, bavarde, vive, drôle, elle est séductrice. Sa curiosité insatiable la pousse parfois à la futilité. Son hypersensibilité et son imagination débordante la rendent vulnérable.

Prénom breton rare.

Saint Maël* est son patron.

Maena

Fête le 10 novembre.
Prénom d'origine grecque.

• **Étymologie** : vient de *mênê* : lune.

• **Symbolique** : 7 - vert - Cancer - émeraude.

• **Caractère** : réservée, pour ne pas dire secrète, rigoureuse pour ne pas dire rigide, Maena a le sens de la perfection. Elle a soif de connaissances et se consacre volontiers à l'étude ; elle recherche la sagesse dans une certaine spiritualité.

Prénom peu courant.

Sainte Nymphe est la patronne de Maena ; fille du préfet Aurélien, en Sicile au 2e siècle, elle demande le baptême ; son père la menace et lui ordonne de renier sa foi ; elle refuse : il la fait emprisonner, mais un ange l'aurait délivrée et conduite sur un navire qui la mène en Italie. Ses compagnons de voyage sont martyrisés, elle parvient à s'échapper. Elle est néanmoins persécutée : elle convertit ses tourmenteurs. Elle meurt dans un tremblement de terre.

Maève

Fête le 6 septembre.
Prénom contraction de Marie-Ève.

- **Symbolique** : 1 - bleu - Taureau - aigue-marine.
- **Caractère** : douce, calme, Maève est éprise d'harmonie et de beauté. Mais dotée d'une grande force de caractère et d'un sens aigu des responsabilités, elle sait faire face aux difficultés et parvenir à ses fins, même si elle doit parfois se montrer autoritaire.

Prénom à la mode de 1970 à 1990.

Sainte Ève* est la patronne de Maève.

Magali

Fête le 20 juillet.
Prénom d'origine latine,
forme provençale de Marguerite.

- **Étymologie** : vient de *margarita* : perle.
- **Symbolique** : 7 - vert - Gémeaux - émeraude.
- **Caractère** : séduisante et extravertie, Magali est une femme d'action, toujours en mouvement, opportuniste et rapide. Elle est cependant très réfléchie et apprécie de se ménager des moments de solitude, pour faire le point.

Prénom devenu rare.

Sainte Marguerite* est la patronne de Magali.

Mahaut

Fête le 14 mars.
Prénom d'origine germanique,
forme médiévale de Mathilde.

- **Étymologie** : vient de *maht* : force et *hild* : combat.
- **Symbolique** : 1 - vert - Cancer - émeraude.
- **Caractère** : vive, spontanée, Mahaut a un esprit de répartie qui surprend, amuse, enchante, séduit. Indépen-dante et intrépide, elle aime l'aventure, le risque, et sait s'adapter aux situations les plus risquées. Impatiente, elle est parfois insolente.

Prénom rare.

- **Autres orthographes** : Mahaud - Mahault.

Sainte Mathilde* est la patronne de Mahaut.

Malvina

Fête le 5 octobre.
Prénom d'origine latine, dérivé de Mauve.

- **Étymologie** : vient de *malva* : mauve.
- **Symbolique** : 9 - bleu - Lion - aigue-marine.
- **Caractère** : décidée, courageuse, Malvina travaille beaucoup pour atteindre ses objectifs. Sensible, elle est douce et romantique dans sa vie privée. Elle s'intéresse aux autres, se révèle altruiste parfois, et sa fidélité est à toute épreuve.

Prénom rare.

- **Prénoms associés** : Malva - Malvane - Malvy - Mauve.

Sainte Fleur* est la patronne de Malvina.

Manon

Fête le 9 juillet.
Prénom d'origine hébraïque, dérivé de Marianne.

- **Étymologie** : vient de *mar-yam* : goutte de mer.
- **Symbolique** : 3 - rouge - Scorpion - rubis.
- **Caractère** : extravertie sans exubérance, sociable sans superficialité, fantaisiste sans être marginale, Manon a le culte de l'amitié, mais elle sait préserver son indépendance pour cultiver son jardin secret. Elle s'adapte à toutes les circonstances.

Prénom à l'honneur depuis 1990.

Sainte Marianne* est la patronne de Manon.

Marcelline

Fête le 17 juillet.
Prénom d'origine latine, dérivé de Marcellin.

- **Étymologie** : vient de *marcellus* : petit marteau.
- **Symbolique** : 2 - orange - Bélier - topaze.
- **Caractère** : imaginative et idéaliste, Marcelline a tendance à vivre dans son monde. Elle est intuitive, fantaisiste, créative et n'apprécie ni la rigueur ni la contrainte. Dépendante de son environnement, elle recherche tendresse et sécurité.

Prénom rare.

- **Prénoms français associés** : Céline* - Célinie - Marceline.
- **Prénoms étrangers associés** : Célina - Ianka - Marcelia - Marcellina - Marcionille - Markelline - Marzelline.

Sainte Marcelline prend le voile au 4e siècle à Rome et consacre sa vie à la prière.

Margot

Fête le 20 juillet.
Prénom d'origine latine,
dérivé de Marguerite.

- **Étymologie** : vient de *margarita* : perle.
- **Symbolique** : 2 - rouge - Poissons - rubis.
- **Caractère** : indépendante, Margot entend bien faire respecter son besoin de solitude. Prudente dans ses amitiés, elle est exigeante et n'accorde pas facilement sa confiance. Elle a une forte personnalité, mais elle fuit l'agressivité et les tensions qui la déstabilisent.

Prénom à la mode depuis 1980, surtout sous l'orthographe Margaux.

- **Autre orthographe** : Margaux.

Sainte Marguerite* est la patronne de Margot.

Personnage célèbre : Marguerite de Valois, dite Margot.

Marguerite

Fête le 20 juillet.
Prénom d'origine latine.

- **Étymologie** : vient de *margarita* : perle.
- **Symbolique** : 9 - vert - Lion - émeraude.
- **Caractère** : tranquille et persévérante, Marguerite mène à terme ses projets grâce à une forte puissance de travail alliée à une grande opiniâtreté. Sa gentillesse lui attire bien des amitiés ; altruiste, elle éprouve beaucoup de plaisir à se dévouer pour ses proches dès lors qu'ils ont réussi à vaincre sa méfiance.

Prénom en vogue au 19e siècle et depuis 1990.

- **Prénoms français associés** : Magali (provençal) - Magod - Mague - Maguelonne - Magui - Marc haïd, Marc halid et Marc'harid (bretons) - Margaine et Marganne (champe-nois) - Magalide (occitan) - Margarido (provençal) - Margaux - Margot* - Margotton - Margerie (normand) - Marjorie - Pâquerette - Pâquette - Peggy - Perle - Perlette - Perline - Rita.
- **Prénoms étrangers associés** : Daisy - Greda - Gredet - Greet - Greta - Gretchen - Grete - Gretel - Grethel - Grietje - Guite - Madge - Mae - Mag - Magada - Magaly - Maggi - Maggie - Maggy - Maidie - Mairead - Mairghread - Maisie - Maisy - Maka - Marga - Margala - Margaret - Margarete - Margaretha - Margarethe - Margaretta - Margarette - Margarita - Margaritka - Marge - Margery - Marget - Märget - Margette - Margharita - Margherita - Margie - Margit - Margo - Margory - Margouchka - Margret - Margrethno - Margretti - Margriet - Margrieta - Margrit - Marguerita - Marhaïd - Marharid - Marjorie* - Mata - May - Meg - Paquita - Pearl - Pegg - Peggie - Perla.

Sainte Marguerite d'Antioche est la fille d'un religieux païen, au 3e siècle ; convertie par sa nourrice, elle se fait baptiser à 7 ans. Furieux, son père les chasse toutes deux. Lorsqu'elle a 15 ans, le préfet d'Orient s'éprend d'elle et la fait enlever. Mais Marguerite refuse d'épouser ce païen aux mœurs aussi brutales. Elle lui avoue qu'elle est chrétienne. Il la menace. En vain, Marguerite ne veut pas abjurer. Il la fait décapiter après mille tortures.

Personnages célèbres : la reine de France Marguerite de Provence, épouse de saint Louis. Les écrivains Marguerite de Crayencour dite Marguerite Yourcenar, et Marguerite Duras, l'actrice américaine Greta Garbo.

Marianne

Fête le 9 juillet.

Prénom contraction de Marie et Anne.

• **Symbolique** : 3 - bleu - Poissons - saphir.

• **Caractère** : sociable, expressive, vive et chaleureuse, Marianne est une femme de communication. Sa gaieté enchante, son optimisme rassure, son adaptabilité fascine. Mais Marianne préserve jalousement son indépendance.

Prénom assez répandu aux 17e et 18e siècles, et de 1940 à 1950.

• **Prénoms français associés** : Manon* - Mariannick.

• **Prénoms étrangers associés** : Mariana - Mariano - Marianka.

Sainte Marianne, née à Fontainebleau, prend le voile alors que la Révolution gronde. Elle refuse de trahir l'Église en prêtant serment à la constitution civile ; elle est fusillée en 1794.

Marie

Fête le 15 août.
Prénom d'origine hébraïque.

• **Étymologie** : vient de *mar-yam* : goutte de mer.

• **Symbolique** : 1 - bleu - Sagittaire - saphir.

• **Caractère** : réservée, discrète et tendre, Marie est toute douceur, mais elle assume ses responsabilités sans jamais faillir. Elle est très attachée à sa famille à qui elle consacre toute son attention. Bien qu'étant indulgente, elle se montre exigeante et sélective dans ses relations au quotidien.

Prénom grand classique intemporel.

• **Prénoms français associés** : Maïoun (provençal) - Maïté - Manon* - Marianne* - Marielle* - Mariette - Marioline - Marion* - Marise - Maritie - Marlène - Marline - Marlise - Marlyse - Marylène - Maryline - Marylise - Maryse* - Maryvonne - Milène - Mirabelle - Mireille* - Muriel* - Murielle - Myriam*.

• **Prénoms étrangers associés** : Maaïa - Macha - Mae - Maei - Maelly - Mahalia

- Maharisha - Maïa - Mair - Maja - Malik - Malika - Mara - Marei - Mareïa - Mareike -Maria - Marica - Marichka - Mariedel - Marieke - Mariemma - Mariet - Marietta - Marig - Marija - Marijke - Marilena - Marinella - Mariola - Mariolina - Mariouchka - Mariquita - Marisa - Maritza - Marjelle - Maroussia - Marpessa - Maruja - Maruska - Mary - Marzel - Masha - Masheva - Maureen - May - Maya - Meriem - Meryam - Mia - Miempie - Milena - Mileva - Minnie - Mira - Miranda - Mireio - Mirella - Mirina - Mirzel - Misia - Mitzi - Moïra - Moll - Molly - Moriya - Mosha - Moyra - Muire - Mylena - Myra - Myriem - Mysia.

Sainte Marie, mère de Jésus, est parmi les quelque cent Marie canonisées, la plus célèbre. Fille d'Anne et de Joachim, elle est fiancée très jeune à Joseph le charpentier. Un jour qu'elle file la laine, l'archange Gabriel lui apparaît et lui annonce que Dieu l'a choisie pour être la mère de son Fils. Marie accepte. Il lui faut avertir Joseph de cette maternité pour le moins inattendue, et affronter les commérages... Elle met au monde l'enfant Dieu le 25 décembre. Avant d'expirer, Jésus la confie à l'apôtre Jean. Sa vie s'achève en Asie Mineure, à Éphèse. La tradition enseigne qu'elle monta au ciel sans affronter l'épreuve de la mort. La chrétienté la reconnaît comme la mère de tous les hommes. D'ailleurs, de très nombreux chrétiens, hommes et femmes, portent Marie en second prénom.

Personnages célèbres : la reine de France Marie de Médicis, seconde femme de Henri IV, la femme de lettres Marie de Rabutin-Chantal, marquise de Sévigné, la physicienne Marie Curie, la cantatrice Maria Callas, les actrices américaines Mia Farrow et Merryl Streep, la chanteuse Mahalia Jackson.

Marielle

Fête le 15 août.
Prénom d'origine hébraïque, dérivé de Marie.

- **Étymologie** : vient de *mar-yam* : goutte de mer.
- **Symbolique** : 3 - bleu - Verseau - saphir.
- **Caractère** : esthète, équilibrée, Marielle est douce, calme et recherche l'harmonie. Sa grande force de caractère lui pemet de faire face cependant aux difficultés, et elle sait être ferme lorsqu'il s'agit de parvenir à ses fins.

Prénom peu répandu.

Sainte Marie* est la patronne de Marielle.

Personnage célèbre : la championne de ski Marielle Goitschel.

Marilyn

Fête le 15 août.
Prénom d'origine hébraïque.

- **Étymologie** : vient de *mar-yam* : goutte de mer.
- **Symbolique** : 2 - bleu - Poissons - saphir.
- **Caractère** : réfléchie et déterminée, Marilyn prévoit, organise, planifie. Cela lui permet de se rassurer, car c'est une inquiète. Rationnelle, elle fait peu confiance à son intuition, et révèle rare-

ment ses sentiments. Elle est pourtant sympathique et chaleureuse.

Prénom assez peu répandu.

Sainte Marie* est la patronne de Marilyn.

Personnage célèbre : l'actrice Marilyn Monroe.

Marine

Fête le 20 juillet.
Prénom d'origine latine,
dérivé de Marin.

- **Étymologie** : vient de *mare* : mer.
- **Symbolique** : 6 - rouge - Verseau - rubis.
- **Caractère** : enjouée, vive, pétillante, attentive, sensible, Marine est une véritable vague de charme : elle séduit par sa bonne humeur, son optimisme, sa joie de vivre et son équilibre. Les relations affectives sont essentielles à son bonheur.

Prénom à l'honneur depuis 1980.

- **Prénom français associé** : Marinette.
- **Prénoms étrangers associés** : Marina - Marinella.

Sainte Marine est la fille d'un homme très pieux qui souhaite terminer sa vie dans un monastère. Mais il ne veut pas laisser sa fille seule... Il imagine un subterfuge : Marine l'accompagnera au monastère, en se faisant passer pour un homme ! Curieuse idée, mais la jouvencelle se soumet. Elle coupe ses cheveux, revêt des vêtements d'homme et la voici devenue Marin. Elle se livre courageusement aux travaux des champs pour le compte d'un homme malade d'un village voisin du monastère. Or cet homme a une fille, qui met au monde un bébé de père inconnu. La jeune mère tourmentée par son père accuse Marin de l'avoir séduite. "Il" est chassé du monastère et condamné à élever l'enfant. Mais que faire ? avouer sa féminité, c'est condamner son père. Marin se tait. Lorsque l'enfant est adulte, Marin retourne au monastère et accepte sans protester, en pénitence, les tâches les plus dures. Il meurt d'épuisement. On découvre alors la supercherie.

Marion

Fête le 15 août.
Prénom d'origine hébraïque,
dérivé de Marie.

- **Étymologie** : vient de *mar-yam* : goutte de mer.
- **Symbolique** : 7 - bleu - Bélier - saphir.
- **Caractère** : intuitive, calme et réfléchie, Marion recherche la solitude qui la met à l'abri des conflits. Elle apprécie l'étude, cultive son esprit d'analyse, et joue la carte du mystère pour abriter sa timidité. Si elle exprime peu ses sentiments, elle est cependant affective.

Prénom en faveur de 1970 à 1990.

Sainte Marie* est la patronne de Marion.

Marjorie

Fête le 20 juillet.
Prénom d'origine latine,
forme américaine de Marguerite.

• **Étymologie** : vient de *margarita* : perle.

• **Symbolique** : 8 - vert - Poissons - émeraude.

• **Caractère** : ambitieuse, volontaire, passionnée, Marjorie est dotée d'un caractère fort qui lui permet d'atteindre les buts qu'elle s'est fixés. Elle ne craint pas les difficultés, qui la stimulent. Rapide, elle est impatiente ; impulsive, elle est coléreuse ; mais elle a un cœur d'or.

Prénom rare.

Sainte Marguerite* est la patronne de Marjorie.

Marlène

Fête le 15 août.
Prénom d'origine hébraïque,
contraction de Marie-Magdelène.

• **Étymologie** : vient de *mar-yam* : goutte de mer.

• **Symbolique** : 5 - orange - Poissons - topaze.

• **Caractère** : séduisante, charmeuse, Marlène apprécie le plaisir de la conquête. Si elle recherche la fantaisie, elle n'en apprécie pas moins une certaine sécurité affective. Peu encline à la rigueur et aux efforts, elle privilégie la facilité.

Prénom rare.

Sainte Marie* est la patronne de Marlène.

Personnage célèbre : l'actrice Marlène Dietrich.

Marthe

Fête le 29 juillet.
Prénom d'origine araméenne.

• **Étymologie** : vient de *marta* : dame.

• **Symbolique** : 2 - bleu - Balance - saphir.

• **Caractère** : dynamique, active, opportuniste, Marthe est très diplomate et arrive à ses fins tout en douceur. Elle ne craint pas les difficultés, qu'elle règle avec efficacité. D'une logique implacable, elle est très organisée et mène de main de maître sa vie professionnelle comme sa vie familiale.

Prénom à la mode à la fin du 19e siècle.

• **Prénom français associé** : Martoun (provençal).

• **Prénoms étrangers associés** : Mara - Mart - Marta - Martella - Martha - Martie - Matita - Marty - Mat - Mattie - Matty.

Sainte Marthe est la sœur de Lazare et de Marie-Madeleine, au 1er siècle, à Béthanie, près de Jérusalem. C'est elle qui tient le foyer et qui reçoit Jésus en bonne maîtresse de maison lorsqu'il vient prêcher dans la ville. C'est elle qui l'implore lorsque son frère Lazare meurt ; c'est d'elle dont Jésus eut pitié en ressuscitant Lazare. La légende conte qu'après la Pentecôte, Marthe s'embarqua avec sa sœur, et s'échoua près de Marseille. Elle évangélisa la Provence, créa un monastère en Avignon, et terrassa un dragon appelé Tarasque à Tarascon.

Martine

Fête le 30 janvier.
Prénom d'origine latine,
dérivé de Martin.

- **Étymologie** : vient de *martius* : guerrier.
- **Symbolique** : 8 - jaune - Poissons - topaze.
- **Caractère** : calme, réservée mais énergique, Martine est une femme solide, amie fiable, épouse attentive, mère dévouée. Travailleuse, consciencieuse, perfectionniste même, elle a un sens aigu des réalités, et sait prendre des responsabilités.

Prénom en vogue de 1940 à 1960.

- **Prénom étrangers associés** : Martina - Martiniana - Martinie.

Sainte Martine est, au 3e siècle, la fille d'un riche consul romain. À sa mort, Martine hérite d'une imposante fortune qu'elle distribue aux pauvres. Ses largesses sont remarquées et dénoncées à l'empereur, ennemi des chrétiens. Arrêtée, sommée d'abjurer, Martine subit mille supplices avant d'être décapitée.

Maryse

Fête le 15 août.
Prénom d'origine hébraïque,
dérivé de Marie.

- **Étymologie** : vient de *mar-yam* : goutte de mer.
- **Symbolique** : 9 - rouge - Taureau - rubis.
- **Caractère** : réaliste et organisée, Maryse sait bien gérer sa vie, malgré une vive imagination, un refus des contraintes et un penchant pour l'art et la créativité. Très sensible, elle attache beaucoup d'importance à ses relations affectives.

Prénom en faveur de 1930 à 1950.

Sainte Marie* est la patronne de Maryse.

Personnage célèbre : l'aviatrice Maryse Bastié.

Mathilde

Fête le 14 mars.
Prénom d'origine germanique.

- **Étymologie** : vient de *maht* : force et *hild* : combat.
- **Symbolique** : 9 - jaune - Lion - topaze.
- **Caractère** : douce et sensible, Mathilde est faite pour une vie harmonieuse. Elle déteste tensions et conflits qui l'angoissent. Sa vie n'est pas routinière, car sa

curiosité la pousse à rechercher des expériences riches et des émotions fortes.

Prénom médiéval à l'honneur depuis 1990.

- **Prénoms français associés** : Mahaut* - Maud* - Mechtilde.
- **Prénoms étrangers associés** : Machtild - Mafalda - Magteld - Matelda - Mathilda - Matilda - Mattis - Matty - Mechte - Mechtel - Mechtelt - Mechthil - Mectilde - Megtilda - Mektilde - Mettelde - Telia - Tilda - Tillie.

Sainte Mathilde devient reine de Germanie en 909 en épousant Henri 1er l'Oiseleur. Pieuse et douce, elle consacre sa vie aux œuvres de charité et à l'éducation de ses enfants, puis achève sa vie au monastère de Quedlinburg qu'elle avait fondé.

Personnage célèbre : la princesse Mathilde, fille de Jérôme Bonaparte.

Maud

Fête le 14 mars.
Prénom d'origine germanique, dérivé de Mathilde.

- **Étymologie** : vient de *maht* : force et *hild* : combat.
- **Symbolique** : 3 - vert - Taureau - émeraude.
- **Caractère** : souriante, chaleureuse et aimable, Maud est une amie délicieuse, une hôtesse pleine d'attention. Légère, elle n'est pas futile, amusante, elle n'est pas superficielle, et sait parfaitement réagir avec force devant les difficultés.

Prénom en vogue de 1970 à 1990.

Sainte Mathilde* est la patronne de Maud.

Maylis

Fête le 15 août.
Prénom d'origine hébraïque, dérivé de Marie.

- **Étymologie** : vient de *mar-yam* : goutte de mer.
- **Symbolique** : 7 - vert - Bélier - émeraude.
- **Caractère** : dynamique, Maylis est une femme d'action. Son goût pour la réussite la motive, et elle endosse bien des responsabilités. Mais hypersensible, elle est a besoin d'une ambiance familiale équilibrée pour être heureuse.

Prénom très en vogue.

- **Autre orthographe** : Mailys.

Sainte Marie* est la patronne de Maylis.

Mazarine

Fête le 15 août.
Prénom dérivé du patronyme Mazarin.

- **Symbolique** : 6 - violet - Verseau - améthyste.
- **Caractère** : volontaire, Mazarine aime l'effort et l'ordre. Elle raisonne, organise, planifie avec calme, efficacité et rigueur, et ne laisse rien au hasard. La fantaisie la déroute, l'originalité l'inquiète. Réservée, elle exprime peu ses sentiments.

Prénom rare.

Jules Mazarin prélat et diplomate d'origine italienne reçut le chapeau de cardinal en 1641, peu après avoir obtenu la nationalité française. Principal ministre d'Anne d'Autriche, il fut le maître absolu du royaume de France jusqu'à sa mort. Mécène, il créa en 1643 pour le public parisien une bibliothèque, la bibliothèque Mazarine.

Mégane

Fête le 20 juillet.
Prénom d'origine latine,
forme galloise de Marguerite.

- **Étymologie** : vient de *margarita* : perle.
- **Symbolique** : 9 - orange - Cancer - topaze.
- **Caractère** : passionnée, enthousiaste, Mégane cherche l'aventure et apprécie les plaisirs de l'existence. Sa vivacité d'esprit, sa rapidité d'action lui permettent de vivre à cent à l'heure. Elle ne connaît pas la routine

Prénom à la mode depuis 1990.

- **Autres orthographes** : Megan - Meghan.

Sainte Marguerite* est la patronne de Mégane.

Mélanie

Fête le 31 décembre.
Prénom d'origine latine.

- **Étymologie** : vient de *melanos* : noir.
- **Symbolique** : 5 - orange - Lion - topaze.
- **Caractère** : franche et spontanée, Mélanie est tout charme. Sa curiosité et sa vivacité la poussent parfois à être un peu instable, et elle ne supporte ni les ordres, ni les contraintes, mais se révèle une amie délicieuse si on ne touche pas à sa liberté.

Prénom en vogue de 1970 à 1990.

Prénoms français associés : Mélaine - Mélisande* - Mélusine*.

- **Prénoms étrangers associés** : Malana - Malania - Mélania - Mélanija - Melanio - Melanius - Mélas - Mélina - Melinda - Mélisende - Melitta - Melloney - Mellony - Molly.

Sainte Mélanie vit à Rome au 5e siècle. Elle se marie à 14 ans à un tout jeune homme ; ; ils ont deux enfants. Hélas, les bébés meurent en bas âge. Mélanie et son mari vendent leurs biens pour construire hospices et églises. Ils s'établissent en Sicile où ils fondent chacun un monastère, puis en Palestine. Devenue veuve, Mélanie fonde un couvent près de Jérusalem, sur le mont des Oliviers, et en devient abbesse.

Personnage célèbre : Mélina Mercouri.

Mélissa

Fête le 31 décembre.
Prénom d'origine latine,
dérivé de Melle.

• **Étymologie** : vient de *melanos* : noir.

• **Symbolique** : 6 - bleu - Verseau - saphir.

• **Caractère** : douce et attachante, Mélissa est l'harmonie faite femme. Elle est accueillante, conciliante, intuitive... Sa vie affective est sa préoccupation essentielle, et elle n'est guère armée pour la compétition de la vie professionnelle.

Prénom peu répandu.

Sainte Melle est la patronne de Mélissa. Jeune femme de bonne famille en Irlande au 8e siècle, elle se retire dans un couvent à son veuvage et se consacre à la prière et à la charité.

Mélisande

Fête le 31 décembre.
Prénom d'origine latine,
dérivé de Mélanie.

• **Étymologie** : vient de *melanos* : noir.

• **Symbolique** : 1 - vert - Taureau - émeraude.

• **Caractère** : décidée, opiniâtre, Mélisande prend sa vie en main sans se laisser influencer. Elle renonce rarement à ses objectifs, quitte à faire preuve d'autorité et d'agressivité, mais se révèle gaie et enjouée avec ses amis.

Prénom rare.

• **Prénoms français associés** : Mélicent - Melisenda - Mellicent - Mélusine* - Millicent - Millie - Milly.

Sainte Mélanie* est la patronne de Mélisande.

Mélusine

Fête le 31 décembre.
Prénom d'origine latine,
dérivé de Mélanie.

• **Étymologie** : vient de *melanos* : noir.

• **Symbolique** : 8 - bleu - Gémeaux - saphir.

• **Caractère** : charmeuse et diplomate, Mélusine sait très bien séduire son entourage pour parvenir à ses fins. Mais elle est d'une farouche indépendance, et ne se laisse pas facilement dominer. Très vive et très curieuse, elle a parfois tendance à se disperser.

Prénom rare.

Saint Mélanie* est la patronne de Mélusine.

Mélusine est, dans les romans de chevalerie du Moyen Âge, une fée malheureuse, femme et mère exemplaire de bonté, cruellement condamnée à se transformer chaque samedi en femme-serpent.

Mercédès

Fête le 12 juin.
Prénom d'origine latine.

• **Étymologie** : vient de *merces* : faveur.

• **Symbolique** : 9 - jaune - Scorpion - topaze.

• **Caractère** : émotive, Mercédès supporte mal les conflits. Elle est faite pour une vie harmonieuse, mais n'apprécie pas pour autant la routine. Curieuse, elle sait fort bien s'adapter aux événements et recherche la nouveauté.

Prénom rare.

Sainte Mercédès est religieuse en Équateur au 19e siècle. Elle prêche aux Indiens, recueille les orphelins, secourt les miséreux, et meurt en 1883 après une longue vie de sacerdoce.

Mia

Fête le 20 février.
Prénom d'origine latine, dérivé de Aimée.

• **Étymologie** : vient de *amata* : aimée.

• **Symbolique** : 5 - orange - Gémeaux - topaze.

• **Caractère** : extravertie et positive, Mia est une amie fidèle et serviable. Elle est efficace, mais supporte mal qu'on lui impose des contraintes ; en revanche, elle est très déterminée et sait s'imposer s'il le faut une discipline de fer.

Prénom peu répandu.

• **Prénoms associés** : Acma - Acmé - Aimée* - Amata - Amicie.

Sainte Aimée* est la patronne de Mia.

Personnage célèbre : l'actrice Mia Farrow.

Michèle

Fête le 29 septembre.
Prénom d'origine hébraïque.

• **Étymologie** : vient de *mika El* : comme Dieu.

• **Symbolique** : 1 - rouge - Cancer - rubis.

• **Caractère** : expansive, rieuse, drôle, Michèle sait tenir en haleine son public ; séductrice, elle adore plaire. Mais elle est aussi sérieuse, déterminée, et révèle une grande puissance de travail.

Prénom très répandu, comme son masculin, au milieu du 20e siècle.

• **Autre orthographe** : Michelle.

• **Prénom français associé** : Micheline.

• **Prénoms étrangers associés** : Michela - Michouka - Miguela - Miguelita - Mika - Mikahilina - Mikattilina - Mikela - Misha.

Saint Michel* est son patron.

Minna

Fête le 10 janvier.
Prénom d'origine germanique, dérivé de Wilhelmina, féminin de Wilhelm, forme germanique et scandinave de Guillaume.

• **Étymologie** : vient de *wil* : volonté et *helm* : casque.

• **Symbolique** : 6 - bleu - Vierge - saphir.

• **Caractère** : son sens aigu des responsabilités et sa conscience professionnelle irréprochable font de Minna une femme de tête très appréciée.

Prénoms associés : Wilma - Wilhelmina.

Saint Guillaume* est le protecteur de Minna.

Mireille

Fête le 15 août.
Prénom d'origine hébraïque, forme provençale de Marie.

• **Étymologie** : vient de *mar-yam* : goutte de mer.

• **Symbolique** : 2 - rouge - Gémeaux - rubis.

• **Caractère** : altruiste mais indépendante, Mireille poursuit ses ambitions personnelles avec opiniâtreté, mais se dévoue sans compter pour les siens. Sa capacité d'écoute, ses conseils avisés et désintéressés lui attirent beaucoup d'amis.

Prénom à la mode au milieu du 20e siècle.

• **Prénoms associés** : Mirella - Mirène - Miréio - Mirèse.

Sainte Marie* est la patronne de Mireille.

Personnages célèbres : la compositrice Mireille, l'actrice Mireille Darc, la chanteuse Mireille Mathieu.

Monique

Fête le 27 août.
Prénom d'origine grecque.

• **Étymologie** : vient de *monos* : seul.

• **Symbolique** : 4 - bleu - Capricorne - saphir.

• **Caractère** : réfléchie et solide, Monique est naturelle et pleine de bon sens. Elle est fiable et généreuse, mais ses principes un peu stricts la conduisent parfois à l'intolérance. Très attachée à la vie de famille, elle cherche la sécurité.

Prénom en vogue de 1930 à 1950.

• **Prénoms étrangers associés** : Mika - Mona - Monca - Monie - Monica - Monika - Monya - Mouna.

Sainte Monique, chrétienne d'origine berbère, naît en 322 en Afrique du Nord.Elle met au monde trois enfants, dont un fils qui deviendra plus tard le grand saint Augustin. Mère attentive et dévouée, elle a bien des soucis avec ce rejeton qui mène une vie dissolue, la rabroue lorsqu'elle émet des reproches, et finit par fuguer en 383. Elle le retrouve en Italie en 387, quelques jours avant qu'il reçoive le baptême. Elle meurt la même année, rassurée sur le sort de cet enfant difficile.

Personnages célèbres : l'actrice Monica Vitti et la championne de tennis Monica Selès.

Morgan

Fête le 13 juillet.
Prénom d'origine celte.

• **Étymologie** : vient de *mor* : enfant et *gan* : mer.

• **Caractère** : solide et fière, volontaire

et vive, enjouée ou ombrageuse selon l'air de temps, Morgan a une personnalité bien trempée. Elle supporte mal les contraintes, et rêve de voyages. L'originalité la séduit, bien qu'elle soit méfiante.

Prénom à l'honneur depuis 1980.

• **Autres orthographes** : Morgane - Morgann.

• **Prénoms français associés** : Morgaine - Morganenn - Morganez - Morrigaine - Morrigane.

• **Prénoms étrangers associés** : Morgana - Muirgen.

Morgan peut être fêtée avec Marie, le 15 août ou avec Maur le 13 juillet.

Morgan, dans la légende médiévale, est la sœur du roi Arthur, fée bienveillante et guérisseuse dont les exploits sont cités dans les chansons de Merlin et d'Ogier le Danois.

Muriel

Fête le 15 août.
Prénom d'origine hébraïque, forme normande de Marie.

• **Étymologie** : vient de *mar-yam* : goutte de mer.

• **Symbolique** : 6 - vert - Capricorne - émeraude.

• **Caractère** : chaleureuse mais discrète, conciliante mais déterminée, Muriel est tout équilibre et harmonie. Elle privilégie les valeurs familiales et fait preuve de fidélité et de loyauté. Très sensible, elle redoute l'agressivité.

Prénom à l'honneur au milieu du 20e siècle.

• **Autre orthographe** : Murielle.

• **Prénom français associé** : Merriel.

Sainte Marie* est la patronne de Muriel.

Myriam

Fête le 15 août.

Prénom hébraïque à l'origine de Marie.

• **Étymologie** : vient de *mar-yam* : goutte de mer.

• **Symbolique** : 7 - bleu - Verseau - saphir.

• **Caractère** : dynamique et directive, Myriam a cependant une nature inquiète, car elle est perfectionniste et ne supporte pas les échecs. Accueillante et généreuse avec ses amis, elle se montre distante, froide, même avec les inconnus.

Prénom à la mode de 1950 à 1970.

Sainte Marie* est la patronne de Myriam.

N

(filles)

Nadège

Fête le 18 septembre.
Prénom d'origine slave.

• **Étymologie** : vient de *nadiejda* : espérance.

• **Symbolique** : 9 - rouge - Gémeaux - rubis.

• **Caractère** : décidée et courageuse, Nadège travaille beaucoup pour atteindre ses objectifs. Sensible, douce et romantique, s'intéressant aux autres, elle se révèle d'une fidélité à toute épreuve.

Prénom en vogue de 1970 à 1980.

• **Prénoms français associés** : Nade - Nadia - Nadine* - Nidie.

• **Prénoms étrangers associés** : Nada - Nadeja - Nadejda - Nadescha - Nidia - Nadiona - Nadioucha - Nadioussa - Nadja.

Sainte Nadège vit en Asie Mineure au 2e siècle avec sa mère, sainte Sophie, et ses sœurs ; apprenant qu'elles sont chrétiennes, les hommes de l'empereur Hadrien les arrêtent et les condamnent au supplice.

Nadine

Fête le 18 septembre.
Prénom d'origine slave,
dérivé de Nadège.

• **Étymologie** : vient de *nadiejda* : espérance.

• **Symbolique** : 2 - rouge - Cancer - rubis.

• **Caractère** : exigeante, Nadine n'accorde pas facilement sa confiance. Elle donne beaucoup à ceux qu'elle aime, en attendant beaucoup en retour. Sous une apparence réservée elle est passionnée et supporte mal l'opposition.

Prénom à l'honneur, comme Nadège et Nadia entre 1970 et 1980.

Sainte Nadège* est la patronne de Nadine.

Nancy

Fête le 26 juillet.
Prénom d'origine hébraïque,
forme anglo-saxonne de Anne.

• **Étymologie** : vient de *hannah* : grâce.

• **Symbolique** : 3 - bleu - Lion - saphir.

• **Caractère** : charmeuse et ouverte, Nancy est très sociable ; elle aime les réunions mondaines, les plaisirs de la vie, mais se montre opiniâtre et déterminée dans sa vie professionnelle ; femme d'affaires, elle joue avec brio de son esprit de persuasion pour parvenir à ses fins.

Prénom rare en Europe.

Sainte Anne* est la patronne de Nancy.

Nathalie

Fête le 27 juillet.
Prénom d'origine latine.

• **Étymologie** : vient de *natalis* : relatif à la naissance.

• **Symbolique** : 7 - bleu - Lion - saphir.

• **Caractère** : secrète, Nathalie cultive volontiers le mystère. Son esprit d'analyse très aiguisé, ses réflexions profondes la conduisent à gérer sa vie avec le plus grand sérieux. Ennemie du superficiel, elle a un profond sens de l'amitié.

Prénom en vogue de 1960 à 1980.

• **Prénoms français associés** : Natalène - Nataline.

• **Prénoms étrangers associés** : Natacha - Natal - Natala - Natalia - Natalicia - Natalina - Natasha - Natoulia - Nattie - Nelig - Talia.

Sainte Nathalie est la femme d'Aurèle ; elle vit à Cordoue au 9e siècle ; ils sont chrétiens tous les deux, et cachent un moine qui est menacé par les persécutions de l'émir. Dénoncés, ils sont arrêtés tous les trois et meurent en martyre.

Personnage célèbre : l'écrivain Nathalie Sarraute.

Nelly

Fête le 26 octobre.
Prénom d'origine grecque,
forme anglo-saxonne d'Hélène.

• **Étymologie** : vient de *hélê* : éclat du soleil.

• **Symbolique** : 5 - rouge - Lion - rubis.

• **Caractère** : vive, enjouée et curieuse, Nelly séduit et étonne grâce à son sens de la répartie et son humour. Elle aime plaire, conquérir, mais en toute liberté, car elle revendique son indépendance et déteste la routine.

Prénom à la mode de 1940 à 1960.

Sainte Nelly, religieuse enseignante en Égypte, fit preuve d'un dévouement sans failles au service de sa congrégation. Elle mourut en 1945.

Nicole

Fête le 6 décembre.
Prénom d'origine grecque,
dérivé de Nicolas.

• **Étymologie** : vient de *nikê* : victoire et *laos* : peuple.

• **Symbolique** : 4 - rouge - Balance - rubis.

• **Caractère** : prudente, Nicole avance dans la vie lentement, mais son opiniâtreté la mène au succès. Travailleuse et discrète, elle est consciencieuse. Très affective, elle a besoin d'un entourage sécurisant pour donner le meilleur d'elle-même.

Prénom en vogue de 1930 à 1950.

• **Prénoms français associés** : Coline - Nicolette - Nicoline.

• **Prénoms étrangers associés** : Colina - Nicoletta - Nicolina.

Saint Nicolas* est le patron de Nicole.

Personnages célèbres : l'actrice Nicole Courcel, les romancières Nicole Avril et Nicole de Buron, l'actrice américaine Nicole Kidman.

Noëlle

Fête le 25 décembre.
Prénom d'origine hébraïque, dérivé de Noël.

- **Étymologie** : vient de *immanouel* : Dieu avec nous.
- **Symbolique** : 9 - rouge - Balance - rubis.
- **Caractère** : sensible et émotive, Noëlle est fragile. Consciente de sa vulnérabilité, elle évite les conflits et se réfugie dans le rêve à la moindre alerte. Idéaliste, elle préfère la solitude aux mondanités, romantique, elle attend le prince charmant.

Prénom rare.

- **Prénoms associés** : Noëlla - Noëllia - Noëllie - Noëlline - Novela et Novelenn (bretons).

Saint Noël* est son patron.

Noémie

Fête le 21 août.
Prénom d'origine hébraïque.

- **Étymologie** : vient de *naomi* : gracieuse.
- **Symbolique** : 7 - jaune - Vierge - topaze.
- **Caractère** : critique, exigeante, Noémie se méfie de tout et de tous. Souvent déçue par son entourage, elle se réfugie dans la solitude, dans l'étude ou le rêve. Travailleuse et consciencieuse, elle préfère l'autonomie au travail d'équipe.

Prénom à la mode depuis 1990.

- **Prénoms associés** : Naomi - Noémi - Nohémy.

Sainte Noémie, personnage biblique, vit à Bethléém en Judée. Elle est la belle-mère de Ruth.

Nolwenn

Fête le 6 juillet.
Prénom mixte d'origine celte.

- **Étymologie** : vient de *an ouarn* : agneau et *gwenn* : blanc.
- **Symbolique** : 7 - blanc - Sagittaire - aigue-marine.
- **Caractère** : sensible et intuitive, Nolwenn se dévoue sans compter aux causes qu'elle juge nobles, écoute, rassure, conseille avec bienveillance, quitte à s'oublier elle-même. Peu réaliste, elle a tendance à s'échapper dans le rêve pour ne pas affronter les contingences matérielles.

Prénom breton rare.

- **Prénoms associés** : Gwennoal - Gwennig - Noalig - Noluen - Nolwenna - Nolwennig - Noyale.

Sainte Nolwenn est fille de prince en Cornouailles, au 6e siècle. Elle quitte son pays pour la Bretagne, s'établit dans un ermitage, mais doit repousser les avances d'un païen des environs. Furieux d'être éconduit, il la fait décapiter.

O

(filles)

Océane

Fête le 2 novembre.
Prénom d'origine grecque.

• **Étymologie** : vient de *ôkéanos* : océan.

• **Symbolique** : 7 - bleu - Vierge - saphir.

• **Caractère** : active, dynamique, Océane est une meneuse qui recherche le pouvoir et la réussite. Inquiète, elle est perfectionniste, méticuleuse jusqu'à la maniaquerie. Distante avec les inconnus, elle se révèle généreuse avec ses amis.

Prénom moins courant que Marine ou Ondine.

Prénom associé : Occia - Océana - Ocellina - Ocilia.

Saint Océan est un soldat romain en garnison en Asie Mineure au début du 4e siècle. Chrétien, il refuse de renier sa foi, et meurt sur le bûcher.

Océan est dans la mythologie grecque, l'aîné des Titans, et le père des océanides, nymphes de la mer et des eaux.

Octavie

Fête le 20 novembre.
Prénom d'origine latine,
dérivé d'Octave.

• **Étymologie** : vient de *octavus* : huitième.

• **Symbolique** : 3 - bleu - Lion - saphir.

• **Caractère** : généreuse, sensible, accueillante, Octavie est une amie délicieuse. Elle aime la fantaisie et sa curiosité est insatiable, mais elle a tendance à se disperser et méconnaît le mot rigueur.

Prénom rare.

• **Prénoms étrangers associés** : Octavia - Octaviana - Ottavia - Tava - Tavie.

Saint Octave* est le patron d'Octavie.

Personnages célèbres : l'impératrice Octavie, femme de Néron, Octavie, sœur d'Octave et femme d'Antoine.

Odette

Fête le 20 avril.
Prénom d'origine germanique.

• **Étymologie** : vient de *odo* : richesse.

• **Symbolique** : 6 - jaune - Vierge - topaze.

• **Caractère** : sensible, généreuse, Odette a une grande force de caractère et affronte les difficultés avec efficacité. Elle aime plaire, séduit par son charisme, mais elle manque cependant de confiance en elle. Très indépendante, elle devient agressive si l'on touche à sa liberté.

Prénom en vogue au début du 20e siècle.

• **Prénoms français associés** : Ode - Odelette - Odelin - Odeline - Odet - Odiane - Odilard - Odile* - Odilie - Odilon - Odine - Odinette - Odon.

• **Prénoms étrangers associés** : Odda - Odde - Oddone - Odelia - Odelinda - Odetta - Odilas - Odilia - Odina - Odita - Otelle -

Othilia - Othilio - Otho - Othon - Ottel - Otto - Otton - Tillie - Udo.

Sainte Odile* est la patronne d'Odette.

Odile

Fête le 13 décembre.
Prénom d'origine germanique.

• **Étymologie** : vient de *odo* : richesse et *hild* : combat.

• **Symbolique** : 9 - vert - Cancer - émeraude.

• **Caractère** : sa douceur cache une ferme détermination, son activité débordante une grande sérénité.

Prénom assez répandu de 1930 à 1960.

• **Prénoms associés** : Odette* - Odile* - Oudilo (provençal).

Sainte Odile, fille du duc d'Alsace, naît à Obernai en 662, atteinte de cécité. Son père, qui souhaitait un garçon, demande qu'on la tue, mais sa mère réussit à la sauver en la plaçant dans un couvent ; elle recouvre la vue le jour de son baptême. Son père, apprenant qu'elle est vivante et guérie, la fait revenir au château et veut la marier. Mais Odile a fait vœu de chasteté. Le duc entre dans une colère effroyable ; cette fille lui donne decidément bien du souci ! Odile s'enfuit et se réfugie dans une grotte des environs. L'évêque vient sermonner le duc qui finit par entendre raison, la rappelle et lui donne son château, (sur le mont sainte-Odile) afin qu'elle l'aménage en monastère et en hospice.

Olga

Fête le 11 juillet.
Prénom d'origine slave.

• **Étymologie** : signifie *consacrée aux dieux*.

• **Symbolique** : 8 - rouge - Cancer - rubis.

• **Caractère** : energique et décidée, Olga n'a qu'une idée en tête : être la première. C'est une meneuse qui ne souffre pas la médiocrité ; à ce titre, elle est exigeante, autoritaire, impatiente, indocile, mais aussi rapide, opportuniste, adaptable et courageuse.

Prénom rare.

• **Prénoms associés** : Helga - Helge - Helgi - Oleg - Olegoucha - Olegouchka - Olger - Olgounia - Olgoussia - Olna.

Sainte Olga est grande-duchesse de Kiev, au 10e siècle. Elle demande le baptême, et devenue veuve, pendant la régence qu'elle exerce en attendant la majorité de son fils, elle s'efforce de répandre le christianisme dans son pays. Elle fait venir des moines missionnaires d'Allemagne, mais ceux-ci sont massacrés. Olga meurt en 969.

Olivia

Fête le 12 juillet.
Prénom d'origine latine.

• **Étymologie** : vient de *oliva* : olive.

• **Symbolique** : 5 - jaune - Lion - topaze.

• **Caractère** : solitaire et réfléchie, Olivia préfère l'étude à la vie sociale qui l'inquiète. Indépendante, elle ne suit guère les sentiers battus et s'oriente volontiers vers l'originalité. Très rapide et impatiente, elle se lasse vite et déteste la routine.

Prénom rare.

• **Prénoms français associés** : Livie - Olive - Oliveriane - Olivette - Oliviane - Ollie.

• **Prénoms étrangers associés** : Livia - Oliva - Olivera - Oliveria - Oliviera.

Saint Olivier* est le patron d'Olivia.

Olympe

Fête le 17 décembre.
Prénom d'origine grecque.

• **Étymologie** : vient de *Olumpos*, nom d'une montagne de Thessalie.

• **Symbolique** : 5 - orange - Scorpion - topaze.

• **Caractère** : dynamique et indépendante, Olympe est une féministe convaincue. Elle réclame haut et fort liberté et égalité, et s'en montre digne : courageuse, volontaire, active, elle travaille beaucoup, ne craint pas les difficultés ni l'aventure.

Prénom rare.

• **Prénom français associé** : Olympie.

• **Prénoms étrangers associés** : Olympia - Olympias - Olympio.

Sainte Olympe, aristicrate byzantine au 4e siècle, épouse le préfet de Constantinople. Veuve peu après ses noces, elle prend le voile, et investit sa fortune dans la construction d'un hôpital.

Personnage célèbre : la femme de lettres Olympe de Gouges.

Ombeline

Fête le 21 août.
Prénom d'origine latine.

• **Étymologie** : vient de *umbella* : ombrelle.

• **Symbolique** : 3 - bleu - Scorpion - saphir.

• **Caractère** : modérée dans tous ses actes, Ombeline est l'équilibre même : sociable sans être bavarde, franche en restant diplomate, indépendante tout en étant accessible, curieuse sans se montrer indiscrète, aimante sans brûler de passion.

Prénom en faveur depuis 1990.

• **Prénoms français associés** : Humbeline - Umbria - Umbrina.

Sainte Ombeline est la sœur de saint Bernard, fondateur de l'abbaye de Clairvaux. Dépensière, frivole, mondaine, elle se fait rappeler à l'ordre par son frère qui lui reproche ses fredaines. Mais Ombeline n'en a cure. Un jour qu'elle vient lui rendre visite, fardée et toute parée de bijoux, Bernard refuse de la recevoir. Rentrée chez elle, Ombeline décide de s'amender. Elle prend le voile chez les cisterciennes en Bourgogne et meurt saintement en 1135.

Ophélie

Fête le 18 juin.
Prénom d'origine grecque.

- **Étymologie** : vient de *ophelia* : recours.
- **Symbolique** : 7 - jaune - Balance - topaze.
- **Caractère** : secrète et mystérieuse, Ophélie a une intense vie intérieure ; très intellectuelle, elle médite, étudie dans la solitude, fuyant la superficialité. Sensible, intuitive et inquiète, elle est méfiante et recherche peu la compagnie.

Prénom en vogue depuis 1990.

- **Prénoms étrangers associés** : Ophélia - Ophélio.

Sainte Osanna est la patronne d'Ophélie, servante du duc et de la duchesse d'Este, au 16e siècle, modèle de piété et de douceur.

Personnage célèbre : la chanteuse Ophélie Winter.

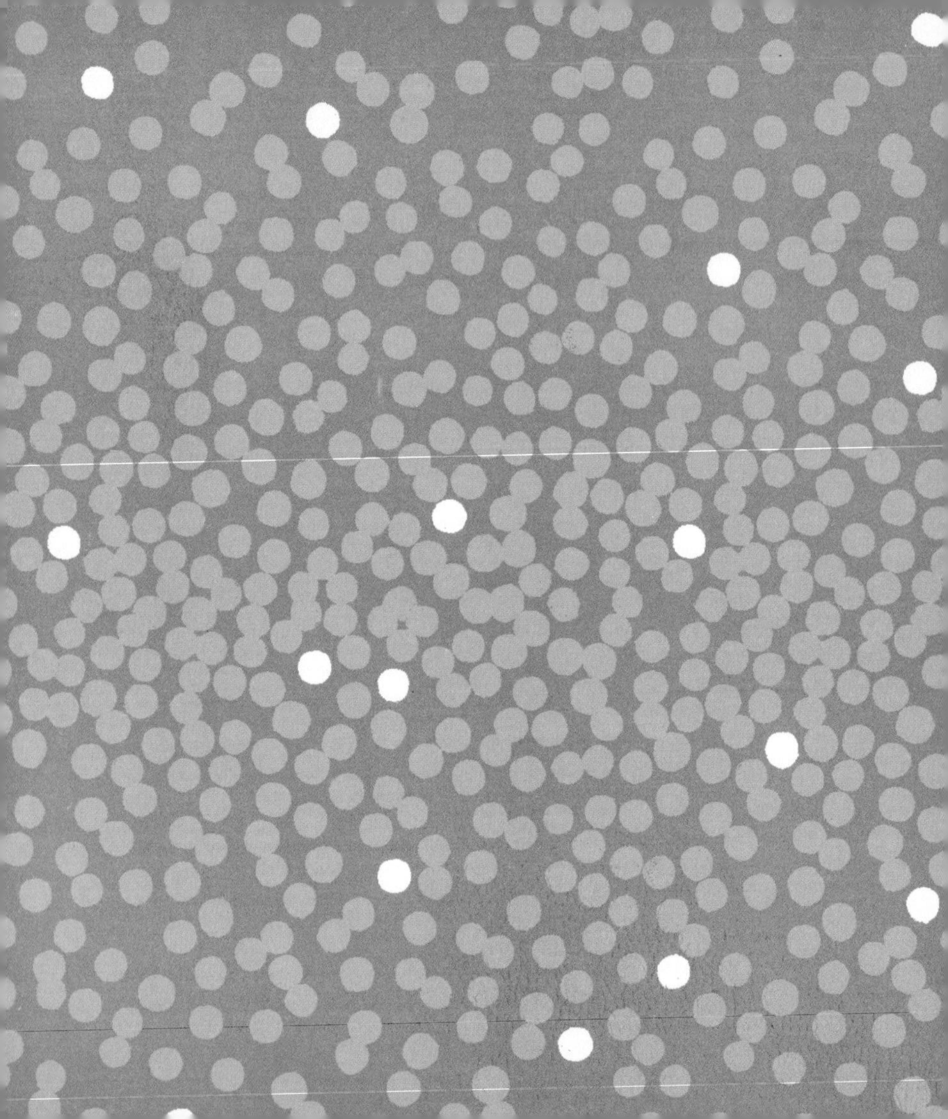

P

(filles)

Paloma

Fête le 5 août.
Prénom d'origine latine.

• **Étymologie** : vient de *palumba* : colombe.

• **Symbolique** : 4 - vert - Scorpion - émeraude.

• **Caractère** : franche et directive, Paloma affirme un caractère fort, derrière una apparente douceur. Courageuse et déterminée, elle mène sa vie tambour battant, et ne se laisse pas influencer. Les difficultés, qu'elle affronte avec rigueur, n'entament pas sa volonté.

Prénom rare.

Sainte Marie* est la patronne de Paloma.

Personnage célèbre : Paloma Picasso.

Pascale

Fête le 17 mai.
Prénom d'origine hébraïque,
dérivé de Pascal.

• **Étymologie** : vient de *pesah* : passage.

• **Symbolique** : 3 - orange - Gémeaux - topaze.

• **Caractère** : sociable et serviable, optimiste et drôle, Pascale a une vivacité d'esprit peu commune. Curieuse, fantaisiste, elle papillonne, et déteste la routine comme la rigueur. Farouchement indépendante, elle réagit violemment si l'on menace sa liberté.

Prénom assez répandu de 1950 à 1970, comme son masculin.

• **Prénoms français associés** : Paquette - Pascaline - Paschasie.

• **Prénoms étrangers associés** : Paquita - Pascasia - Pascuala - Pasqua. - Pasquala - Pasqualina.

Saint Pascal* est son patron.

Patricia

Fête le 25 août.

Prénom d'origine latine,
dérivé de Patrice.

• **Étymologie** : vient de *patricius* : patricien.

• **Symbolique** : 5 - orange - Verseau - topaze.

• **Caractère** : spontanée et franche, Patricia est tout charme. Elle défend farouchement son indépendance, revendique sa liberté et refuse tout net ordres et contraintes. Très rapide, elle passe avec une facilité déconcertante d'une activité à une autre.

Prénom à la mode au milieu du 20e siècle.

• **Prénom français associé** : Patriciane.

• **Prénoms étrangers associés** : Patrizia - Tricia.

Sainte Patricia, jeune femme de la bonne société romaine au 4e siècle, est chrétienne. Elle subit le martyre avec son mari et son fils.

Pauline

Fête le 9 juillet.
Prénom d'origine latine,
dérivé de Paul.

- **Étymologie** : vient de *paulus* : faible.
- **Symbolique** : 6 - rouge - Balance - rubis.
- **Caractère** : douce, calme, éprise de beauté, Pauline est attirée par les arts. La sécurité du foyer et la chaleur des relations familiales lui sont très précieuses ; elle redoute en revanche les turbulences de la vie professionnelle.

Prénom en faveur aux 18e et 19e siècles et depuis 1980.

- **Prénom français associé** : Paulette - Paule.
- **Prénoms étrangers associés** : Paola - Paula - Pavla.

Sainte Pauline est religieuse missionnaire en Chine. Elle est martyrisée puis exécutée en 1900 par les Boxers, secte de fanatiques opposés à la présence d'Occidentaux dans leur pays.

Personnage célèbre : Pauline Bonaparte, sœur de Napoléon.

Peggy

Fête le 20 juillet.
Prénom d'origine latine,
dérivé de Marguerite.

- **Étymologie** : vient de *margarita* : perle.
- **Symbolique** : 6 - vert - Cancer - émeraude.
- **Caractère** : dynamique, enjouée, Peggy attire la sympathie. Sa curiosité, sa fantaisie, son goût des plaisirs ne l'incitent ni à la rigueur ni au travail, mais elle est si habile, si charmante qu'elle sait tirer parti de toutes les situations.

Prénom rare.

Sainte Marguerite* est la patronne de Peggy.

Pélagie

Fête le 8 octobre.
Prénom d'origine grecque.

- **Étymologie** : vint de *pelagos* : pleine mer.
- **Symbolique** : 1 - bleu - Lion - saphir.
- **Caractère** : audacieuse et passionnée, Pélagie prend son destin en mains sans se laisser influencer. Elle est volontaire et obstinée ; les difficultés ne l'inquiètent guère, elles stimulent sa combativité. Peu encline à supporter une quelconque autorité, elle est très indépendante.

Prénom rare.

• **Prénoms français associés** : Pélage - Pélagien - Pélagienne.

• **Prénoms étrangers associés** : Pélagia - Pélagius.

Sainte Pélagie, jeune fille chrétienne, vit dans la maison de ses parents en Asie Mineure, au début du 4e siècle. Les soldats de l'empereur Dioclétien la poursuivent pour l'arrêter ; elle se sait condamnée au supplice ; elle se jette par la fenêtre pour leur échapper.

Pénélope

Fête le 18 août.
Prénom d'origine grecque,
dérivé de Hélène.

• **Étymologie** : vient de *hêlê* : éclat du soleil.

• **Symbolique** : 7 - bleu - Verseau - saphir.

• **Caractère** : sociable mais réservée, Pénélope se révèle peu ; elle préfère observer, écouter en silence pour affiner son jugement avant d'accorder sa confiance. Elle se révèle alors bavarde, enjouée et pleine d'aisance. Très curieuse, elle s'intéresse à de multiples domaines.

Prénom rare.

Sainte Hélène* est la patronne de Pénélope.

Pénélope est, dans la mythologie, le symbole de la fidélité conjugale. Femme d'Ulysse, pendant l'absence de son mari, qui dura tout de même 20 ans ! elle prétendit, pour échapper à ses soupirants, qu'elle se déciderait à faire son choix lorsqu'elle aurait terminé de tisser le linceul de son beau-père. Elle défaisait secrètement la nuit l'ouvrage accompli dans la journée. Ulysse revint et tua tous les prétendants.

Perrine

Fête le 27 décembre.
Prénom d'origine latine,
dérivé de Pierre.

• **Étymologie** : vient de *petros* : pierre.

• **Symbolique** : 4 - rouge - Balance - rubis.

• **Caractère** : très sensible, Perrine domine son émotivité ; elle semble ouverte, enjouée, sûre d'elle alors qu'elle est prudente et timide. Elle est pointilleuse dans sa vie professionnelle ; dans sa vie privée, sa passion la rend possessive et rancunière.

Prénom peu répandu.

Sainte Perrine, jeune angevine de dix-huit ans est arrêtée sous la Révolution et, accusée d'être chrétienne, décapitée en 1793.

Pétronille

Fête le 31 mai.
Prénom d'origine latine,
dérivé de Pierre.

• **Étymologie** : vient de *petros* : pierre.

• **Symbolique** : 9 - vert - Vierge - émeraude.

• **Caractère** : idéaliste et romanesque, Pétronille attend beaucoup de la vie et de son entourage. Les responsabilités l'effraient, la lutte la paralyse, les tensions l'angoissent. Sensible, dévouée, elle est une collaboratrice hors pair. Ses déceptions l'enferment dans la rêverie.

Prénom rare.

• **Prénoms français associés** : Pernelle - Pernette - Péroline - Péronnelle - Perrine* - Pétrone - Pétronelle.

• **Prénoms étrangers associés** : Peirona - Peironela - Pérolina - Pétroneilla - Pétronella - Pétronia - Pétronilla.

Sainte Pétronille vit à Rome au 1er siècle. Elle est instruite dans la foi chrétienne et baptisée par saint Pierre. Elle meurt en martyre.

Philippine

Fête le 18 novembre.
Prénom d'origine grecque, dérivé de Philippe.

• **Étymologie** : vient de *philein* : aimer et *hippos* : chevaux.

• **Symbolique** : 6 - jaune - Bélier - topaze.

• **Caractère** : élégante, Philippine a un grand souci de son apparence ; femme d'intérieur attentive, maîtresse de maison raffinée, elle attache beaucoup d'importance à son foyer, mais affiche cependant un grand besoin d'indépendance.

Prénom à la mode depuis 1980.

• **Prénoms étrangers associés** : Filipina - Philipina.

Sainte Philippine est religieuse sous la Révolution, mais son ordre est dissout ; fidèle à ses vœux, elle se dévoue aux prisonniers. Puis elle entre dans une congrégation, et s'embarque pour la Louisiane où elle assure l'éducation des jeunes filles. Elle meurt en 1852.

Philomène

Fête le 10 août.

Prénom d'origine grecque.

• **Étymologie** : vient de *philein* : aimer et *logos* : parole.

• **Symbolique** : 7 - orange - Capricorne - topaze.

• **Caractère** : calme, réfléchie et intuitive, Philomène aime l'étude, la lecture, les jeux de l'esprit ; timide, elle recherche la solitude. Son affectivité est importante, mais elle exprime peu ses sentiments et préfère se laisser deviner.

Prénom rare.

• **Prénoms français associés** : Ménie - Menny.

Sainte Philomène est une jeune vierge romaine qui vécut au 4e siècle et mourut en martyre.

Pierrette

Fête le 29 juin.
Prénom d'origine latine,
dérivé de Pierre.

- **Étymologie** : vient de *petros* : pierre.
- **Symbolique** : 8 - jaune - Gémeaux - topaze.
- **Caractère** : volontaire et courageuse, Pierrette a de l'ambition. Elle sait s'imposer car elle est fort autoritaire. Les difficultés la stimulent, la réussite la galvanise. Mais elle éprouve un grand attachement pour sa famille.

Prénom en faveur au début du 20e siècle.

- **Prénom français associé** : Perrette.
- **Prénoms étrangers associés** : Petra - Piera - Pierra - Pietra.

Saint Pierre* est le patron de Pierrette.

Priscille

Fête le 16 janvier.
Prénom d'origine latine.

- **Étymologie** : vient de *priscus* : antique.
- **Symbolique** : 4 - bleu - Verseau - saphir.
- **Caractère** : réfléchie et solide, Priscille est pleine de bons sens. Elle est fiable, mais ses principes moraux, très stricts, l'inclinent à manquer parfois de tolérance. Très attachée à la vie de famille, elle cherche avant tout la sécurité affective au risque de manquer d'autonomie.

Prénom à la mode depuis 1980.

- **Prénoms associés** : Praxilla - Prisca - Prisciane - Priscilla - Priscilliane.

Sainte Priscille est, à Rome, au 1er siècle, propriétaire d'une vaste maison. Elle rencontre saint Pierre et la met à sa disposition pour les rencontres de fidèles. Elle y enterre les corps des martyrs chrétiens victimes des persécutions.

Prune

Fête le 5 octobre.

Prénom d'origine française.

- **Étymologie** : vient du nom de la *prune*, fruit du prunellier.

- **Symbolique** : 2 - vert - Poissons - émeraude.

- **Caractère** : féminine et charmeuse, gaie et vive, Prune est une conquérante ; elle cherche la réussite, elle aime séduire. Travailleuse et intuitive, elle ne craint pas les difficultés, même si sa sensibilité en souffre un peu.

Prénom né dans les années 1980 assez peu répandu.

- **Prénom français associé** : Prunelle.

Sainte Fleur* est la patronne de Prune.

Q

(filles)

Quitterie

Fête le 22 mai.
Prénom d'origine latine.

- **Étymologie** : vient de *quietus* : tranquille.
- **Symbolique** : 7 - rouge - Sagittaire - rubis.
- **Caractère** : curieuse, vive, gaie, Quitterie est une femme très active, toujours en mouvement. Bien qu'indépendante, elle est très attachée à l'opinion des autres, aussi se montre-t-elle très sociable. Les valeurs traditionnelles, la rigueur morale et le sens de la famille guident sa vie.

Prénom peu courant.

- **Prénoms associés** : Quitère - Quiterie.

Sainte Quitterie est une princesse espagnole au 3e siècle. Elle se fait baptiser secrètement, et fuit le domicile familial lorsque son père lui apprend qu'il lui a trouvé un époux. Quitterie est rattrapée et menacée des pires sévices si elle s'obstine. Elle refuse le prétendant ; son père la fait décapiter.

R

(filles)

Rachel

Fête le 15 janvier.
Prénom d'origine hébraïque.

• **Étymologie** : vient de *rahel* : brebis.

• **Symbolique** : 2 - orange - Sagittaire - topaze.

• **Caractère** : exigeante, Rachel n'accorde pas facilement sa confiance. Sous une apparence calme, elle est très passionnée et supporte mal l'opposition. Généreuse et fidèle, elle donne beaucoup, mais attend beaucoup en retour.

Prénom peu répandu.

• **Autre orthographe** : Rachelle.

• **Prénoms français associés** : Rachaël - Rachie - Rachilde - Rachile - Richelle.

• **Prénoms étrangers associés** : Rachela - Raquel - Rahel - Raquela - Rahelia - Raquelia.

Rachel, personnage biblique, est la femme de Jacob, la mère de Joseph et Benjamin.

Personnages célèbres : la tragédienne française Mademoiselle Rachel, l'actrice américaine Raquel Welch.

Raphaëlle

Fête le 29 septembre.
Prénom d'origine hébraïque, dérivé de Raphaël.

• **Étymologie** : vient de *rephaël* : Dieu a guéri.

• **Symbolique** : 6 - jaune - Poissons - topaze.

• **Caractère** : enjouée et communicative, sensible et créative, Raphaëlle est tout feu tout flamme. Elle a un rare talent pour entraîner un cercle d'amis, animer une soirée, mais il ne faut pas lui demander d'être organisée et rigoureuse : elle a horreur de l'ordre !

Prénom assez peu répandu.

• **Prénoms étrangers associés** : Faïla - Falia - Rafaela - Rafaïla - Raffaëlla - Raphaela.

Sainte Raphaëlle est une mère de famille très nombreuse en Espagne, au 19e siècle. Elle fonde plusieurs institutions pour l'accueil et l'éducation des jeunes filles pauvres, et meurt à cinquante-six ans minée par la maladie et le travail.

Rébecca

Fête le 23 mars.
Prénom d'origine hébraïque.

• **Étymologie** : signifie *qui rassasie.*

• **Symbolique** : 1 - orange - Sagittaire - topaze.

• **Caractère** : active et déterminée, Rébecca organise sa vie sans se préoccuper d'autrui. Son indépendance farouche, son sens du commandement en font une maîtresse femme. Impatiente, elle devient autoritaire et irritable si on la contrarie.

Prénom peu répandu.

• **Prénoms associés** : Beck - Beckie - Becky - Reba - Rebe - Rebekah - Rivka.

Rebecca est la femme d'Isaac, la mère d'Esaü et de Jacob.

Sainte Rébecca est une jeune libanaise employée de maison dès l'adolescence dans une famille de Damas. Elle entre au monastère où elle est chargée de l'enseignement. Elle demande à Dieu d'être associée à la Passion du Christ : elle souffre de migraines, devient aveugle, puis paralysée, et meurt en 1914.

Régine

Fête le 7 septembre.

Prénom d'origine latine.

• **Étymologie** : vient de *regina* : reine.

• **Symbolique** : 4 - orange - Capricorne - topaze.

• **Caractère** : sensible et émotive, Régine fait beaucoup d'efforts pour se maîtriser, mais elle garde rancune de la moindre blessure affective ; son apparente confiance en elle cache une grande timidité. Elle est travailleuse et fait preuve de conscience professionnelle.

Prénom peu répandu.

• **Prénom français associé** : Reine*.

• **Prénoms étrangers associés** : Gina - Raina - Régina - Reina - Reinelda - Reinilda - Rina.

Sainte Reine* est la patronne de Régine.

Personnages célèbres : l'actrice italienne Gina Lollobrigida, l'écrivain Régine Desforges.

Reine

Fête le 7 septembre.

Prénom d'origine latine.

• **Étymologie** : vient de *regina* : reine.

• **Symbolique** : 6 - vert - Sagittaire - émeraude.

• **Caractère** : sensible, délicate, Reine privilégie la vie familiale ; affectueuse, dévouée, diplomate, elle est la gardienne de l'harmonie du foyer. Elle possède un sens aigu des responsabilités et du devoir qui la rend perfectionniste.

Prénom rare.

• **Prénom français associé** : Réjane.

Sainte Reine vit à Alésia en Bourgogne ; les persécutions de Dèce ne l'empêchent pas de se consacrer à Dieu. Elle a 15 ans et la beauté de la prime jeunesse. Le proconsul tombe sous le charme et tente de la séduire ; il lui fait une cour empressée, mais Reine le repousse. Il la menace, elle résiste. Il la fait arrêter et décapiter en 252.

Renée

Fête le 1er février.

Prénom d'origine latine, dérivé de René.

• **Étymologie** : vient de *renatus* : né à une nouvelle vie.

• **Symbolique** : 2 - bleu - Sagittaire - saphir.

• **Caractère** : active et dynamique, Renée fait tout pour parvenir à ses fins ; elle sait saisir les opportunités, travaille dur, et règle les problèmes avec efficacité. Son sens de l'organisation très pointu la met à l'abri des imprévus.

Prénom rare.

• **Prénom étranger associé** : Renata.

Sainte Renée est une paysanne angevine. Les soldats de la Révolution l'arrêtent, la condamnent à mort puisqu'elle refuse de renier sa foi, et la fusillent en 1794. Elle a 27 ans, et laisse trois tout jeunes enfants.

Personnage célèbre : Renée de France, fille de Louis XII et d'Anne de Bretagne.

Rita

Fête le 22 mai.
Prénom d'origine latine, dérivé de Marguerite.

• **Étymologie** : vient de *margarita* : perle.

• **Symbolique** : 3 - orange - Sagittaire - topaze.

• **Caractère** : sociable et charmeuse, Rita a un ascendant sur son entourage ; sa gentillesse et sa spontanéité font oublier ses excès d'ambition et les manifestations un peu excessives de sa puissante volonté.

Prénom peu répandu.

Sainte Rita naît en Italie en 1381. Très pieuse dès l'enfance, elle voudrait se consacrer à Dieu, mais ses parents la marient. Rita se soumet. Hélas l'époux est brutal, débauché et violent. Pendant dix-huit ans, Rita supporte les insultes, les coups, les humiliations, et prie pour l'âme du rustre. Il se repent, quelques jours avant de mourir sous les coups d'un inconnu. Ses fils veulent le venger, mais atteints de maladie, ils meurent tous deux le même jour. Rita entre au couvent, soigne les malades avec le plus grand dévouement. Elle prie chaque jour pour que Dieu lui accorde la faveur de participer à la passion du Christ : une plaie purulante s'ouvre sur son front et ne guérit pas, l'obligeant à l'isolement. Elle meurt en 1457 ; on dit que son corps est resté intact jusqu'à nos jours.

Rochelle

Fête le 16 août.

Prénom d'origine française, féminin de Roch.

• **Étymologie** : vient du nom d'une tunique portée au Moyen Âge.

• **Symbolique** : 5 - bleu - Bélier - aigue-marine.

• **Caractère** : sociable, spontanée, généreuse, Rochelle est très extravertie. Son enthousiasme et sa vivacité d'esprit séduisent son entourage. Elle s'adapte vite aux milieux, aux événements, et préfère l'aventure à la routine.

Prénom rare.

Saint Roch* est le protecteur de Rochelle.

Romane

Fête le 28 février.
Prénom d'origine latine,
dérivé de Romain.

• **Étymologie** : vient de *romanus* : romain.

• **Symbolique** : 3 - vert - Bélier - émeraude.

• **Caractère** : vive et drôle, enthousiaste et optimiste, Romane aime s'entourer d'une cour d'amis et d'admirateurs qu'elle charme par ses talents oratoires, son charme et sa générosité. Si elle est opportuniste et intuitive, elle n'a pas un fort penchant pour l'effort et la rigueur.

Prénom en vogue depuis 1990.

Saint Romain* est le patron de Romane.

Rosalie

Fête le 4 septembre.
Prénom d'origine latine.

• **Étymologie** : vient de *rosa* : rose et *lilium* : lis.

• **Symbolique** : 7 - bleu - Sagittaire - saphir.

• **Caractère** : curieuse et vive, Rosalie s'intéresse à tout. Bien qu'elle soit inquiète, elle fuit la routine, au risque de se disperser. C'est dans la solitude, l'étude et la réflexion qu'elle trouve la sécurité. Peu expansive, elle attend qu'on la devine.

Prénom en faveur au 19e siècle.

Sainte Rosalie est ermite en Sicile au 12e siècle.

Rose

Fête le 23 août.
Prénom d'origine latine.

• **Étymologie** : vient de *rosa* : rose.

• **Symbolique** : 3 - bleu - Scorpion - saphir.

• **Caractère** : gaie, dynamique et enthousiaste, Rose recherche la compagnie. Elle craint la solitude. Sa facilité d'expression, son assurance lui ouvrent d'ailleurs toutes les portes. Curieuse et vive, elle s'adapte à tout, mais elle méconnaît la persévérance et la rigueur.

Prénom répandu au 19e siècle.

• **Prénoms français associés** : Rosalinde - Rosanne - Rosée - Roséinde - Roselin - Roseline - Roselle - Rosemarie* - Rosemonde - Rosette - Rosie - Rosine* - Rozenn (breton).

• **Prénoms étrangers associés** : Roos - Rosa - Rosalba - Rosalia - Rosalinda - Rosalio - Rosamunda - Rosanna - Rosaria - Rosaura - Röschen - Roselena - Rosetta - Rosilda - Rosilia - Rosita - Rosius - Roslino - Rosmunda - Rossella - Rosula - Rozabel - Rozalia - Rozalija - Rozaly - Rozanna - Rozella.

Sainte Rose naît à Lima, au Pérou, en 1586, dans une famille modeste. Elle travaille au jardin de ses parents, le jour et la nuit, coud et brode, en priant sainte Catherine qu'elle a prise comme modèle. Rose est très belle, on le lui dit, et ses soupirants lui font une cour empressée. La légende conte que pour les repousser, elle s'enduisait la peau de poivre... Mais Rose a 15 ans et il est temps qu'elle se marie. Elle repousse tous les prétendants, tient tête à ses parents et fait vœu de chasteté. Lasse des moqueries et des reproches de ses amis et de sa famille, elle se réfugie chez les dominicaines où elle s'inflige privations et sévices corporels. Elle sombre dans la folie et meurt en 1617.

Rosemarie

Fête le 23 août.
Prénom composé de *Rose* et de *Marie*.

- **Symbolique** : 4 - bleu - Cancer - saphir.
- **Caractère** : féminine, gracieuse et souriante, Rosemarie est cependant une femme décidée. Elle aime le pouvoir, la réussite, l'argent. Sa détermination et sa puissance de travail lui permettent d'atteindre ses objectifs. Exigeante et fière, elle supporte mal la médiocrité et les échecs.

Prénom peu répandu.

- **Autre orthographe** : Rosemary.
- **Prénoms associés** : Romi - Romy.

Sainte Rose* est sa patronne.

Personnage célèbre : l'actrice Romy Schneider.

Rosine

Fête le 11 mars.
Prénom d'origine latine, dérivé de Rose.

- **Étymologie** : vient de *rosa* : rose.
- **Symbolique** : 8 - bleu - Capricorne - saphir.
- **Caractère** : chaleureuse, accueillante et dévouée, Rosine privilégie sa vie de famille. Elle consacre aux siens son temps, son énergie, sa capacité d'écoute, mais ne dédaigne pas l'argent et les biens matériels.

Prénom peu répandu.

Sainte Rosine vit en ermite en Bavière, au 12e siècle.

Personnage célèbre : Rosine Bernard, dite Sarah Bernhardt.

Roxane

Fête le 7 septembre.
Prénom d'origine persane.

- **Étymologie** : vient de *raokhshna* : brillante comme l'aurore.
- **Symbolique** : 5 - jaune - Verseau - topaze.
- **Caractère** : chaleureuse, accueillante, Roxane est l'amie sûre et dévouée ; elle

écoute, console, rassure. L'amitié lui est indispensable. Elle aime séduire, amuser, jouer de son charme, mais derrière son apparente légèreté se cache une grande force de caractère.

Prénom à l'honneur au 19e siècle et depuis 1990.

- **Prénoms associés** : Roksane - Roksana - Rokshane - Rossane - Roxana.

Sainte Reine* est la patronne de Roxane.

Roxane est capturée avec son père en 327 avant J.-C. par les troupes d'Alexandre le Grand, qui, séduit par sa beauté, l'épouse. Elle a un fils, Alexandre Aigos, qui devient roi de Macédoine à son tour, mais elle est assassinée avec lui sur ordre de Cassandre.

Ruth

Fête le 3 juillet.
Prénom d'origine hébraïque.

- **Étymologie** : signifie *celle qui compatit.*
- **Symbolique** : 4 - rouge - Sagittaire - rubis.
- **Caractère** : secrète, prudente, Ruth ne laisse pas libre cours à ses émotions. Cependant cette apparence de froideur et de détermination cache un cœur d'or. Travailleuse acharnée, elle méprise la négligence et la médiocrité.

Prénom peu répandu.

Ruth, personnage biblique est une moabite (originaire du pays de Moab). Elle devient veuve très jeune et s'expatrie avec sa belle-mère, Noémi, puis revient à Bethléem pour épouser Booz. Elle est l'arrière-grand-mère du roi David. Son histoire est racontée dans le livre de Ruth, nouvelle en 4 chapitres.

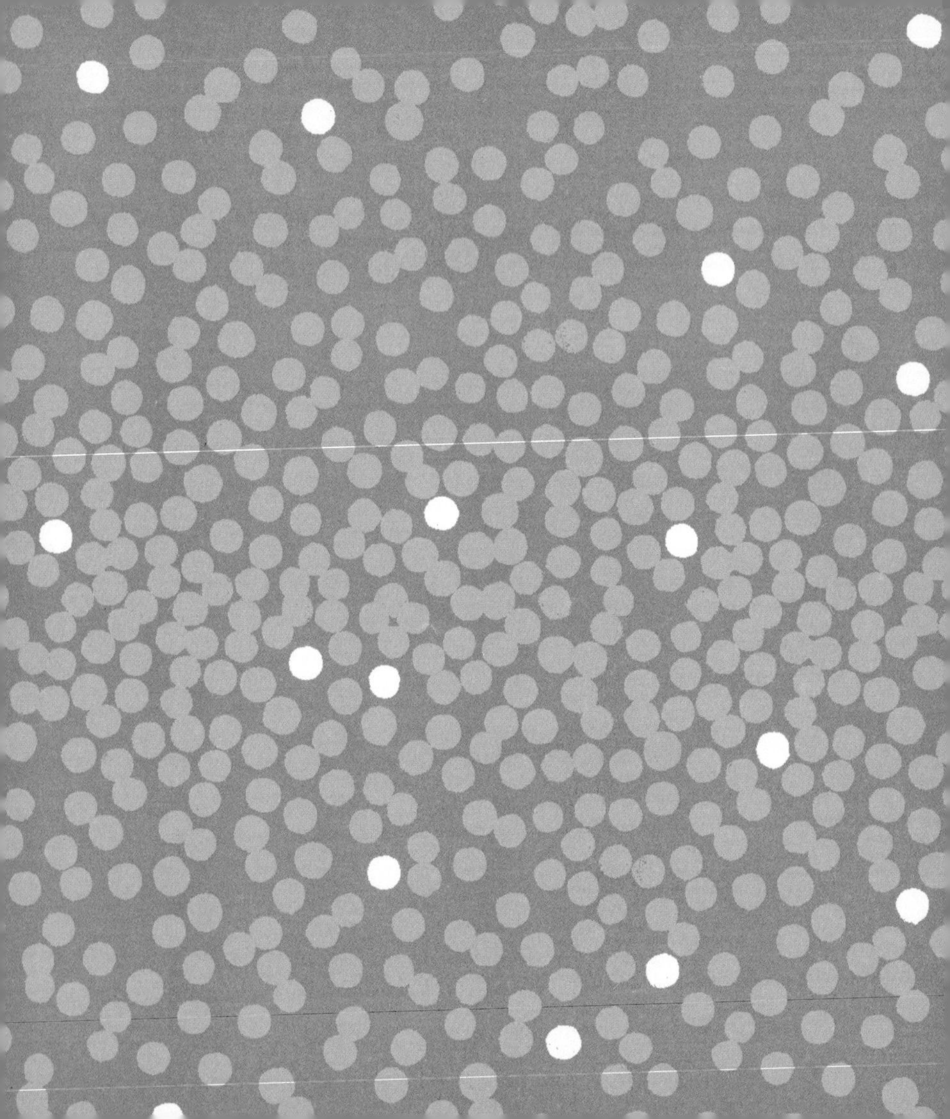

S

(filles)

Sabine

Fête le 29 août.
Prénom d'origine latine.

• **Étymologie** : vient de *Sabini*, nom d'un peuple qui occupait l'Italie centrale.

• **Symbolique** : 5 - vert - Bélier - émeraude.

• **Caractère** : autoritaire et énergique, Sabine est une maîtresse femme. Elle est très active, mais son manque d'organisation nuit à son efficacité, et elle se disperse parfois un peu, car très éclectique, elle s'intéresse à tout.

Prénom à l'honneur de 1960 à 1980.

• **Prénoms français associés** : Sabien - Sabienne - Sabin - Sabrina* - Savin - Savine.

• **Prénoms étrangers associés** : Sabi - Sabie - Sabina - Sabiniano - Sabinka - Sabino - Sabinus - Savina - Savino - Saby - Vinia.

Sainte Sabine, aristocrate romaine au 3e siècle, vit dans une somptueuse maison. Convertie, elle se fait baptiser et lègue à la communauté chrétienne son domaine.

Sabrina

Fête le 29 août.
Prénom d'origine latine,
dérivé de Sabine.

• **Étymologie** : vient de *Sabini*, nom d'un peuple qui occupait l'Italie centrale.

• **Symbolique** : 6 - rouge - Balance - rubis.

• **Caractère** : ambitieuse et indépendante, Sabrina mène sa vie sans accepter de compromis ; elle supporte mal les contraintes, fait preuve d'intolérance si l'on porte atteinte à sa liberté, mais se montre plus conciliante dès qu'elle retrouve la sécurité familiale.

Prénom en faveur de 1970 à 1990.

Sainte Sabine* est la patronne de Sabrina.

Salomé

Fête le 22 octobre.
Prénom d'origine hébraïque.

• **Étymologie** : vient de *shalom* : paix.

• **Symbolique** : 2 - vert - Gémeaux - émeraude.

• **Caractère** : féminine et charmeuse, Salomé est toute séduction. Mais son courage lui permet de s'épanouir dans une vie professionnelle riche. Franche et loyale, elle déteste les mensonges, et s'emporte facilement si elle se sent trahie.

Prénom peu courant.

• **Prénoms associés** : Loma - Lomée - Loménia - Loménie.

Sainte Marie-Salomé est la mère des disciples Jacques et Jean.

Salomé, princesse juive, est la fille d'Hérodiade et la nièce d'Hérode Antipas. Séductrice redoutable et perverse, au cours d'une fête, elle danse devant son oncle et lui demande en récompense qu'on lui apporte la tête de Jean le Baptiste sur un plateau-

Samantha

Fête le 19 décembre.
Prénom d'origine germanique.

• **Étymologie** : vient de *sanths* : juste et *thanc* : pensée.

• **Symbolique** : 9 - Lion - rouge - rubis.

• **Caractère** : sensible, féminine, charmeuse, Samantha cache son jeu : elle est une redoutable femme de tête qui mène sa vie tambour battant, et sait fort bien jouer de son charme. Elle est fiable en affaires et fidèle en amitié.

Prénom rare.

• **Prénoms associés** : Samthann - Sametane - Mantha - Manthie.

Sainte Samthann est la patronne de Samantha. Moniale en Irlande, au 8e siècle, sainte Samthann est toute bonté ; elle recueille les enfants abandonnés, les élève, et convertit les mécréants.

Sandrine

Fête le 2 avril.
Prénom d'origine grecque, dérivé d'Alexandre.

• **Étymologie** : vient de *alexein* : repousser et *andros* : homme.

• **Symbolique** : 3 - bleu - Vierge - saphir.

• **Caractère** : spirituelle, raffinée, Sandrine s'attire un public attentif, séduit par son éloquence, et son sens aigu de l'observation. Elle aime plaire, et très affectueuse, elle a besoin d'un environnement familial serein pour s'épanouir.

Prénom en vogue de 1950 à 1970.

• **Prénoms associés** : Sandra - Sandrina.

Sainte Alexandra* est la patronne de Sandrine.

Personnage célèbre : l'actrice Sandrine Bonnaire.

Sarah

Fête le 20 décembre.
Prénom d'origine hébraïque.

• **Étymologie** : vient de *saray* : princesse.

• **Symbolique** : 2 - rouge - Lion - rubis.

• **Caractère** : douce et fragile, Sarah est la féminité idéalisée : accueillante, chaleureuse, généreuse, conciliante... Son affectivité débordante la pousse parfois aux sentiments extrêmes, et elle manque un peu de réalisme, aussi recherche-t-elle la sécurité dans un foyer épanoui.

Prénom biblique à la mode depuis 1980.

Sainte Sarah est l'épouse d'Abraham ; elle n'a pas eu d'enfant, en a toujours souffert, et n'a plus l'âge d'en avoir lorsque l'ange vient annoncer sa prochaine maternité. Isaac naît dans l'année.
Sainte Sarah est la servante de Marie-Jacobi et de Marie-Salomé, en Galilée, au 1er siècle ; elle les suit pendant leur voyage vers la Gaule et s'installe avec

elles en Provence. Elle meurt en Camargue. La ville des Saintes-Marie-de-la-Mer les vénère toutes les trois.

Ségolène

Fête le 24 juillet.
Prénom d'origine germanique.

• **Étymologie** : vient de *sig* : victoire et *lind* : doux.

• **Symbolique** : 1 - vert - Cancer - émeraude.

• **Caractère** : chaleureuse, accueillante, Ségolène est l'amie idéale. Elle est curieuse et spirituelle, s'intéresse à tout et s'adapte avec facilité à son environnement, mais se renferme à la moindre contrariété. Éprise de beauté et de plaisirs, elle recherche la facilité.

Prénom assez rare.

• **Prénoms français associés** : Ségolaine - Sigolène.

• **Prénoms étrangers associés** : Ségolan - Ségolena.

Sainte Ségolène fonde un monastère près d'Albi, au 7e siècle, où elle soigne les lépreux.

Personnage célèbre : Ségolène Royal.

Séraphie

Fête le 9 septembre.
Prénom d'origine hébraïque.

• **Étymologie** : vient de *seraphim* : séraphin.

• **Symbolique** : 9 - bleu - Sagittaire - aigue-marine.

• **Caractère** : imaginative, Séraphie se réalise dans la création. Elle cherche sans cesse à se dépasser. Sociable mais indépendante, elle mène sa vie comme elle l'entend. Sensible, elle peut se montrer altruiste quand la cause lui semble juste.

Prénoms associés : Séraphina - Séraphine - Séraphita.

Sainte Séraphina se nommait Sueva, en Italie, au 15e siècle. Épouse infidèle, elle est enfermée par son mari dans un couvent où la vie est particulièrement dure. Après deux années de réclusion, l'époux la rappelle. Elle refuse, prend l'habit et le nom de Séraphina et devient abbesse.

Servane

Fête le 1er juillet.
Prénom d'origine latine.

• **Étymologie** : vient de *servus* : esclave.

• **Symbolique** : 3 - vert - Balance - émeraude.

• **Caractère** : enjouée et chaleureuse, Servane est une communicative. Elle redoute la solitude et privilégie sa vie sociale. Curieuse, elle s'intéresse à tout, s'adapte rapidement à toutes les situations, mais manque un peu de persévérance.

Prénom peu répandu.

• **Prénoms français associés** : Servace - Servais - Servaise - Servan - Servin - Servine.

Saint Servan, patron de Servane, est prêtre au 6e siècle ; il évangélise une partie de l'Écosse, mais doit quitter son pays, chassé par les barbares ; il se réfugie en Bretagne.

Séverine

Fête le 8 janvier.
Prénom d'origine latine, dérivé de Séverin.

• **Étymologie** : vient de *severus* : exigeant.

• **Symbolique** : 7 - orange - Scorpion - topaze.

• **Caractère** : élégante et raffinée, Séverine a beaucoup d'allure. Elle met au service de sa famille sa volonté, son intuition et sa rigueur, et elle gère son foyer comme un chef d'entreprise. Très organisée, elle ne laisse rien au hasard.

Prénom à la mode de 1970 à 1980.

Saint Séverin* est son patron.

Shéhérazade

Fête le 15 août.
Prénom d'origine persane.

• **Étymologie** : prénom d'un personnage d'un conte persan.

• **Symbolique** : 1 - bleu - Balance - saphir.

• **Caractère** : très imaginative et éprise de fantaisie, Shéhérazade a néammoins le sens des réalités. Sa sensibilité est vive, mais elle s'efforce de maîtriser ses sentiments ou de les canaliser dans une activité artistique. Elle est sociable, mais veille toujours à préserver son indépendance.

Prénom rare.

Sainte Marie* peut être choisie pour patronne, en l'absence d'une sainte Shéhérazade.

Shéhérazade est un personnage de la série des contes anonymes arabes *Les Mille et Une Nuits*, écrits entre le 10e et le 12e siècle, à Bagdad, en Égypte et en Perse. Elle est l'amante séduisante, mystérieuse et pudique d'un sultan, parfaite incarnation, pour l'Occident, de la femme orientale.

Sibylle

Fête le 9 octobre.
Prénom d'origine grecque.

• **Étymologie** : vient de *Sibulla*, nom d'une prêtresse d'Apollon.

• **Symbolique** : 4 - rouge - Poissons - rubis.

• **Caractère** : généreuse, sensible, charitable, altruiste, Sibylle organise sa vie autour de ses relations affectives ; sa famille et ses amis sont essentiels pour son équilibre. Curieuse, elle aime la fantaisie, mais n'a pas un goût prononcé pour l'ordre et l'organisation.

Prénom peu répandu.

- **Autres orthographes** : Sibille - Sibyl.
- **Prénom français associé** : Sibylline.
- **Prénoms étrangers associés :** Bela - Beleke - Bilgen - Cibilla - Cilli - Sebelia - Sibbie - Sibel - Sibilla - Sibylla - Sibyllina.

Sainte Sibylle est religieuse dans un couvent de cisterciennes, au 13e siècle.

Sibylle est le nom, dans la mythologie grecque, d'une prêtresse d'Apollon, devineresse réputée pour ses prophéties.

Sidonie

Fête le 21 août.
Prénom d'origine hébraïque.

- **Étymologie** : vient du nom d'une ville du Liban, Sidon.
- **Symbolique** : 3 - violet - Gémeaux - améthyste.
- **Caractère** : dynamique, enthousiaste, Sidonie adore la société et les contacts. Elle s'attire de nombreux amis par son expression brillante, son assurance et sa gaieté. Sa curiosité et sa vivacité d'esprit la poussent à s'intéresser à tout, aux dépens parfois de l'ordre et de la rigueur.

Prénom à l'honneur au 19e siècle.

- **Prénoms français associés** : Sidaine - Sido - Sidoine - Sindonie.
- **Prénoms étrangers associés** : Sidel - Sidney - Sidonia - Sidonio - Sidonius - Sindonia.

Saint Sidoine Appolinaire est le patron de Sidonie. Né à Lyon, au 5e siècle, il est nommé préfet de Rome, puis s'établit en Auvergne où il devient évêque de Clermont ; il lutte pour protéger les habitants de la région contre les Wisigoths, et fait preuve d'une charité et d'un courage exemplaires face à l'envahisseur. Il laisse à sa mort en 480 une œuvre littéraire et épistolaire importante.

Personnage célèbre : l'écrivain Sidonie-Gabrielle Colette.

Sigrid

Fête le 8 août.
Prénom d'origine germanique.

- **Étymologie** : vient de *sig* : victoire et *rida* : libérateur.
- **Symbolique** : 2 - rouge - Vierge - rubis.
- **Caractère** : indépendante et volontaire, Sigrid refuse les contraintes et entend mener sa vie comme elle le souhaite. Très émotive, elle attend beaucoup de son entourage, malgré sa soif de liberté, et souffre des critiques ou des échecs.

Prénom rare.

- **Prénom associé** : Sigrade.

Sainte Sigrade est la patronne de Sigrid. Épouse et mère de famille exemplaire, au 7e siècle, elle achève sa vie dans un monastère après la mort de son mari et de son fils, tué par le maire du Palais.

Simone

Fête le 19 février.
Prénom d'origine hébraïque.

• **Étymologie** : vient de *shimon* : exaucé.

• **Symbolique** : 3 - violet - Cancer - améthyste.

• **Caractère** : dynamique, curieuse, rapide, Simone est une femme caméléon qui s'adapte à toutes les circonstances avec la même aisance... excepté la solitude qu'elle redoute. Chaleureuse, accueillante et joyeuse, elle s'attire beaucoup d'amis.

Prénom en vogue au début du 20e siècle.

• **Prénoms étrangers associés** : Simona - Simonetta - Syma.

Sainte Simone est angevine ; elle travaille avec son mari, artisan dans son village. Elle est arrêtée, accusée d'être chrétienne, et condamnée à mort en 1793.

Personnages célèbres : Simone Veil, femme politique française, l'écrivain Simone de Beauvoir, l'actrice Simone Signoret.

Sixtine

Fête le 3 avril.
Prénom d'origine latine, dérivé de Sixte.

• **Étymologie** : vient de *sixtus* : sixième.

• **Symbolique** : 1 - rouge - Cancer - rubis.

• **Caractère** : éprise de liberté, Sixtine n'a peur de rien. Elle recherche l'aventure, et affronte les risques avec sang-froid. Son refus de l'autorité et des contraintes lui cause parfois bien des ennuis, mais son charme et sa vivacité désarment ses adversaires les plus farouches.

Prénom à l'honneur depuis 1990.

• **Prénom associé** : Sixtina.

Saint Sixte* est le patron de Sixtine.

Solange

Fête le 10 mai.
Prénom d'origine latine.

• **Étymologie** : vient de *solemnis* : solennel.

• **Symbolique** : 1 - bleu - Cancer - saphir.

• **Caractère** : spirituelle et vive, Solange s'intéresse à tout et s'adapte aisément à son entourage, mais elle craint les conflits, et s'isole à la plus petite contrariété. Son énergie et sa volonté sont fluctuantes, et dépendent de sa motivation.

Prénom en vogue au début du 20e siècle.

• **Prénoms français associés** : Solène* - Soline*.

Sainte Solange est une jeune fille pieuse ; elle vit dans sa famille, dans le Berry, au 11e siècle, occupée aux travaux ménagers, aux soins du bétail. Solange est aussi très belle, et un seigneur du voisinage s'en éprend. Il fait sa cour, propose de l'épouser, mais Solange résiste : elle s'est déjà depuis longtemps consacrée à Dieu. Il l'enlève, mais Solange se défend, si bien qu'exaspéré, il lui tranche la gorge.

Solène

Fête le 25 septembre.
Prénom d'origine latine,
dérivé de Solange*.

- **Étymologie** : vient de *solemnis* : solennel.
- **Symbolique** : 7 - vert - Cancer - émeraude.
- **Caractère** : secrète, Solène cultive volontiers le mystère. Son esprit d'analyse aiguisé, la conduit à gérer sa vie avec le plus grand sérieux. Ennemie du superficiel, elle a un sens profond de l'amitié.

Prénom à l'honneur depuis 1980.

- **Autres orthographes** : Solenn - Solenne.
- **Prénoms français associés** : Soline* - Zélie - Zéline.
- **Prénoms étrangers associés** : Salina - Silana - Solemnia - Solemnio - Soléna - Solenna - Solina - Soulein - Souline - Zélina.

Saint Solène est évêque de Chartres, au 5e siècle.

Soline

Fête le 17 octobre.
Prénom d'origine latine,
variante de Solène.

- **Étymologie** : vient de *solemnis* : solennel.
- **Symbolique** : 2 - orange - Cancer - topaze.
- **Caractère** : sensible et intuitive, Soline est dotée d'une psychologie très fine, qui en fait une conciliatrice hors pair. Elle possède la faculté d'arbitrer les différends, de désamorcer les conflits, et d'imposer le calme.

Prénom rare.

- **Prénoms associés** : Solina - Zélie - Zéline.

Sainte Soline vit près de Chartres, au 3e siècle. Les hommes de l'empereur Dèce lui ordonnent d'adorer les dieux païens ; elle refuse, elle est martyrisée.

Solveig

Fête le 13 décembre.
Prénom d'origine germanique.

- **Étymologie** : vient de *sol* : soleil et *vig* : chemin.
- **Symbolique** : 4 - vert - Gémeaux - émeraude.
- **Caractère** : indépendante, Solveig refuse les contraintes et ne se laisse pas facilement influencer. Elle est travailleuse, opiniâtre et atteint les buts qu'elle s'est fixés malgré une grande émotivité ; elle redoute les critiques et les échecs qui blessent son amour-propre.

Prénom scandinave à la mode depuis 1990.

• **Prénoms associés** : Solveiga - Solvej.

Sainte Lucie*, fêtée en Scandinavie, peut être choisie pour patronne par Solveig.

Sonia

Fête le 25 mai.
Prénom d'origine grecque,
forme slave de Sophie.

• **Étymologie** : vient de *sophia* : sagesse.

• **Symbolique** : 4 - vert - Gémeaux - émeraude.

• **Caractère** : sérieuse, Sonia est une femme de tête. Sapuissance de travail lui donne toutes les chances d'atteindre ses objectifs, mais elle ne manque pas de sensibilité, même si son rôle social et professionnel l'empêche de l'exprimer.

Prénom à la mode de 1960 à 1980.

Sainte Sophie* est la patronne de Sonia.

Sophie

Fête le 25 mai.
Prénom d'origine grecque.

• **Étymologie** : vient de *sophia* : sagesse.

• **Symbolique** : 9 - vert - Cancer - émeraude.

• **Caractère** : réservée, Sophie n'en est pas moins très sensible. Aussi préfère-t-elle souvent garder ses distances pour se protéger des blessures affectives, car elle ne supporte pas d'être décue par ceux auxquels elle accorde sa confiance.

Prénom classique indémodable.

• **Prénoms étrangers associés** : Fieke - Fiken - Phie - Sadhba - Saphia - Sofi - Sofia - Sonia* - Sonja - Sopher - Sophia - Sophus - Vickli - Viki - Zokki.

Sainte Sophie vit à Rome au 2e siècle. Infiniment pieuse, elle baptise ses filles Véra (Foi), Nadège (Espérance) et Liubba (Charité). Toutes les quatre sont martyrisées sur l'ordre de l'empereur Hadrien.

Personnage célèbre : Sophie Rostopchine, comtesse de Ségur.

Stéphanie

Fête le 2 janvier.
Prénom d'origine grecque,
dérivé de Stéphane.

• **Étymologie** : vient de *stephanos* : couronné.

• **Symbolique** : 7 - orange - Lion - topaze.

• **Caractère** : discrète, réservée et timide, Stéphanie est très sensible. Elle recherche avant tout la sécurité affective, dans sa famille, dans son environnement amical, et même dans une vie professionnelle un peu routinière.

Prénom à la mode de 1960 à 1980.

Sainte Stéphanie, enfant italienne au 16e siècle, est très précoce. À sept ans, elle a déjà décidé de se consacrer à Dieu ; à quinze ans, elle entre chez les dominicaines, et consacre plus de cinquante ans de sa vie à soigner les malades et secourir les pauvres. Elle meurt en 1530.

Suzanne

Fête le 11 août.
Prénom d'origine hébraïque.

• **Étymologie** : vient de *susan* : lis.

• **Symbolique** : 1 - violet - Taureau - améthyste.

• **Caractère** : élégante, Suzanne a fière allure ; très perfectionniste, elle aime la beauté, le luxe et apprécie d'être admirée, mais elle n'est pas pour autant futile ou superficielle. Généreuse et altruiste, elle a un profond sens de l'amitié.

Prénom à la mode au début du 20e siècle.

• **Autre orthographe** : Susanne.

• **Prénoms français associés** : Susie - Suzel et Suzelle (bretons) - Suzette - Suzie - Suzon - Suzy.

• **Prénoms étrangers associés** : Sannerl - Sinsan - Siusan - Sue - Sukey - Suki - Susan - Susanna - Suzannah - Suzel - Suzelle - Suzen - Zannie - Zuselt.

Sainte Suzanne, fille de sénateur romain, se fait baptiser en dépit des menaces de son père, et fait vœu de virginité. Elle refuse d'épouser le fils de l'empereur Dioclétien : elle est décapitée en 296.

Suzanne est un personnage biblique ; très belle, elle est faussement accusée d'adultère par deux vieillards dont elle a repoussé les avances, mais le prophète Daniel la sauve de la mort en confondant les accusateurs.

Personnage célèbre : le peintre Suzanne Valadon.

Sylvie

Fête le 5 décembre.
Prénom d'origine latine.

• **Étymologie** : vient de *silva* : forêt.

• **Symbolique** : 2 - vert - Bélier - émeraude.

• **Caractère** : féminine et raffinée, Sylvie est charmeuse. Mais c'est une combative et son courage lui permet d'avoir une vie professionnelle riche. Franche et loyale, elle déteste les mensonges, les situations équivoques, et s'emporte facilement si elle se sent trahie.

Prénom en vogue de 1950 à 1970.

• **Prénoms français associés** : Sylvette - Sylvane - Sylvana - Sylviane - Sylvine.

• **Prénoms étrangers associés** : Sylvana - Sylvia - Sylvio - Sylvius.

Sainte Sylvie, noble romaine au 6e siècle, est la mère du pape Grégoire le Grand.

Personnages célèbres : l'écrivain Sylvie Germain, la chanteuse Sylvie Vartan.

T

(filles)

Tatiana

Fête le 12 janvier.
Prénom d'origine latine.

• **Étymologie** : vient de *Tatius*, nom d'un roi de légende, souverain des Sabins.

• **Symbolique** : 3 - bleu - Cancer - saphir.

• **Caractère** : sensible, généreuse, accueillante, Tatiana organise sa vie autour de sa famille et de ses amis. Des liens affectifs forts sont indispensables à son bonheur. Mais curieuse, fantaisiste, elle n'a aucun goût pour l'ordre et la rigueur.

Prénom à la mode depuis 1980.

• **Prénoms associés** : Talna - Tana -Tania - Tanaïs -Tatian - Tatiano - Tatien - Tatienne - Tatio - Tatius.

Sainte Tatiana vit à Rome, au 3e siècle. Arrêtée et sommée par le préfet d'abjurer, elle refuse ; elle est martyrisée, puis décapitée.

Thaïs

Fête le 8 octobre.
Prénom d'origine grecque.

• **Étymologie** : vient de *thaïs* : bandeau.

• **Symbolique** : 3 - rouge - Poissons - rubis.

• **Caractère** : séduisante, féminine, Thaïs est gaie, optimiste. Hôtesse raffinée et accueillante, elle a toutes les vertus d'une femme d'intérieur, mais elle sait aussi mener sa vie professionnelle avec brio, grâce à un remarquable talent d'organisatrice.

Prénom rare.

• **Prénoms associés** : Taïs - Tess - Tessa - Tessie - Théïa.

Sainte Thaïs est une courtisane égyptienne au 4e siècle. Convertie par un moine, elle se retire dans un monastère. Son histoire inspira une comédie lyrique à Anatole France.

Thérèse

Fête le 1er octobre.
Prénom d'origine grecque.

• **Étymologie** : vient de *thérao* : chasse.

• **Symbolique** : 8 - orange - Balance - topaze.

• **Caractère** : sentimentale, Thérèse mène sa vie en fonction de son affectivité. Altruiste jusqu'à l'oubli de soi, elle est l'amie qui écoute, conseille, console… grâce à son intuition et sa sensibilité à fleur de peau. Elle met son dévouement au service des siens.

Prénom à l'honneur au 18e siècle et au début du 20e siècle.

• **Prénoms étrangers associés** : Resa - Reserl - Résia - Resli - Tara - Teresina - Térésita - Terry - Tess - Tessa - Tessy - Thérésa - Thérésia - Tracie - Tracey - Tracy.

Sainte Thérèse Martin, fille d'un horloger d'Alençon et d'une dentellière, perd sa mère très jeune ; elle est élevée par ses sœurs qui, l'une après l'autre, entrent au carmel de Lisieux. Thérèse les rejoint en 1888 ; elle a dû obtenir une dérogation du pape, car elle a quinze ans. En 1897, elle rédige son autobiographie *Histoire d'une âme* à la demande de la mère supérieure. Elle meurt à 24 ans, après une courte vie d'une piété exemplaire.

Sainte Thérèse d'Avila entre au carmel à vingt ans, en 1535, contre la volonté de son père. Elle réforme l'ordre avec saint Jean de la Croix, et fonde une quinzaine de monastères réformés. Elle retrace son itinéraire spirituel dans une série d'ouvrages, chefs-d'œuvre de mysticisme et de pureté de la langue castillane. Elle est proclamée docteur de l'Église.

Personnages célèbres : la religieuse Mère Térésa, prix Nobel de la Paix, l'écrivain Thérèse de Saint-Phalle.

Tiphaine

Fête le 6 janvier.
Prénom d'origine grecque.

- **Étymologie** : de *epiphaniês* : illustre.
- **Symbolique** : 1 - jaune - Balance - topaze.
- **Caractère** : travailleuse, disciplinée et courageuse, Tiphaine est un modèle d'organisation. Peut-être un peu trop stricte, parfois intolérante, toujours exigeante dans ses relations affectives, et ne pardonne pas les trahisons.

Prénom en vogue depuis 1980.

- **Prénoms associés** : Tiffanie - Tiffany - Tiffenn - Tiphane - Tiphanie.

Saint Épiphane, évêque de Pavie au 5e siècle, eut un rôle modérateur entre les souverains d'Europe : il réconcilia le roi des Wisigoths Euric avec l'empereur de Rome Julius Nepos, et accueillit Théodoric, roi des Ostrogoths, menacé par son frère.

Toscane

Fête le 15 août.
Prénom d'origine latine.

- **Étymologie** : vient du nom de la province italienne la Toscane, dont la capitale est Florence.
- **Symbolique** : 5 - vert - Lion - émeraude.
- **Caractère** : sensible et intuitive, généreuse et spontanée, Toscane est sociable. Compréhensive, adaptable, elle est coopérante. Mais son idéalisme la pousse parfois à l'esprit de sacrifice, et elle s'expose aux déceptions.

Prénom très rare.

Toscane peut être fêtée avec sainte Marie*.

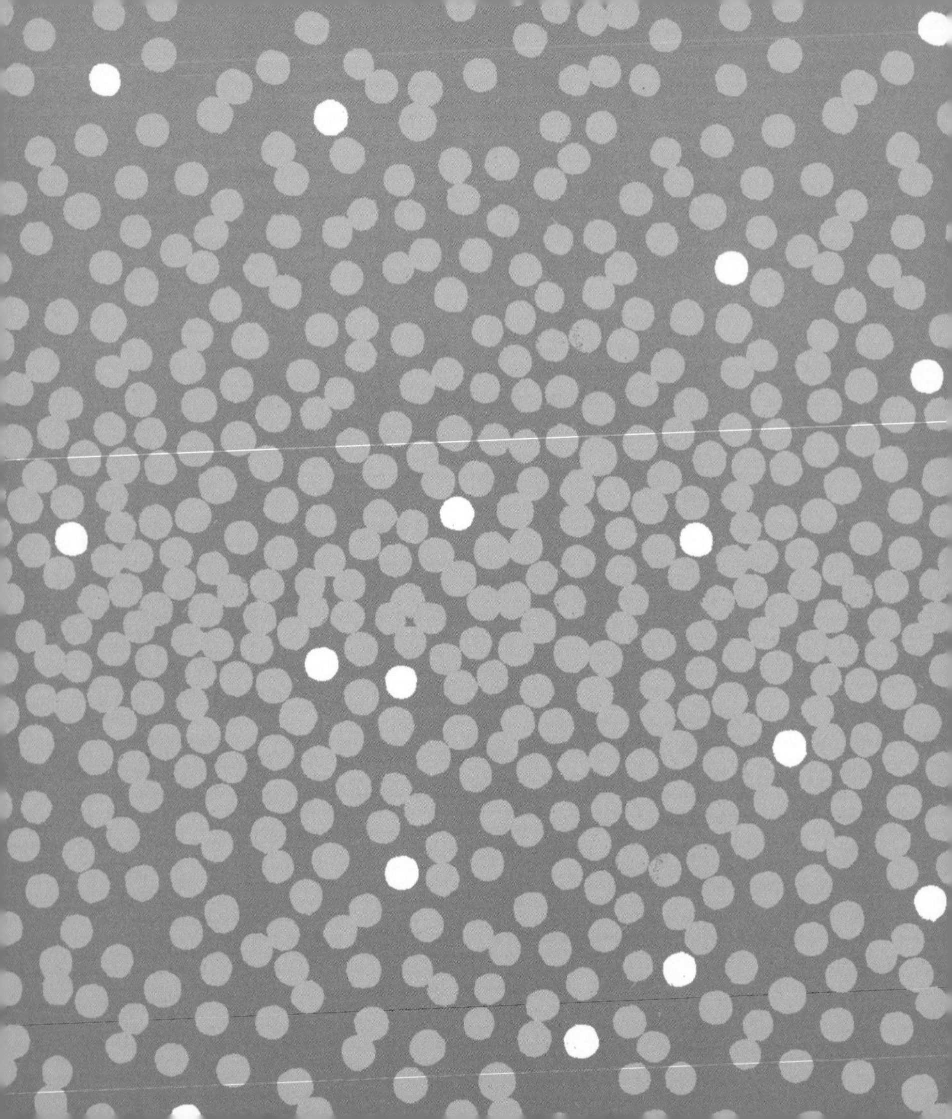

U

(filles)

Ursule

Fête le 21 octobre.
Prénom d'origine latine.

- **Étymologie** : vient de *ursus* : ours.
- **Symbolique** : 3 - bleu - Balance - saphir.
- **Caractère** : calme et consciencieuse, Ursule avance lentement mais sûrement sur le chemin qu'elle s'est tracé, grâce à sa grande puissance de travail et son sens des responsabilités. Elle est très attachée aux valeurs familiales et aux traditions.

Prénom rare.

- **Prénoms français associés** : Ursan - Ursane - Ursillane - Ursin - Urcinin - Ursuline.
- **Prénoms étrangers associés** : Orsola - Oursa - Oursoula - Ursa - Ursilla - Ursillana - Ursina - Ursula - Ursulina - Urzula.

Sainte Ursule, jeune fille de la noblesse anglaise, mourut assassinée par les Huns, près de Cologne, au 3e siècle, avec 11 000 autres vierges. Un ordre religieux fut fondé par Angèle Mérici en 1530 sous sa protection : les sœurs portent le nom d'"ursulines".

Personnage célèbre : l'actrice Ursula Andress.

V

(filles)

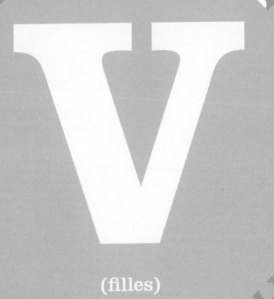

Valentine

Fête le 25 juillet.
Prénom d'origine latine,
dérivé de Valentin.

• **Étymologie** : vient de *valens* : vaillant.

• **Symbolique** : 3 - bleu - Cancer - saphir.

• **Caractère** : enthousiaste, dynamique, Valentine recherche les contacts ; sa facilité d'expression, son esprit vif, son assurance lui ouvrent toutes les portes, mais la prédisposent à la dispersion. Tout l'intéresse, mais rien ne la passionne.

Prénom en vogue, comme son masculin, depuis 1980.

• **Prénoms français associés** : Valentiane - Valentinienne.

• **Prénoms étrangers associés** : Valeda - Valensia - Valentia - Valentina - Valentinia - Valiaka.

Sainte Valentine est chrétienne en Palestine, au 4e siècle. Horrifiée par les arrestations de ses proches, elle saccage un temple païen. Elle subit le martyre en 308.

Valérie

Fête le 28 avril.
Prénom d'origine latine,
dérivé de Valère.

• **Étymologie** : vient de *valerens* : valeureux.

• **Symbolique** : 9 - bleu - Sagittaire - saphir.

• **Caractère** : décidée et courageuse, Valérie travaille beaucoup pour atteindre ses objectifs. Sensible, elle est douce et attentive envers les siens ; romantique, elle rêve du prince charmant, et sa fidélité est inébranlable.

Prénom à la mode de 1950 à 1970.

• **Prénoms français associés** : Valériane - Valière.

• **Prénoms étrangers associés** : Valéria - Valériana.

Sainte Valérie s'établit à Milan après la mort de son mari, au 2e siècle ; chrétienne, elle refuse de participer à une fête païenne. Elle est bastonnée à mort.

Personnages célèbres : les actrices Valérie Lemercier et Valérie Mairesse.

Vanessa

Fête le 4 février.
Prénom d'origine latine.

• **Étymologie** : vient de *vanessa* : papillon diurne.

• **Symbolique** : 9 - bleu - Verseau - saphir.

• **Caractère** : douce et romantique, Vanessa rêve d'une vie dans un cocon ; elle préfère son foyer, les enfants, l'art aux turbulences de la vie professionnelle, mais consciencieuse et ordonnée, elle est une collaboratrice précieuse.

Prénom à la mode depuis 1980.

Sainte Véronique* est la patronne de Vanessa.

Personnages célèbres : l'actrice Vanessa Redgrave et la chanteuse Vanessa Paradis.

Véra

Fête le 18 septembre.
Prénom d'origine slave.

- **Étymologie** : vient de *viera* : foi.
- **Symbolique** : 1 - bleu - Scorpion - saphir.
- **Caractère** : noble dans sa simplicité, Véra cache derrière une apparente réserve un tempérament bien trempé. Volontaire, travailleuse et perfectionniste, elle déteste la superficialité, et se révèle exigeante dans tous les domaines de sa vie.

Prénom rare.

- **Prénoms associés** : Véréna - Vérène - Viera.

Sainte Véra est la fille de sainte Sophie. Elle est martyrisée avec sa mère et ses sœurs en Asie Mineure, au 2e siècle.

Véronique

Fête le 4 février.
Prénom d'origine grecque.

- **Étymologie** : vient de *pherenikê* : porteuse de victoire.
- **Symbolique** : 9 - bleu - Cancer - saphir.
- **Caractère** : fière et exigeante, vive et franche, Véronique n'aime pas les attitudes équivoques. Tout en étant sensible, elle attache peu d'importance aux médisances comme aux flatteries, mais lorsqu'elle est déçue, elle se réfugie dans ses rêves.

Prénom en vogue de 1950 à 1970.

- **Prénoms français associés** : Bérénice* - Bernicé.
- **Prénoms étrangers associés** : Bérénike - Berny - Véronica - Véronika.

Sainte Véronique, jeune lingère de Jérusalem, compatit au sort de Jésus et l'accompagne au Calvaire. Elle essuie son visage avec son voile : ses traits restent imprimés sur l'étoffe.

Personnages célèbres : l'actrice américaine Véronica Lake et la chanteuse Véronique Samson.

Victoire

Fête le 15 novembre.
Prénom d'origine latine.

- **Étymologie** : vient de *victoria* : victoire.
- **Symbolique** : 2 - vert - Bélier - émeraude.
- **Caractère** : combative, Victoire aime la réussite. Elle atteint ses objectifs grâce à une grande puissance de travail et affronte les difficultés avec courage. Sentimentale, elle est très attachée à ses relations affectives.

Prénom à l'honneur au 19e siècle.

- **Prénoms français associés** : Victorie - Victorille - Victorine - Victrice.

• **Prénoms étrangers associés** : Vick - Vicka - Viktorina - Vita - Vittoria - Winka.

Sainte Victoire vit en Afrique du Nord, au 4e siècle. Elle fait partie d'une petite communauté chrétienne qui se réunit en secret pour prier. Elle est dénoncée et subit le martyre avec ses compagnes.

Victoria

Fête le 17 novembre.
Prénom d'origine latine,
dérivé de Victor.

• **Étymologie** : vient de *victoria* : victoire.

• **Caractère** : calme et réfléchie, Victoria recherche la solitude qui la met à l'abri des conflits. Elle aime l'étude, et affecte une attitude un peu mystérieuse pour abriter sa timidité. Elle exprime peu ses sentiments, bien qu'elle soit très affective.

Sainte Victoria vit à Cordoue, en Andalousie, au 4e siècle ; elle se fait baptiser avec son frère, mais dénoncés aussitôt, ils sont martyrisés sur ordre du préfet.

Personnages célèbres : la reine Victoria d'Angleterre, l'actrice Victoria Abril.

Violaine

Fête le 5 octobre.
Prénom d'origine latine.

• **Étymologie** : vient de *viola* : violette.

• **Symbolique** : 6 - violet - Balance - améthyste.

• **Caractère** : optimiste et enjouée, Violaine attire la sympathie par son bel appétit de vivre et son élocution spirituelle. Son goût prononcé du plaisir ne l'incite pas à la rigueur, mais, habile et persuasive, elle tire parti de toutes les situations.

Prénom rare.

• **Prénoms français associés** : Violette* - Yolande*.

• **Prénoms étrangers associés** : Letta - Ola - Olia - Olioucha - Vila - Viola - Violanta - Violantilla - Violeta - Violetka - Violetta - Violka - Vitoulia - Volia.

Sainte Fleur* est la patronne de Violaine.

Violette

Fête le 5 octobre.
Prénom d'origine latine.

• **Étymologie** : vient de *viola* : violette.

• **Symbolique** : 9 - rouge - Balance - rubis.

• **Caractère** : idéaliste et romanesque, Violette attend beaucoup de son entourage ; trop, peut-être, car elle risque d'être déçue. Les responsabilités l'effrayent, les conflits la paralysent, les tensions l'angoissent. Sensible, dévouée, elle est une collaboratrice hors pair.

Prénom à la mode au début du 20e siècle.

Sainte Fleur* est la patronne de Violette. Personnage célèbre : l'écrivain Violette Leduc.

Virginie

Fête le 7 janvier.
Prénom d'origine latine.

• **Étymologie** : vient de *virgo* : vierge.

• **Symbolique** : 3 - violet - Capricorne - améthyste.

• **Caractère** : féminine et coquette, sensible et imaginative, Virginie préfère le monde du rêve aux réalités. Elle n'est pas armée pour affronter les difficultés de la vie et se réfugie dans la solitude à la moindre contrariété.

Prénom à la mode de 1960 à 1980.

• **Prénoms français associés** : Virginian - Virginien - Virginiane - Virginienne.

• **Prénoms étrangers associés** : Ginnie - Ginny - Virgie - Virgin - Virgina - Virginia - Virguinia.

Sainte Virginie, jeune gênoise, au 16e siècle, veut se consacrer à Dieu. Mais son père la marie contre son gré. Peu après, Virginie, devenue veuve, se voue au service des pauvres qu'elle recueille, nourrit, éduque, dans sa maison avec ses propres enfants ; les pensionnaires sont très vite nombreux ; elle loue d'autres maisons du voisinage. Elle meurt en 1651.

Personnage célèbre : l'écrivain Virginia Wolf.

Viviane

Fête le 2 décembre.
Prénom d'origine latine.

• **Étymologie** : vient de *vivus* : vivant.

• **Symbolique** : 1 - rouge - Gémeaux - rubis.

• **Caractère** : douce, tendre et féminine, Viviane n'en est pas moins une femme énergique qui assume sans faillir ses responsabilités professionnelles. Elle a l'esprit de famille, mais se révèle exigeante et sélective dans le choix de ses relations.

Prénom en vogue de 1940 à 1960.

• **Prénoms français associés** : Bibiane - Vivence - Vivien* - Vivienne.

• **Prénoms étrangers associés** : Vivia - Viviana - Vivianka.

Sainte Viviane est, au 4e siècle, la fille d'un préfet de Rome converti et châtié pour sa croyance. À la mort de son père, elle est confiée à une femme chargée de l'obliger à abjurer. Rien n'ébranle la foi de Viviane ; elle subit le martyre à son tour.

Personnage célèbre : l'actrice Viviane Leigh.

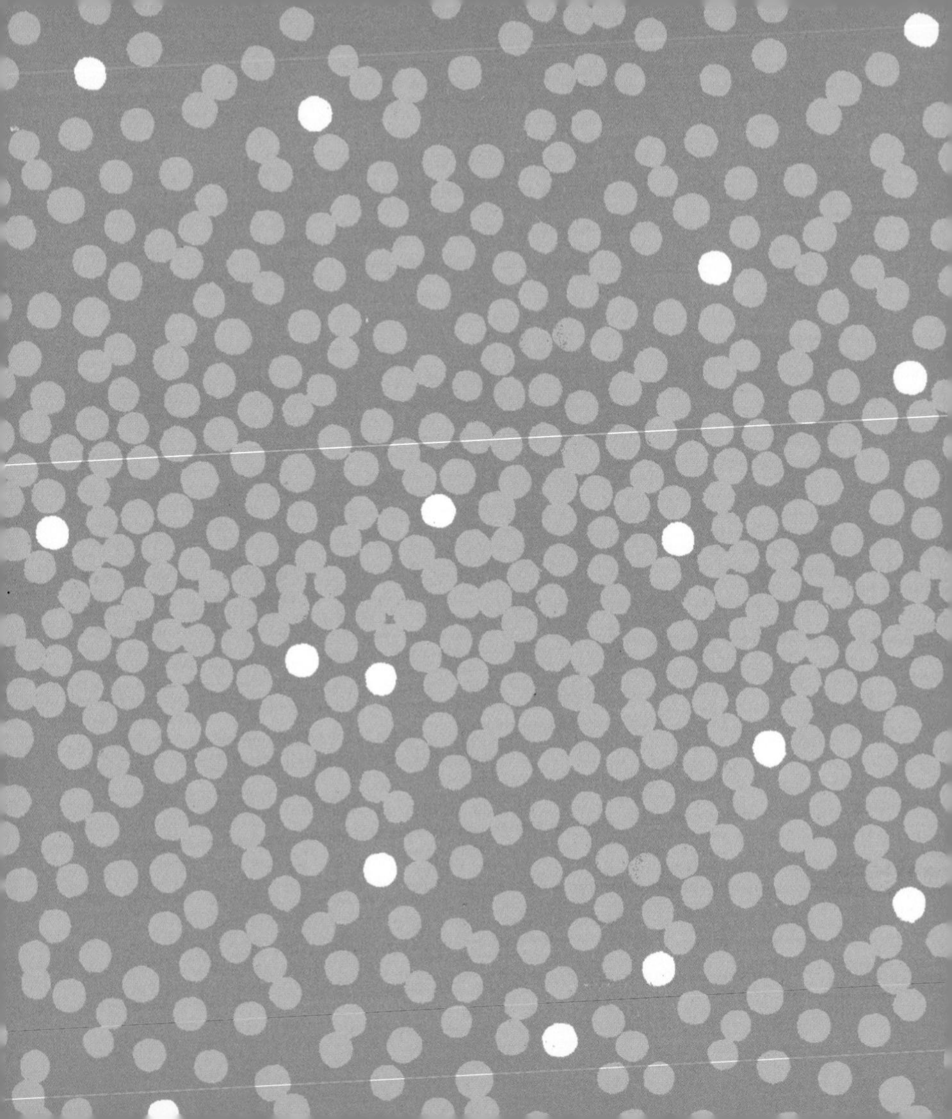

X

(filles)

Xénia

Fête le 24 janvier.
Prénom d'origine grecque, dérivé de Eugène.

• **Étymologie** : vient de *eugenios* : bien né.

• **Symbolique** : 8 - orange - Lion - topaze.

• **Caractère** : sensible et éprise d'harmonie, Xénia est dotée d'une grande force de caractère qui lui permet d'affronter sereinement les réalités de la vie et de poursuivre la voie qu'elle s'est tracée sans faire de compromis. Esthète, elle apprécie le luxe et la beauté sans pour autant être superficielle.

Prénom rare.

• **Prénoms français associés** : Eugénie* - Théoxane.

Sainte Xénia vit à Saint-Pétersbourg au début du 19e siècle, à la cour de l'empereur Alexandre III. Elle est l'épouse d'un libertin notoire qui l'humilie publiquement. Il meurt prématurément. Xénia pardonne, quitte la cour, se soumet à mille privations, et prie le reste de sa vie pour le salut de l'âme du débauché.

Y

(filles)

Yolande

Fête le 11 juin.

Prénom d'origine latine.

• **Étymologie** : vient de *viola* : violette.

• **Symbolique** : 4 - jaune - Vierge - topaze.

• **Caractère** : discrète et réservée, Yolande s'extériorise peu ; elle est pourtant très émotive. Mais elle est susceptible et rancunière et redoute les blessures affectives. Perfectionniste, elle fait preuve, dans sa vie professionnelle, d'une grande minutie.

Prénom en vogue au Moyen Âge et au début du 20e siècle.

• **Prénoms français associés** : Éolande - Iolande - Jolanthe - Iolende - Iolente - Violette* - Yolaine - Yolène - Yolente.

• **Prénoms étrangers associés** : Iola - Iolana - Iolanda - Iolanthe - Iole - Iolena - Jolanda - Jolende - Jolenta - Yola - Yoland - Yolanda - Yolenta - Yolla.

Sainte Yolande, fille du roi de Hongrie, épouse très jeune Boleslas le Pieux, qui meurt peu de temps après ; elle élève chrétiennement ses trois filles ; les deux aînés se marient, mais la plus jeune émet le vœu d'entrer dans les ordres ; Yolande se retire avec elle chez les clarisses, près de Poznan. Elle devient abbesse du couvent et meurt en 1299.

Yseult

Fête le 22 février.

Prénom d'origine celte.

• **Étymologie** : vient de *essylt* : belle.

• **Symbolique** : 5 - bleu - Taureau - saphir.

• **Caractère** : enjouée, communicative, éclatante de vie, Yseult s'adapte à tous les milieux, à tous les interlocuteurs qu'elle charme avec le même succès. Généreuse, altruiste, elle est cependant exigeante en amour comme en amitié.

Prénom médiéval rare.

• **Prénoms français associés** : Isée - Iseult - Iseut - Isolde* - Ysée - Yseut - Ysolde.

• **Prénoms étrangers associés** : Isolda - Isolt - Isotta - Isolete - Izild - Zolda.

Sainte Isabelle* est la patronne d'Yseult.

Yvette

Fête le 13 janvier.

Prénom d'origine celte, dérivé de Yves.

• **Étymologie** : vient de *iv* : if.

• **Symbolique** : 7 - bleu - Cancer - saphir.

• **Caractère** : active, dynamique, Yvette dissimule ses inquiétudes derrière un tempérament de meneuse. Elle est perfectionnistee et aime la réussite. Chaleureuse avec ses amis, elle est distante avec ceux qui ne l'ont pas apprivoisée, car elle craint les blessures affectives.

Prénom à la mode au début du 20e siècle.

• **Prénoms français associés** : Erwana et Erwane (bretons) - Ivette - Youna (breton).

Sainte Yvette a 13 ans lorsqu'elle manifeste le désir de pendre le voile, mais elle est mariée contre son gré par son père. Elle est veuve à 18 ans ; elle élève ses enfants puis consacre le reste de sa vie au service des lépreux.

Yvonne

Fête le 19 mai.
Prénom d'origine celte,
dérivé de Yves.

• **Étymologie** : vient de *iv* : if.

• **Symbolique** : 5 - bleu - Balance - saphir.

• **Caractère** : indépendante, dynamique, curieuse, Yvonne manifeste une vivacité qui séduit et surprend parfois. Elle n'apprécie pas la routine, et la perspective d'une vie tranquille n'est pas pour elle, qui rêve d'aventures et de grandes passions.

Prénom apprécié à la fin du 19e siècle.

Saint Yves* est le patron d'Yvonne.

Personnage célèbre : l'actrice Yvonne Printemps.

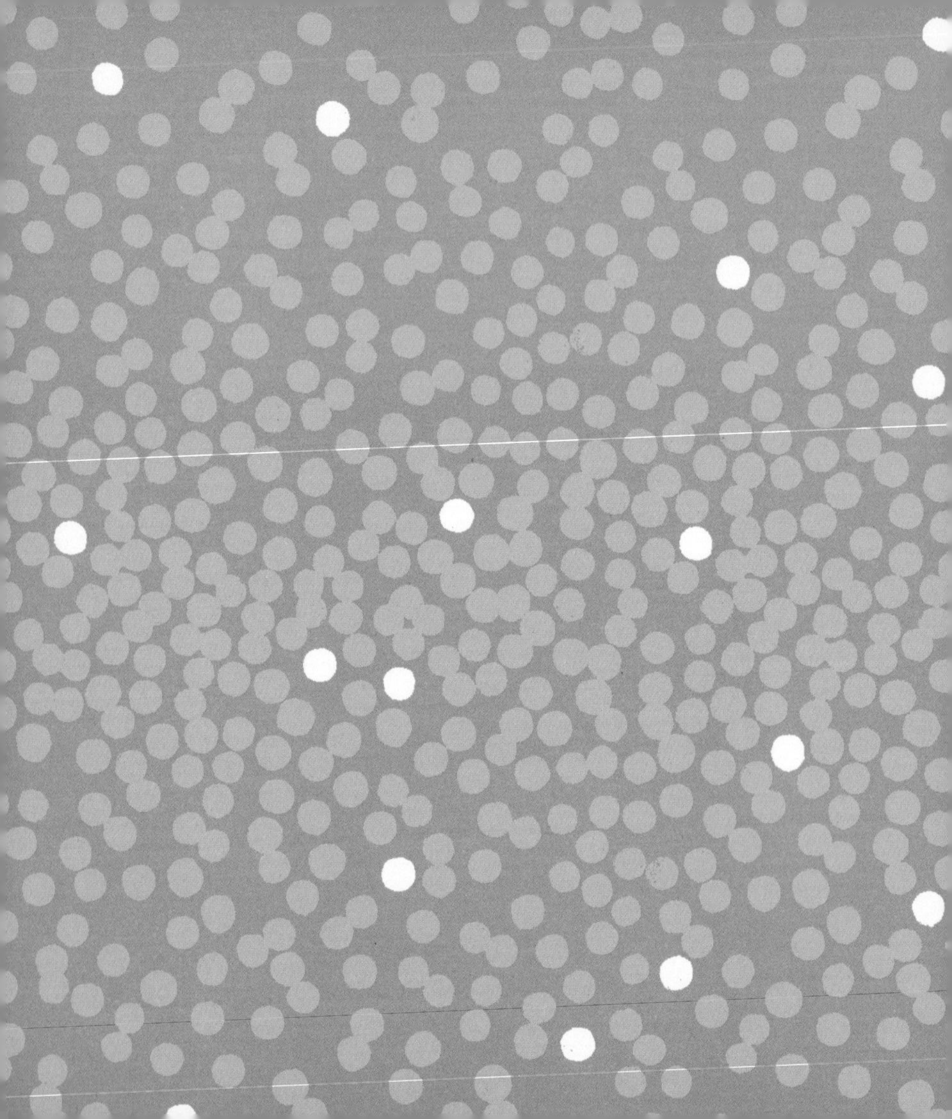

Z

(filles)

Zaïde

Fête le 21 août.
Prénom d'origine arabe.

• **Étymologie** : vient de *zaïda* : grâce.

• **Symbolique** : 9 - rouge - Bélier - rubis.

• **Caractère** : énergique et volontaire, Zaïde possède un magnétisme qui lui assure beaucoup de succès ; elle a le goût du pouvoir, du commandement, et fine psychologue, elle est à la fois dominatrice et très diplomate. Elle parvient à ses fins en douceur, mais avec assurance.

Prénom rare.

Zaïda est une jeune musulmane, fille de l'émir de Valence, en Espagne, au 12e siècle. Elle se convertit en cachette de son père et prend le nom de Grace, traduction du mot latin *gratia*. Dénoncée, elle est arrêtée ; elle refuse d'abjurer : elle est décapitée.

Zelda

Fête le 27 avril.
Prénom d'origine grecque,
dérivé de Zita.

• **Étymologie** : vient de *zétâ* : sixième lettre de l'alphabet grec.

• **Symbolique** : 3 - bleu - Taureau - saphir.

• **Caractère** : énergique, dynamique, Zelda a confiance en elle ; elle connaît bien ses forces et ses faiblesses et sait utiliser sa puissance de travail et son art de la négociation pour réussir ce qu'elle a décidé d'entreprendre.

Prénom rare.

Sainte Zita* est la patronne de Zelda.

Zénaïde

Fête le 11 octobre.
Prénom d'origine grecque,
dérivé de Zénas.

• **Étymologie** : vient de *Zéno-doros* : cadeau de Zeus.

• **Symbolique** : 1 - vert - Gémeaux - émeraude.

• **Caractère** : fine, intuitive et pycholo-gue, Zénaïde séduit son entourage par sa grande faculté d'écoute. Mais elle se laisse peu influencer, et, rapide et déterminée, mène sa vie comme elle le décide.

Prénom rare.

Sainte Zénaïde vit en Asie Mineure au 1er siècle ; elle rencontre saint Paul qui la convertit. Elle se retire du monde et consacre sa vie à soigner les malades.

Zita

Fête le 27 avril.
Prénom d'origine grecque.

• **Étymologie** : vient de *zêta*, la sixième lettre de l'alphabet grec.

• **Symbolique** : 2 - jaune - Taureau - topaze.

• **Caractère** : très sensible, Zita affiche une certaine froideur pour se protéger des blessures affectives ; elle est psychologue, elle est volontiers à l'écoute des autres. Ambitieuse, perfectionniste, elle apprécie l'indépendance, mais ne dédaigne pas la sécurité de son foyer.

Prénom rare.

• **Prénoms français associés** : Zite - Zitelle - Zérane.

• **Prénoms étrangers associés** : Zitella - Zerana.

Sainte Zita est, très jeune, mise au service d'un artisan qui dirige un atelier de tissage de laine ; elle est bien traitée par le brave homme ; elle se lève très tôt pour assister à la première messe, travaille dur dans la journée, et la nuit, dort souvent par terre après avoir offert son lit à un mendiant. Mais les autres serviteurs la méprisent, l'accusent d'être trop consciencieuse. Elle supporte sans se plaindre railleries et injures. Ses maîtres apprécient ses qualités et elle devient gouvernante des enfants de la maison ; déchargée d'une partie des tâches domestiques, elle consacre plus de temps aux pauvres, aux malades, aux prisonniers. Elle meurt à 60 ans, en 1278, après avoir servi la même famille pendant quarante-huit ans.

Personnage célèbre : l'impératrice d'Autriche Zita de Bourbon-Parme.

Zoé

Fête le 2 mai.

Prénom d'origine grecque.

• **Étymologie** : vient de *zoê* : vie.

• **Symbolique** : 1 - bleu - Gémeaux - saphir.

• **Caractère** : indépendante et ambitieuse, Zoé trace son chemin dans la vie et mène à bien ses projets sans accepter de compromis. Mais, dans un cadre familial et affectif harmonieux, elle baisse la garde et se montre plus tolérante.

• **Prénoms français associés** : Zoël - Zoélie - Zoéline - Zoëlle.

• **Prénoms étrangers associés** : Zea - Zela - Zelda* - Zoa - Zoëla - Zoella - Zoïa - Zoïl - Zoïla - Zoïlla.

Sainte Zoé est esclave, chez un citoyen romain, en Turquie, avec son mari et ses deux fils. Son maître, apprenant qu'elle est chrétienne, la somme d'abjurer ; elle refuse : elle est brûlée vive avec sa famille, en 127.

A

(garçons)

Aaron

Fête le 22 juin.
Prénom d'origine hébraïque.

• **Étymologie** : vient de *aharôn* : celui qui vient après.

• **Symbolique** : 4 - rouge - Poissons - rubis.

• **Caractère** : viril et autoritaire, Aaron cache sous une forte personnalité une grande sensibilité. C'est un homme d'action qui aime l'aventure, le pouvoir, l'argent et les conquêtes, mais fuit les complications et déteste la soumission.

Prénom biblique rare.

• **Prénoms associés** : Haron (breton) - Haroun.

Saint Aaron vit en ermite en Bretagne, à la fin du 5e siècle ; il fonde un monastère dans un village, sur les bords de la Rance.

Aaron est le frère de Moïse, et le premier grand prêtre des Hébreux.

Abel

Fête le 5 août.
Prénom d'origine hébraïque.

• **Étymologie** : vient de *hevel* : ce qui passe.

• **Symbolique** : 2 - jaune - Taureau - topaze.

• **Caractère** : dynamique et énergique, Abel a un fort ascendant sur les autres grâce à son intuition et sa diplomatie. Il sait s'adapter aux circonstances, se montre tour à tour autoritaire ou laxiste, si cela lui permet d'arriver à ses fins.

Prénom biblique rare.

• **Prénoms français associés** : Abeau - Abélard - Abélie - Abelin - Abelinde - Abeline - Avel et Avela (bretons) - Avelain - Avelaine - Avelig (breton) - Avelin - Aveline.

• **Prénoms étrangers associés** : Abélardo - Abelia - Abelinda - Abella - Avella - Avelia - Avelina.

Saint Abel, d'origine écossaise, est nommé archevêque de Reims par le pape saint Boniface en 744, mais il est évincé deux ans plus tard par l'ambitieux évêque de Trèves ; il se retire alors au monastère de Lobbes, en Belgique, où il meurt.

Abel est le second fils d'Adam et Ève, le frère de Caïn qui l'assassine.

Abraham

Fête le 20 février.
Prénom d'origine hébraïque.

• **Étymologie** : vient de *ab ram* : père des nations.

• **Symbolique** : 8 - vert - Sagittaire - émeraude.

• **Caractère** : doté d'un caractère très entier, Abraham montre un courage et une énergie peu communs. Plus homme de terrain que théoricien, il est rapide et efficace, mais parfois sa vivacité le pousse à l'impatience et la colère.

Prénom biblique rare.

• **Prénoms étrangers associés** : Abbie - Abram - Abramo - Brahim - Ibrahim.

Abraham, personnage biblique, conduit les Hébreux en pays de Canaan. Dieu éprouve sa foi en lui demandant d'immoler son fils unique Isaac, et retient son bras au moment du sacrifice.

Absalom

Fête le 10 mars.
Prénom d'origine hébraïque.

• Étymologie : signifie mon père est paix.

• **Symbolique** : 9 - vert - Gémeaux - émeraude.

• **Caractère** : sensible, émotif, timide, Absalom est, en apparence, toute douceur ; cependant, il n'hésite pas à s'affirmer, et à imposer ses idées lorsqu'il le juge nécessaire, car il est très obstiné.

Prénom biblique rare, assez répandu sous la forme Axel(le).

• **Prénoms associés** : Axel* - Axelle*.

Absalom est le troisième des fils du roi David ; il tue son demi-frère, et il est tué à son tour par son frère Joab.

Achille

Fête le 15 mai.
Prénom d'origine grecque.

• **Étymologie** : vient de *Achiléos*, prénom d'un demi-dieu de la mythologie grecque, fils de la nymphe Thétis et de Pélée, roi des Myrmidons.

• **Symbolique** : 5 - rouge - Cancer - rubis.

• **Caractère** : curieux, responsable et passionné, Achille inspire confiance et se montre digne de l'amitié et de l'affection qu'on lui porte. Il est très attaché à sa famille, à son foyer qu'il privilégie toujours malgré une grande ambition professionnelle.

Prénom rare.

• **Prénoms étrangers associés** : Achileus - Achillée - Achilles - Akilée - Chilou - Chiloun.

Saint Achille est évêque de Larissa, en Grèce ; il participe au concile de Nicée en 325, et mène une vie exemplaire.

Achille, héros grec de l'*Iliade*, d'Homère, est réputé invincible, car sa mère l'a plongé tout entier dans le fleuve Styx, réputé protéger des blessures. Mais pendant la guerre de Troie, il est blessé mortellement au talon, la seule zone vulnérable de son corps : sa mère l'avait tenu par le talon pour le plonger dans le fleuve...

Adam

Fête le 24 décembre.
Prénom d'origine hébraïque.

• **Étymologie** : vient de *adama* : fait de terre.

• **Symbolique** : 1 - rouge - Taureau - rubis.

• **Caractère** : énergique et ambitieux, Adam a l'esprit d'entreprise, mais ne supporte ni les contraintes, ni les faux-semblants. Son audace et son courage lui permettent d'assumer avec brio d'importantes responsabilités, et il s'impose sans difficulté grâce à son magnétisme et son autorité naturelles.

Prénom biblique rare.

• **Prénoms français associés** : Adanet - Adenet - Adenette - Adenot - Adnet - Adnot.

• **Prénoms étrangers associés** : Ada - Adama - Adamella - Adamello - Adamir - Adamira - Adamo - Dami - Damir - Damira.

Adam est, selon la tradition, le premier homme créé par Dieu, installé au Jardin d'Éden, le paradis terrestre avec Ève, sa compagne. Il est chassé de ce paradis pour avoir désobéi à Dieu en croquant la pomme.

Adolphe

Fête le 14 février.
Prénom d'origine germanique.

• **Étymologie** : vient de *adal* : noble et *wulf* : loup.

• **Symbolique** : 7 - vert - Balance - émeraude.

• **Caractère** : calme, intellectuel et critique, Adolphe étudie, analyse, raisonne. Il est ambitieux et travailleur et préfère la solitude aux mondanités, mais apprécie un environnement familial stable et épanoui, même s'il n'est pas facilement démonstratif.

Prénom en faveur au 19ᵉ et au début du 20ᵉ siècle, rare aujourd'hui.

• **Prénoms français associés** : Adolfine - Adolphine - Adoufe (provençal).

• **Prénoms étrangers associés** : Adofo - Adolf - Adolfa - Adolfina - Adolfo - Adolph - Adolphina - Adulf - Adulfo - Doufo.

Saint Adolphe est évêque en Westphalie au 13ᵉ siècle ; il secourt les pauvres, et soigne les lépreux. Il meurt dans son évêché en 1224.

Personnage célèbre : l'homme politique Adolphe Thiers.

Adrien

Fête le 8 septembre.
Prénom d'origine latine.

• **Étymologie** : vient de adrianos : originaire d'*Adria*, ville de Vénétie qui donne son nom à l'Adriatique.

• **Symbolique** : 6 - bleu - Sagittaire - saphir.

• **Caractère** : calme, équilibré, diplomate,

tolérant, courageux, généreux, Adrien est paré de mille qualités. Il lui faut beaucoup d'encouragements pour se réaliser complètement et se renferme souvent devant l'incompréhension.

Prénom antique en faveur depuis 1990.

- **Autre orthographe** : Hadrien.
- **Prénoms français associés** : Adrian, Adriane et Adrianne (provençaux) - Adrienne.
- **Prénoms étrangers associés** : Adria - Adriana - Adriano - Hadriana - Hadriano.

Saint Adrien est gardien de prison en 304, sous le règne de Dioclétien. Chargé de surveiller les chrétiens arrêtés sur l'ordre de l'empereur, il est impressionné par leur foi et leur demande le baptême, pour lui et pour sa femme Nathalie. Il les accompagne dans le supplice.

Personnage célèbre : l'empereur romain Hadrien.

Aimé

Fête le 13 septembre.
Prénom d'origine latine.

- **Étymologie** : vient de *amatus* : aimé.
- **Symbolique** : 1 - vert - Taureau - émeraude.
- **Caractère** : sérieux, calme et réservé, Aimé sécurise ceux qui l'approchent. Il a d'ailleurs besoin de relations paisibles et harmonieuses pour s'épanouir. Dans sa vie professionnelle, il est efficace et rapide. Il déteste la médiocrité et la paresse et manifeste une grande exigence.

Prénom en faveur au 19e siècle, rare aujourd'hui.

- **Prénoms français associés** : Amat (provençal) - Aimée*.
- **Prénoms étrangers associés** : Amato - Azziz.

Saint Aimé est moine en Bourgogne au 7e siècle. Appelé à Metz pour prêcher, il y rencontre un riche propriétaire terrien. Ensemble, ils fondent un monastère, à Remiremont dans les Vosges. À la fin de sa vie, Aimé se retire dans une grotte pour prier et se livrer à la contemplation. Il y meurt en 630.

Alain

Fête le 9 septembre.
Prénom d'origine latine.

- **Étymologie** : vient de *Alani*, nom d'une tribu des bords de la mer Noire qui envahit la Gaule en 406, et qui, passée en Espagne, fut vaincue par les Wisigoths.
- **Symbolique** : 1 - orange - Cancer - topaze.
- **Caractère** : passionné, impulsif, orgueilleux, Alain a une personnalité forte, qui cache bien sa grande sensibilité sous une apparence un peu rude. Courageux et combatif, il mène sa vie avec opiniâtreté, affronte les épreuves sans

faiblir, et tire parti de ses réussites.

Prénom classique très répandu au cours de la première moitié du 20e siècle, rare aujourd'hui.

• **Prénoms français associés** : Alan - Alanic et Allan (bretons).

• **Prénoms étrangers associés** : Al - Ailean - Alane - Alano - Alen - Alène - Allen.

Saint Alain de la Roche, dominicain breton au 15e siècle, prôna pendant tout son sacerdoce le culte de la Vierge Marie en Europe.

Alban

Fête le 22 juin.
Prénom d'origine latine.

• **Étymologie** : vient de *albus* : blanc.

• **Symbolique** : 3 - blanc - Gémeaux - aigue-marine.

• **Caractère** : chaleureux et courtois, Alban séduit grâce à son allure et son aisance verbale. Hyperémotif, il est très sensible à la qualité du climat affectif qui l'entoure et supporte mal tensions et conflits.

Prénom à l'honneur depuis 1990.

• **Prénoms français associés** : Ailbe - Albain - Albaine - Albane* - Albe - Albin - Albine - Auban (provençal) - Aubin - Aubine.

• **Prénoms étrangers associés** : Alba - Albana - Albanus - Albina - Albino - Albinus.

Saint Alban vit dans une petite bourgade d'Angleterre, Verulanum, au 3e siècle ; il est païen, mais charitable : lorsqu'un prêtre recherché par la police lui demande asile, il le recueille. Touché par la foi de l'homme d'Église, il se convertit, et lorsque la milice frappe à sa porte, il revêt l'habit de son protégé, et se rend pour lui sauver la vie. Vérulanum s'appelle aujourd'hui Saint-Alban.

Albéric

Fête le 26 janvier.
Prénom d'origine germanique.

• **Étymologie** : vient de *al* : tout, *behrt* : illustre, et *rik* : puissant.

• **Symbolique** : 5 - rouge - Sagittaire - rubis.

• **Caractère** : actif, sérieux et digne de confiance, Albéric en impose à ses proches. Il se sent responsable, et privilégie son foyer et ses relations familiales ; malgré sa rigueur, il n'hésite jamais à se remettre en question.

Prénom rare.

• **Prénoms français associés** : Aubriet - Aubriot.

• **Prénoms étrangers associés** : Alberica - Alberich - Alberico - Albericus - Alfaric - Aubry - Elberich.

Saint Alberic est l'un des fondateurs de l'ordre cistercien, au 12e siècle, en Bourgogne.

Albert

Fête le 15 novembre.
Prénom d'origine germanique.

• **Étymologie** : vient de *al* : tout et *behrt* : illustre.

• **Symbolique** : 4 - bleu - Capricorne - saphir.

• **Caractère** : réservé et prudent, Albert peut paraitre froid et distant ; en fait, il se protège des blessures affectives et préfère un petit cercle d'amis sûrs aux grandes assemblées. La routine le rassure. Travailleur, consciencieux, il réussit grâce à sa persévérance.

Prénom classique très répandu au début du 20e siècle, rare aujourd'hui.

• **Prénoms français associés** : Adalbert - Alberte* - Albertine* - Albrecht (alsacien) - Aubert (normand) - Aubertin - Oberon.

• **Prénoms étrangers associés** : Alberta - Alberti - Albertina - Albertini - Alberto - Auberto - Bela - Bert.

Saint Albert le Grand naît en Allemagne au 12e siècle et prend l'habit dominicain à Padoue, où il poursuit ses études, malgré l'opposition de son père ; il voyage à travers l'Europe pour enseigner la théologie, devient maître de théologie à l'université de Paris, et rédige 38 traités de physique, de biologie, de géographie, d'astronomie, de minéralogie et de botanique. Après avoir exercé des fonctions auprès du pape, il est sacré évêque de Ratisbonne. Il démissionne deux ans plus tard pour retourner à ses chères études, à Cologne. Il prend part au concile de Lyon en 1274. Mais peu de temps après, il commence à perdre ses facultés, et meurt en 1280. Il fut proclamé docteur de l'Église.

Personnages célèbres : le physicien Albert Einstein, le médecin Albert Schweitzer, le philosophe Albert Camus.

Alexandre

Fête le 3 mai.
Prénom d'origine grecque.

• **Étymologie** : vient de *alexein* : repousser et *andros* : homme.

• **Symbolique** : 3 - bleu - Poissons - saphir.

• **Caractère** : conquérant, épris de puissance, ou épicurien en quête de plaisirs, Alexandre a une forte personnalité. Il s'adapte à tous les interlocuteurs, qu'il charme et séduit grâce à son élocution et à sa fantaisie. Il est doté de facilités intellectuelles, et a un goût inné pour le bonheur.

Prénom classique depuis l'Antiquité, très répandu depuis les années 1970.

• **Prénoms français associés** : Alex - Alexis*.

• **Prénoms étrangers associés** : Aleissandre - Aleissandrino - Aleissandro - Alejandro - Aleocha - Alessandro - Alex - Alexander - Alexandra* - Alistais - Alistéis - Lisandre - Lissandre - Lyssandre - Sacha - Sandrino - Sandro.

Saint Alexandre est élu pape en l'an 105. Il faut avoir une âme bien trempée pour accepter un tel honneur dans un monde où les chrétiens sont pourchassés et persécutés ! Il est le sixième pape, et succède à saint Évariste ; comme lui, il est martyrisé sur l'ordre de Trajan. Plus de quarante autres saints ont illustré ce prénom à travers l'histoire.

Personnages célèbres : l'empereur Alexandre le Grand, l'écrivain Alexandre Dumas.

Alexis

Fête le 17 février.
Prénom d'origine grecque.

- **Étymologie** : vient de *alexein* : repousser.
- **Symbolique** : 7 - bleu - Taureau - saphir.
- **Caractère** : indépendant, Alexis a toutefois besoin d'un environnement familial stable et de solides relations affectives pour ête heureux. Il aime le pouvoir, la réussite et s'investit pleinement dans ses projets s'il est motivé et si personne n'enfreint sa chère liberté.

Prénom peu courant.

- **Prénoms français associés** : Alessi (provençal) - Alex - Alexane - Alexia - Alexine.
- **Prénoms étrangers associés** : Aleja - Alejo - Alekseio - Alessi - Alessia - Alessio - Alex - Alexa - Alexe - Alexei - Alexia.

Saint Alexis Falconieri est un marchand, à Florence, en Italie, au 13e siècle. Ses affaires sont prospères, la fortune lui sourit, mais il renonce aux biens matériels pour se consacrer, avec six congénères, au travail manuel et à la prière. Ils fondent ensemble, en 1233, l'ordre des servites de Marie. Alexis meurt en 1310, à 110 ans.

Alfred

Fête le 15 août.
Prénom d'origine germanique.

- **Étymologie** : vient de *al* : tout et *frido* : paix.
- **Symbolique** : 5 - rouge - Verseau - rubis.
- **Caractère** : volontaire et persévérant, Alfred sait ce qu'il veut ; il trace son chemin, et se donne les moyens de réussir, car exigeant envers lui-même comme envers les autres, il ne fait pas volontiers de concessions, au risque d'être parfois intolérant et autoritaire.

Prénom répandu au 19e siècle, rare depuis les années 1930.

- **Prénoms français associés** : Alfredine - Alfret (provençal) - Aufray - Aufroy.
- **Prénoms étrangers associés** : Alf - Alfreda - Alfredina - Alfredo - Fred - Manfred.

Saint Alfred, moine en Allemagne au 9e siècle, est élu évêque d'Hildesheim ; le roi apprécie ses talents de diplomate et le charge souvent de missions difficiles. Il en tire une réputation de pacifiste et de médiateur.

Personnage célèbre : le cinéaste Alfred Hitchcock.

Alphée

Fête le 17 novembre.

Prénom d'origine grecque.

- **Étymologie** : vient de *alphaïos* : bouvier.
- **Symbolique** : 3 - bleu - Lion - saphir.
- **Caractère** : calme mais décidé, Alphée affiche une force tranquille. Il est sociable, chaleureux, mais aime préserver son jardin secret et ne se révèle pas facilement. Pourtant, lorsqu'on a gagné sa confiance, il est un ami fidèle et serviable.

Prénom mythologique rare.

Saint Alphée est un chrétien de Palestine, sous l'empereur Dioclétien ; il prône son appartenance au christianisme : il meurt en martyr en 303 à Césarée.

Alphonse

Fête le 1er août.

Prénom d'origine germanique.

- **Étymologie** : vient de *al* : tout et *funs* : vif.
- **Symbolique** : 9 - violet - Balance - améthyste.
- **Caractère** : sympathique et persuasif, Alphonse a l'art de faire partager son enthousiasme ; il recueille d'ailleurs tous les suffrages, grâce à son caractère pacifiste, son allure raffinée et son sens aigu de la communication. Il fuit les conflits qui le déstabilisent.

Prénom en vogue au 19e siècle, devenu rare.

- **Prénoms français associés** : Alphonsie - Alphonsine - Anfos et Anfous (provençaux).
- **Prénoms étrangers associés** : Adelfons - Alfons - Alfonsa - Alfonsina - Alfonso - Alonso - Alonzo - Alphonsa - Alphonsina - Anfonso - Fons - Fonso - Fonzie.

Saint Alphonse-Marie de Liguori est napolitain ; très précoce, il est docteur en droit à 16 ans, et s'oriente vers le barreau ; sa réputation est grande, les clients ne manquent pas, mais il préfère vouer sa vie à Dieu ; il devient prêtre et entreprend des études de théologie, puis se consacre à l'évangélisation des campagnes ; il fonde la congrégation du Très-Saint-Rédempteur pour continuer son œuvre, et rédige un traité de Théologie morale qui lui valut d'être nommé docteur de l'Église. Il devient évêque de Sant'Agatha, mais il souffre de violentes crises de rhumatismes, et doit bientôt démissionner. Il meurt en 1787 à 91 ans.

Personnages célèbres : les écrivains Alphonse de Lamartine et Alphonse Daudet.

Amaury

Fête le 21 novembre.
Prénom d'origine latine, dérivé de Maur.

• **Étymologie** : vient de *maurus* : d'origine maure.

• **Symbolique** : 7 - jaune - Sagittaire - topaze.

• **Caractère** : sous ses airs placides, Amaury est nerveux et impatient. Curieux, il aime l'étude, le calme, et possède un esprit analytique qui le rend souvent critique. Il est affectif, mais peu enclin à exprimer ses sentiments.

Prénom en vogue depuis les années 1970.

• **Prénoms français associés** : Aimeri - Aimery - Amalric - Amauri - Amauric - Améric - Amery - Amory.

• **Prénoms étrangers associés** : Aimeriga - Aimerigo -Amalrico - Amalrigo - América - Américo - Ameriga - Amerigo - Amelrich - Amalrigo.

Saint Maur est le patron d'Amaury.

Ambroise

Fête le 7 décembre.
Prénom d'origine grecque.

• **Étymologie** : vient de *brotos* : immortel.

• **Symbolique** : 1 - violet - Sagittaire - améthyste.

• **Caractère** : son autorité et son énergie en imposent. Ambroise est en général assez distant, mais sait se montrer agréable avec ceux qui ont su lui plaire. Indépendant, actif, brillant, il est capable d'une grande puissance de travail lorsque le sujet l'intéresse.

Prénom courant au Moyen Âge, devenu rare.

• **Prénoms français associés** : Ambre* - Ambroisie - Ambroisin - Ambroisine.

• **Prénoms étrangers associés** : Amber - Ambroisino - Ambrogia - Ambrosi - Ambrogio - Ambrosia - Ambrosius.

Saint Ambroise, originaire de Trèves, devient orphelin de père très jeune ; sa mère s'installe à Rome et surveille de près les études de ses enfants ; Ambroise devient avocat, puis il est nommé gouverneur de Ligurie et d'Émilie ; il réside à Milan. Bien qu'il ne soit pas baptisé, il se révèle excellent prédicateur de la paix, et son succès est tel qu'il est sacré évêque en 324. Il entreprend des études de théologie, lutte contre le paganisme, n'hésite pas à imposer pénitence à l'empereur Théodose, et rédige plusieurs manuels pour l'éducation chrétienne des fidèles. Il est proclamé docteur de l'Église après sa mort en 397. La légende raconte qu'il empêcha par ses prières qu'un nouveau-né dans le berceau duquel un essaim s'était posé, ne fut piqué.

Personnage célèbre : le médecin Ambroise Paré.

Amédée

Fête le 30 mars.
Prénom d'origine latine.

• **Étymologie** : vient de *ama Deus* : aimé de Dieu.

• **Symbolique** : 6 - jaune - Taureau - topaze.

• **Caractère** : fort et sûr de lui en apparence, Amédée est en réalité un homme sensible et inquiet, très attaché aux valeurs familiales. Il est cependant entreprenant, ambitieux, actif, mais n'aime pas l'agitation qui l'empêche de se concentrer.

Prénom rare.

• **Prénoms étrangers associés** : Amada - Amadea - Amadeo - Amadeus - Amadis.

Saint Amédée est fiancé dès sa naissance à Yolande de France, la sœur de Louis XI ; il l'épouse à 17 ans. Il succède à son père et devient duc de Piémont et de Savoie ; son grand souci est de préserver la paix dans son duché et de secourir les plus démunis de ses sujets ; il construit monastères et hôpitaux. Atteint d'épilepsie, il doit abandonner le pouvoir à sa femme et meurt en 1472.

Personnage célèbre : le peintre Amédée Modigliani.

Anastase

Fête le 22 janvier.
Prénom d'origine grecque.

• **Étymologie** : vient de *anastasis* : résurrection.

• **Symbolique** : 8 - vert - Poissons - émeraude.

• **Caractère** : courageux et combatif, Anastase lutte pour le pouvoir. Il est travailleur, obstiné, loyal, mais, juste revers de la médaille, parfois irritable et coléreux. Avec lui, pas de faux-semblants : il affiche, bruyamment parfois, ses sentiments.

Prénom rare.

• **Prénom français associé** : Anastasie.

• **Prénoms étrangers associés** : Anastasia - Anastasio - Anastasius - Tasso - Tassos - Stacey.

Saint Anastase est militaire, en Perse au 7e siècle. Il se convertit au christianisme alors qu'il séjourne à Jérusalem et devient moine pour évangéliser ses compatriotes qui occupent la Palestine. Il meurt en martyr en 628.

Anatole

Fête le 2 juillet.
Prénom d'origine grecque.

• **Étymologie** : vient de *anatolê* : aurore.

• **Symbolique** : 5 - jaune - Balance - topaze.

• **Caractère** : indépendant, épris de liberté, Anatole n'aime guère les contraintes. En revanche, il apprécie les voyages, les changements, la nouveauté, les contacts. Il recherche une certaine sécurité dans une organisation méticuleuse de ses activités.

Prénom rare.

- **Prénom français associé** : Anatolie.
- **Prénoms étrangers associés** : Anatolia - Anatolina - Natolia - Tola - Tolia.

Saint Anatole vit en Palestine au 3e siècle ; évêque de Césarée et féru de mathématiques, il rédige plusieurs traités scientifiques et théologiques. Sa réputation de bonté est telle que la population de Laodicée, près d'Antioche, le kidnappe, lors d'un de ses voyages, pour le supplier d'accepter l'évêché devenu vacant. Il accepte et se dévoue au service de ses fidèles.

Personnage célèbre : l'écrivain Anatole France.

André

Fête le 30 novembre.
Prénom d'origine grecque.

- **Étymologie** : vient de *andros* : homme.
- **Symbolique** : 6 - rouge - Sagittaire - rubis.
- **Caractère** : agréable, charmeur, André est le conseiller et le protecteur idéal. Profondément responsable et conciliant, il fait régner la paix autour de lui et déteste les conflits qu'il a le talent de désamorcer.

Prénom classique à la fin du 19e siècle et au début du 20e, rare depuis 1940.

- **Prénoms français associés** : Andéol (occitan) - Andiu (provençal) - Andrée - Andreu (provençal) - Andrev et Andreva (bretons) - Andrieu.
- **Prénoms étrangers associés** : Anders - Andia - Andoche - Andor - Andréa - Andréani - Andréas - Andréi - Andres - Andrew - Andros - Andy - Drew - Dries.

Saint André est le frère de saint Pierre, pêcheur comme lui sur le lac de Tibériade. Jésus l'appelle, il sera le premier disciple. À la Pentecôte, il reçoit pour mission de parcourir le monde pour l'évangéliser. Il se dirige vers la mer Noire, parcourt l'Asie Mineure et la Grèce. Il est arrêté à Patras, et meurt sur une croix en forme de X.

Personnages célèbres : l'écrivain et homme politique André Malraux, l'ébéniste André Boulle, le jardinier André Le Nôtre.

Ange

Fête le 5 mai.
Prénom d'origine grecque.

- **Étymologie** : vient de *eggelos* : messager.
- **Symbolique** : 9 - bleu - Taureau - saphir.
- **Caractère** : souriant, affable, Ange recueille tous les suffrages. Il aime la compagnie, rend service de grand cœur, et cherche à entretenir des relations affectives harmonieuses. Vif et curieux, il s'adapte facilement à toutes les situations.

Prénom rare, plus particulièrement prisé

en Corse et dans le sud de la France.

• **Prénoms français associés** : Ael, Aela et Aelig (bretons) - Angel - Angèle* - Angelet - Angelin - Angeline - Angélique*.

• **Prénoms étrangers associés** : Angelo - Angelos - Angelus - Angelica - Angelico - Anget - Angiolo - Aniol - Anjiro - Arcangelo.

Saint Ange est un jeune palestinien originaire de Jérusalem. Il entre au Carmel à 18 ans, part à Rome étudier la théologie, puis gagne la Sicile. Il est assassiné dans une église près d'Agrigente, en 1220, par un prince dont il avait converti la fille.

Anselme

Fête le 21 avril.
Prénom d'origine germanique.

• **Étymologie** : vient de *Ans* : dieu germain et *helm* : heaume.

• **Symbolique** : 6 - bleu - Scorpion - saphir.

• **Caractère** : calme, sérieux, Anselme n'aime ni la précipitation ni les changements. Scrupuleux et responsable, il est réfléchi et recherche la sécurité dans une vie bien organisée. Il est affectueux mais, peu expansif, n'aime guère le montrer.

Prénom rare.

• **Prénoms français associés** : Aicelin - Ancelle - Ancelin - Anceline - Anse - Anseaume - Ansel - Antheaume - Anthelme - Aycelin - Ayceline - Tancelin.

• **Prénoms étrangers associés** : Anselm - Anselma - Anselmo - Anseume - Anzo - Aycelina - Selma - Selman - Thelma - Thelme - Telma - Telme - Telmo.

Saint Anselme naît en Italie, et vient très jeune en France, où il est ordonné prêtre. La renommée de sa bonté, de sa bonne humeur, de son charisme est telle que les papes l'invitent à Rome. Il est nommé archevêque de Cantorbéry, malgré ses protestations, car il ne recherche pas les honneurs. Son rôle se révèle difficile, le roi n'étant guère coopérant. Il préférerait retourner dans son abbaye, mais le pape refuse. Il se résigne, et meurt à Cantorbéry en 1109. Il est proclamé docteur de l'Église.

Anthony

Fête le 17 janvier.
Prénom d'origine latine,
forme anglo-saxonne de Antoine.

• **Étymologie** : vient de *antonius* : inestimable.

• **Symbolique** : 7 - rouge - Scorpion - rubis.

• **Caractère** : discret pour ne pas dire secret, Anthony cache derrière une certaine froideur une grande sensibilité. Il apprécie la stabilité et le calme qui lui permettent de prendre du recul par rapport aux événements de sa vie, mais ne déteste pas l'aventure.

Prénom traditionnel dans les pays anglo-saxons, à la mode en France depuis 1970.

Saint Antoine* est son patron.

Antoine

Fête le 17 janvier ou le 13 juin.
Prénom d'origine latine.

• **Étymologie** : vient de *antonius* : inestimable.

• **Symbolique** : 6 - jaune - Scorpion - topaze.

• **Caractère** : solide, équilibré, Antoine est un terrien communicatif et enthousiaste. Sa grande curiosité le pousse à l'éclectisme, au risque de se disperser. Il est très conscient de son charme et ses nombreux succès le poussent parfois à l'orgueil.

Prénom classique dont le succès ne se dément pas depuis le début du 20e siècle.

• **Prénoms français associés** : Antoinet - Antoinette - Antoinon - Antonie - Antonien - Antonin* - Antonine - Antounet (provençal) - Toinet - Toinette - Toinon.

• **Prénoms étrangers associés** : Anthony* - Anton - Antonella - Antonello - Antonetta - Antonetto - Antoni - Antonia - Antonida - Antonietta - Antonio - Antony - Nellina - Toni - Tonio - Tony.

Deux illustres saints patronnent ce prénom.

Saint Antoine le Grand naît en Haute-Égypte en 250, dans une famille aisée. À 20 ans, il hérite de ses parents un important patrimoine qu'il décide de vendre pour en distribuer les revenus aux pauvres, et se retire dans le désert pour prier, puis dans un cimetière où ses amis lui apportent du pain, tous les trois ou quatre jours. Il vit pendant plus de trente ans en ermite, avant de quitter sa retraite pour fonder un monastère, puis se rend à Alexandrie pour soutenir le courage des chrétiens persécutés par l'empereur Maximinien. Il achève sa vie dans le désert de la Thébaïde, où il meurt en 356, à l'âge de 105 ans.

Saint Antoine de Padoue naît au Portugal en 1195 dans une famille noble. Devenu franciscain, il se distingue par son extraordinaire talent de prêcheur ; il part pour le Maroc, mais sa santé chancelante l'oblige à revenir en Europe ; il devient professeur de théologie à Padoue. Sa santé décline encore : il rend l'âme à 36 ans. Il fut proclamé docteur de l'Église.

Personnages célèbres : l'écrivain Antoine de Saint-Exupéry, le compositeur Anton Dvorak, le peintre Antoine Watteau.

Antonin

Fête le 5 mai.
Prénom d'origine latine,
dérivé d'Antoine.

• **Étymologie** : vient de *antonius* : inestimable.

• **Symbolique** : 6 - jaune - Capricorne - topaze.

• **Caractère** : sociable et solide, Antonin est un homme agréable et sécurisant. Il fait face à ses responsabilités avec sérieux, recherche pour lui comme pour les siens harmonie et sécurité. Il préfère la solitude aux réunions mondaines, et le calme à l'agitation.

Prénom rare.

• **Prénoms étrangers associés** : Antonina - Antonino.

Saint Antonin, dominicain italien, est nommé archevêque de Florence en 1441. Son dévouement et sa piété sont reconnus de tous. Il commande à Fra Angelico, qu'il connut pendant son noviciat, fresques et peintures pour le couvent Saint-Marc.

Apollinaire

Fête le 23 juillet.
Prénom d'origine grecque.

• **Étymologie** : vient de *appolinaris* : relatif à Apollon.

• **Symbolique** : 4 - bleu - Lion - saphir.

• **Caractère** : franc et décidé, Apollinaire ne s'embarrasse guère de précautions oratoires ; il est cependant un ami charmant, serviable, même s'il est un peu autoritaire. Organisé, sérieux, il mène sa vie professionnelle avec un souci de l'ordre extrême.

Prénom rare.

• **Prénoms français associés** : Apolline - Apollon - Apollonie.

• **Prénoms étrangers associés** : Apollinaris - Apollone - Apollonios - Apollonius - Apollo - Apollos - Apollonia.

Saint Apollinaire, compagnon de saint Pierre, fut le premier évêque de Ravenne ; il mourut en martyr en l'an 200.

Ariel

Fête le 29 septembre.
Prénom d'origine hébraïque.

• **Étymologie** : vient de *ariel* : vaillant.

• **Symbolique** : 9 - vert - Sagittaire - émeraude.

• **Caractère** : solide et viril, Ariel s'affirme par son charisme et sa grande puissance de travail. Il est exigeant, mais juste ; s'il lui est difficile d'exprimer ses sentiments, il n'en est pas moins très sensible.

Prénom peu courant.

• **Prénom associé** : Arielle*.

Saint Gabriel* est le patron d'Ariel.

Aristide

Fête le 31 août.
Prénom d'origine grecque.

• **Étymologie** : vient de *aristos* : le meilleur et *eidès* : fils.

• **Symbolique** : 4 - jaune - Capricorne - topaze.

• **Caractère** : prudent pour ne pas dire méfiant, Aristide est très réservé et peu communicatif au premier abord. Il fait son chemin dans la vie grâce à sa discipline et sa puissance de travail. La fantaisie l'inquiète, la routine le rassure.

Prénom à l'honneur au début du 20e siècle, devenu rare.

• **Prénoms français associés** : Ariste - Aricie.

• **Prénoms étrangers associés** : Aristeo - Aristéi - Aristido.

Saint Aristide est professeur de philosophie à Athènes au 2e siècle ; païen mais curieux, il étudie les Évangiles, et demande le baptême. Il rédige une apologie, destinée à instruire des bienfaits du christianisme l'empereur Hadrien, qui persécute les chrétiens à Rome.

Personnages célèbres : l'homme politique Aristide Briand, le compositeur Aristide Bruant.

Armand

Fête le 23 décembre.
Prénom d'origine germanique.

• **Étymologie** : vient de *hart* : fort et *man* : homme.

• **Symbolique** : 6 - jaune - Capricorne - topaze.

• **Caractère** : tranquille, consciencieux, Armand sécurise son entourage ; il assume ses responsabilités avec beaucoup de sérieux et manifeste une conscience professionnelle sans failles ; il recherche la stabilité affective dans l'amour comme dans l'amitié.

Prénom assez répandu au 19e siècle et au début du 20e.

• **Prénoms français associés** : Armande* - Armandin.

• **Prénoms étrangers associés** : Armanda - Armando - Armandino.

Saint Armand est un prêtre bavarois, qui, après une vie d'ascèse, devient évêque de Brixen, en Vénétie. Il meurt en 1164.

Personnage célèbre : Armand Jean du Plessis, duc de Richelieu.

Armel

Fête le 16 août.
Prénom d'origine celte.

• **Étymologie** : vient de *arzh* : ours et *mael* : prince.

• **Symbolique** : 4 - orange - Capricorne - topaze.

• **Caractère** : réservé et méfiant, Armel affiche une certaine froideur. Vulnérable et inquiet, il se protège ainsi des blessures affectives. Ennemi de la superficialité, rationnel et travailleur, il parvient aux buts qu'il s'est fixés. Il recherche des relations familiales stables et sécurisantes.

Prénom rare.

• **Prénoms français associés** : Araël - Arhel - Armaël - Armelin - Armelle - Arzaël - Arzhel - Arzel - Ermel - Hermel.

Saint Armel est ermite au pays de Galles au 6e siècle. Il vient en Armorique, y fonde un monastère, séjourne plusieurs années à Paris, puis retourne dans sa chère Bretagne, dans la forêt de Paimpont, où il fonde un autre monastère ; il y meurt en 570.

Arnaud

Fête le 10 février.
Prénom d'origine germanique.

• **Étymologie** : vient de *arn* : aigle, et *walden* : gouverner.

• **Symbolique** : 5 - bleu - Sagittaire - saphir.

• **Caractère** : entreprenant, dynamique, Arnaud a mille projets en tête ; il s'intéresse à tout, s'adapte en permanence ; sa vivacité d'esprit, sa rapidité d'action le rendent impatient et peu tolérant, mais il se fait pardonner par sa gentillesse.

Prénom classique au Moyen Âge, à l'honneur depuis 1970.

• **Prénoms français associés** : Arnal - Arnald - Arnaude - Arnaudet - Arnauldine - Arnault - Arnec (breton) - Arnold - Arnould - Arnoult.

Saint Arnaud, issu d'une illustre famille italienne, vit au 13e siècle à Padoue. À 15 ans, il quitte les siens pour entrer chez les bénédictins. À 24 ans, il est élu abbé du monastère Sainte- Justine. Mais il est emprisonné par le seigneur de la région, et meurt en 1255 après huit années de réclusion.

Arsène

Fête le 19 juillet.
Prénom d'origine grecque.

• **Étymologie** : vient de *arsénios* : viril.

• **Symbolique** : 8 - jaune - Balance.

• **Caractère** : distingué, racé, élégant, Arsène est un charmeur. Mais il possède une autorité naturelle et un profond désir de commandement qui, alliés à une grande puissance de travail, lui permettent d'atteindre ses objectifs. En amour, il est tendre, passionné et jaloux.

Prénom rare.

• **Prénoms étrangers associés** : Arsénio - Arsénius - Arsinoë.

Saint Arsène est diacre, secrétaire du pape à Rome, au 4e siècle. L'empereur d'Orient, Théodose cherche un précepteur pour ses enfants. Arsène, cultivé et patient conviendrait bien à ce poste. Il part à Constantinople, et prend en charge l'éducation des princes. L'empereur le comble d'honneurs, mais Arsène n'aime guère les fastes de la cour. Il démissionne, se retire dans le désert en Égypte, et meurt deux ans plus tard.

Arthaud

Fête le 7 octobre.
Prénom d'origine germanique.

• **Étymologie** : vient de *hart* : fort et *wald* : qui gouverne.

• **Symbolique** : 1 - Balance - vert - émeraude.

• **Caractère** : assurance et énergie qualifient la personnalité d'Arthaud. Son goût du pouvoir et de la réussite justifient son ambition, mais n'excusent pas l'agressivité dont il fait preuve si on lui résiste.

Prénom rare.

• **Prénom associé** : Artwald.

Saint Arthaud, né dans le Bugey, est page à la cour d'Amédée III de Savoie, au 12e siècle ; il n'a qu'une idée en tête : servir Dieu. Il devient chartreux, fonde un prieuré sur le vieux colombier, accepte avec réticence l'évêché et se retire dès qu'il le peut auprès de ses moines. Il meurt à 105 ans.

Arthur

Fête le 15 novembre.
Prénom d'origine celte.

• **Étymologie** : vient de *arzh* : ours.

• **Symbolique** : 5 - violet - Cancer - améthyste.

• **Caractère** : épris de liberté et amoureux du risque, Arthur affiche très tôt un caractère affirmé. Il met sa volonté et sa grande énergie au service de son activité parfois débordante. Il aime commander, déteste la soumission, et fait pardonner son impatience par un charme certain.

Prénom médiéval, rare pendant plusieurs siècles, à l'honneur depuis 1980.

• **Prénoms français associés** : Arthuis - Arthus - Artus - Arzhul et Arzur (bretons) - Thurel.

• **Prénoms étrangers associés** : Artor - Arturo - Austuro.

Saint Arthur est moine à l'abbaye de Glastonbury, dans le Somerset. Le roi Henri VIII l'accuse de refuser la séparation entre l'Église d'Angleterre et de Rome, et l'exécute en 1539.

Personnages célèbres : le roi Arthur, le poète Arthur Rimbaud.

Athanase

Fête le 2 mai.
Prénom d'origine grecque.

• **Étymologie** : vient de *athanatos* : immortel.

• **Symbolique** : 6 - violet - Taureau - améthyste.

• **Caractère** : stable, solide, Athanase dégage une impression d'équilibre qui rassure. Discret et réservé, il affiche une force tranquille et préfère la solitude aux relations superficielles et ne s'investit pas à la légère. Son goût de la conquête et du travail bien fait servent son ambition.

Prénom rare.

• **Prénom français associé** : Athanasie.

• **Prénoms étrangers associés** : Athanasia - Athanasio - Athanasius - Athos - Thassos.

Saint Athanase est patriarche d'Alexandrie, en Égypte, au 4e siècle. Farouche opposant de l'arianisme, il condamne publiquement les erreurs de ses adversaires qui ne le lui pardonnent pas. Ils le destituent à plusieurs reprises ; pendant ses périodes d'exil, à défaut de pouvoir prêcher, Athanase rédige des ouvrages théologiques. Après sa mort, en 373, il est proclamé docteur de l'Église.

Auguste

Fête le 29 février.

Prénom d'origine latine.

• **Étymologie** : vient de *augustus* : vénérable.

• **Symbolique** : 4 - vert - Bélier - émeraude.

• **Caractère** : travailleur, créatif, Auguste allie une grande maîtrise de soi à une farouche énergie. Il est communicatif et recherche dans ses relations affectives la sécurité dont il a besoin pour bâtir sa vie et servir ses ambitions.

Prénom à l'honneur au 19e siècle.

• **Prénoms français associés** : Angoustan (occitan) - Aoust - Augustin* - Augustine* - Gustave* - Gustin - Gusty.

• **Prénoms étrangers associés** : Agustin - August - Augusta - Augusto - Augustus - Austin - Gus - Gusta - Gusto.

Saint Auguste est prêtre en Normandie ; il part missionnaire en Chine en 1852, et fonde une colonie chrétienne ; il meurt en martyr avec deux condisciples en 1856.

Personnages célèbres : l'empereur romain Auguste, le sculpteur Auguste Rodin.

Augustin

Fête le 28 août.

Prénom d'origine latine, dérivé de Auguste.

• **Étymologie** : vient de *augustus* : vénérable.

• **Symbolique** : 4 - vert - Taureau - émeraude.

• **Caractère** : sérieux sans être sévère, Augustin est un observateur. Réservé, prudent, calme, il n'accorde pas sa confiance, et encore moins son amitié, au premier venu. Mais il respecte ses engagements, se montre un ami fidèle et sait faire preuve d'opiniâtreté.

Prénom à l'honneur depuis 1990.

• **Prénom français associé** : Augustine*.

• **Prénoms étrangers associés** : Agostina - Agostino - Augustina - Austen - Austin - Austina - Tina.

Saint Augustin nait en 354 à Tagaste, en Tunisie, d'un père païen et d'une mère chrétienne, qui l'orientent vers des études de philosophie. Élève brillant, il devient un remarquable enseignant. Il se convertit au catholicisme et prend l'habit. Son talent de prédicateur est vite reconnu : il est nommé évêque d'Hippone. Il lutte, en Afrique du Nord, contre les hérétiques, et rédige deux ouvrages majeurs, les Confessions, et la Cité de Dieu. Il meurt en 430, après 35 années d'apostolat. Il est nommé docteur de l'Église.

Aurèle

Fête le 20 juillet.
Prénom d'origine latine,
dérivé de Aura.

- **Étymologie** : vient de *aurum* : or.
- **Symbolique** : 8 - vert - Bélier - émeraude.
- **Caractère** : entreprenant et dynamique, Aurèle est un homme d'argent ; il a les pieds sur terre, fait preuve d'une grande intelligence pratique et se montre un excellent négociateur. Sa susceptibilité le rend parfois irritable, mais son enthousiasme lui attire de nombreux amis.

Prénom rare.

- **Prénoms associés** : Aurel - Aurélie* - Aurélien*.
- **Prénoms étrangers associés** : Aurélia - Aurélio - Aurélius - Orell.

Saint Aurèle est évêque de Carthage, en Tunisie, et chef de l'Église d'Afrique ; il correspond souvent avec Saint Augustin, évêque d'Hippone, et comme lui combat l'arianisme. Il meurt en 430.

Aurélien

Fête le 16 juin.
Prénom d'origine latine,
dérivé de Aurèle.

- **Étymologie** : vient de *aurum* : or.
- **Symbolique** : 4 - orange - Verseau - topaze.
- **Caractère** : flegmatique, discret, Aurélien a l'apparence d'un homme calme et maître de ses émotions. Il est en fait très émotif et pudique. Très sélectif, il n'accorde pas facilement sa confiance.

Prénom de l'Antiquité en faveur depuis 1970.

- **Prénom français associé** : Aurélian (occitan).
- **Prénom étranger associé** : Auréliano.

Saint Aurélien est, au 6e siècle, évêque d'Arles. Il y fonde, avec l'aide du roi Childebert 1er, deux monastères, l'un pour les hommes, l'autre pour les femmes. Et, fait rare pour l'époque, il impose aux religieux l'apprentissage de la lecture.

Auxane

Fête le 3 septembre.
Prénom d'origine grecque.

- **Étymologie** : vient de *euxenos* : hospitalier.
- **Symbolique** : 3 - Lion - rouge - rubis.
- **Caractère** : l'aventure, l'originalité, attirent Auxane. Confiant en ses capacités, il n'a peur de rien. Sociable et habile, il est débrouillard et exerce une influence sur ceux qu'il approche.
- **Prénom associé** : Euxane.

Saint Euxane est évêque de Milan au 6e siècle.

Axel

Fête le 21 mars.
Prénom d'origine hébraïque, dérivé de Absalom.

- **Étymologie** : signifie *père de la paix*.
- **Symbolique** : 6 - jaune - Cancer - topaze.
- **Caractère** : délicat, diplomate, Axel développe très jeune un penchant prononcé pour la beauté, l'harmonie. S'il est esthète, il n'est pas mièvre. Son courage s'allie à sa sensibilité et peut le pousser à s'investir dans un projet jusqu'à l'abnégation.

Prénom courant dans les pays scandinaves, en vogue depuis 1980.

- **Prénoms français associés** : Axeline - Axellane - Axelle*.
- **Prénoms étrangers associés** : Acestus - Acke - Aksel - Axalia - Axalias - Axalis - Axalios - Axella.

Saint Axel, né au Danemark en 1128, fait ses études à Paris. À son retour, il devient premier conseiller du roi Valdemar 1er, puis archevêque de Lund. Il meurt en 1201.

Personnages célèbres : Axe de Fersen, maréchal de Suède, et l'écrivain suédois Axel Munthe.

Aymar

Fête le 29 mai.
Prénom d'origine germanique.

- **Étymologie** : vient de *haim* : maison et *mar* : illustre.
- **Symbolique** : 4 - rouge - Poissons - rubis.
- **Caractère** : son apparente froideur cache une grande timidité. Très actif, nerveux, adaptable, Aymar fait preuve de courage et d'obstination lorsqu'il est motivé. Possessif et rancunier, il est un ami sûr mais exigeant.

Prénom rare.

- **Prénoms français associés** : Aimar - Eymard.

Saint Aymar est prêtre au 13e siècle, il entreprend avec ses frères une mission contre les hérétiques ; il est massacré par les Albigeois en 1242.

Aymeric

Fête le 4 novembre.
Prénom d'origine germanique.

- **Étymologie** : vient de *haim* : maison et *rik* : roi.
- **Symbolique** : 2 - bleu - Capricorne - aigue-marine.
- **Caractère** : timide et secret, Aymeric est très élitiste dans le choix de ses relations. Il préfère de beaucoup la solitude aux mondanités, mais sait être affectueux et chaleureux lorsqu'on a su conquérir sa confiance. Sa persévérance et son goût du travail bien fait lui permettent de réussir ce qu'il entreprend.

Prénom médiéval en faveur depuis 1980.

• **Prénoms français associés** : Aimeri - Aimeric - Aymeri - Emeric.

Saint Aymeric est le fils de Saint Étienne, fondateur du royaume de Hongrie. Fuyant les fastes de la cour, il se consacre à la visite des monastères. La légende raconte qu'il était doté de la faculté de lire dans les cœurs, et qu'il récompensait les moines selon leur degré de sainteté en les embrassant une fois, trois fois, ou sept fois ! Aymeric meurt en 1031, près de Budapest.

B

(garçons)

Balthazar

Fête le 6 janvier.
Prénom d'origine akkadienne.

• **Étymologie** : signifie *Dieu protège le roi.*

• **Symbolique** : 8 - rouge - Lion - rubis.

• **Caractère** : sensible, timide, inquiet parfois, Bathazar affiche pourtant une belle assurance. Il sait s'adapter aux événements avec rapidité et opportunisme, mais se montre très strict, car il a un sens aigu de la justice et de la droiture.

Prénom rare.

• **Prénom français associé** : Bautezar (provençal).

• **Prénoms étrangers associés** : Baldassar - Baldassare - Balthasar - Balthy - Balz - Balzer.

Saint Balthazar, homme de couleur, est, selon la tradition, l'un des trois rois mages venus adorer Jésus dans la crèche. Il offre à l'Enfant la myrrhe, résine odorante d'un arbre d'Arabie.

Baptiste

Fête le 29 août.
Prénom d'origine grecque.

• **Étymologie** : vient de *baptistein* : baptiser.

• **Symbolique** : 2 - jaune - Cancer - topaze.

• **Caractère** : pacifiste, confiant, Baptiste est paisible et persuasif. Il manifeste un profond intérêt pour les autres, et possède l'art difficile de rallier à ses convictions tous ses proches.

Prénom répandu sous sa forme composée Jean-Baptiste au 18e et au 19e siècle, à l'honneur depuis 1980 dans sa simplicité.

• **Prénoms français associés** : Baptistin - Baptistine - Baptistet, Batistoun et Titoun (provencaux).

• **Prénoms étrangers associés** : Bapper - Baptistina - Baptistino - Battista - Battistin - Battisto - Bautista - Bautisto - Battistina - Battistino - Tisto.

Fils d'Élizabeth et de Zacharie, saint Jean nait en Palestine au début du 1er siècle. Il se retire dans le désert pour méditer. C'est là que Dieu l'appelle pour lui demander d'annoncer la venue imminente du Messie. Il s'établit sur les rives du Jourdain, exhorte à la justice, à la charité, et baptise en immergeant dans l'eau du fleuve ceux qu'il convertit ; il baptise Jésus lui-même. Pour la foule, il est devenu le Baptiste. Mais Jean n'hésiste pas à faire la morale à Hérode Antipas, tétrarque de Galilée, homme puissant et concubin de sa nièce Hérodiade. Il est arrêté, emprisonné. Au cours d'une fête, Salomé, la fille d'Hérodiade demande à Hérode que la tête du Baptiste lui soit apportée sur un plateau. Il est décapité.

Barnabé

Fête le 11 juin.
Prénom d'origine araméenne.

• **Étymologie** : vient de *bâr Nabu* : fils de Nabû.

• **Symbolique** : 7 - vert - Sagittaire - émeraude.

• **Caractère** : hypersensible et inquiet, Barnabé se protège des blessures affectives en affichant une extrême réserve. Cette froideur apparente cache un grand besoin d'affection, mais il ne sait pas formuler ses sentiments.
Prénom rare.

• **Prénom français associé** : Barbet.

• **Prénoms étrangers associés** : Barn - Barnaba - Barnabas - Barnaby - Barnay - Barney.

Saint Barnabé est né à Chypre et appelé Joseph ; il devient apôtre de Jésus et prend alors le prénom de Barnabé ; à l'appel du Christ, il vend ses terres, en distribue le profit aux pauvres et accompagne saint Paul en Asie Mineure ; leur entente n'est pas parfaite, ils se séparent ; Barnabé revient à Chypre ; il y meurt lapidé par les Juifs, en 61.

Barthélemy

Fête le 24 août.
Prénom d'origine araméenne.

• **Étymologie** : vient de *bar Tolomaï* : fils de Tolomé.

• **Symbolique** : 1 - bleu - Poissons - saphir.

• **Caractère** : ambitieux, travailleur, Barthélemy est conscient de son intelligence et de sa rapidité d'esprit. Il affiche une grande confiance en lui et la fait partager, grâce à son éloquence et son charisme.
Prénom rare.

• **Prénoms français associés** : Argan* et Argantaël (bretons) - Bertel - Bertelle - Berthel - Bartholomée - Bartoumieu et Bertoumieu (provençaux).

• **Prénoms étrangers associés** : Barthel - Bartholomaüs - Bartholomea - Bartholoméo - Bartolo.

Saint Barthélemy est apôtre du Christ au 1er siècle ; après la Pentecôte, il part évangéliser la Phrygie et l'Arménie, où il meurt écorché vif.

Basile

Fête le 2 janvier.
Prénom d'origine grecque.

• **Étymologie** : vient de *basileus* : roi.

• **Symbolique** : 3 - jaune - Poissons - topaze.

• **Caractère** : expansif, sociable, Basile est un homme de communication. Il est attentif et conscient de ses responsabilités ; cet épicurien épris de justice recherche des relations harmonieuses.

Prénom rare en France, répandu dans les pays slaves.

• **Prénoms français associés** : Basilide - Basilisse - Basillou (provençal) - Basle - Bazire (normand).

• **Prénoms étrangers associés** : Basil - Basilia - Basilio - Basilica - Basilina - Basilino - Basilissa - Basilisso - Basilla - Basille - Bassiana - Bassiano - Vassil - Vassili - Vassilio - Vassilissa - Vassily - Vasso.

Saint Basile naît à Césarée en 329 ; il fait de brillantes études à Constantinople, puis à Athènes, et retourne à Césarée enseigner la rhétorique ; il se fait baptiser et visite les monastères des pays alentour pour y étudier la vie religieuse. Il fonde son propre monastère, et s'y retire. Sacré diacre, puis prêtre, il parcourt l'Asie Mineure pour y créer d'autres monastères. Mais les chrétiens orthodoxes sont persécutés par les ariens, et l'évêque Eusèbe demande à Basile de le seconder. À la mort d'Eusèbe, en 370, Basile est élu évêque. Il s'oppose fermement à l'empereur Valence qui, intimidé par sa détermination, renonce à ses persécutions. Fondateur d'hôpitaux, et de cantines pour les démunis, il est aimé et respecté au-delà des frontières ; il prêche chaque jour aux innombrables fidèles qui viennent de toutes parts pour l'écouter. Il meurt à 49 ans, en 379, pleuré par la foule de Césarée. Reconnu comme l'un des plus grands orateurs de l'Église, il est proclamé docteur de la foi.

Bastien

Fête le 20 janvier.
Prénom d'origine grecque, dérivé de Sébastien.

• **Étymologie** : vient de *sébastos* : couronné.

• **Symbolique** : 7 - vert - Taureau - émeraude.

• **Caractère** : sensible et attentif, Bastien est un compagnon idéal, qui n'hésite pas à se dévouer pour les siens. Mais volontaire et travailleur acharné dans sa vie professionnelle, il manifeste impulsivité et colère s'il n'est pas obéi et respecté.

Prénom en vogue depuis 1980.

Saint Sébastien* est son patron.

Baudouin

Fête le 17 octobre.
Prénom d'origine germanique.

• **Étymologie** : vient de *bald* : audacieux et *win* : ami.

• **Symbolique** : 7 - bleu - Lion - saphir.

• **Caractère** : serviable mais méfiant, Baudouin est très sélectif dans ses amitiés comme dans ses amours, et se montre volontiers rancunier s'il se sent trahi. Il a un sens aigu de ses responsabilités et ne comprend pas qu'on puisse lui faire défaut s'il accorde sa confiance.

Prénom en vogue depuis 1990.

• **Prénoms français associés** : Audouin - Baudoin - Baudouine - Beaudoin - Beaudouin.

• **Prénoms étrangers associés** : Aldwin - Aldwina - Baldo - Baldovina - Baldovino - Baldur - Baldwin - Baldwina - Baldwine.

Saint Baudouin est archidiacre, à Laon, en 679. Il est assassiné par le maire du palais de Neustrie, qui le soupçonne d'avoir des sympathies avec l'ennemi.

Benjamin

Fête le 31 mars.
Prénom d'origine hébraïque.

• **Étymologie** : vient de *ben yamin* : fils de bon augure.

• **Symbolique** : 5 - vert - Vierge - émeraude.

• **Caractère** : passionné, ambitieux, bouillonnant, Benjamin déborde de vitalité. Affectueux, il a profondément besoin de sa famille, mais son impatience le rend irritable, et sa nervosité peut l'incliner à la violence.

Prénom classique à l'honneur depuis 1980.

• **Prénom français associé** : Benjamine.

• **Prénoms étrangers associés** : Ben - Beniamina - Beniamino - Benji - Benny - Veniamine.

Saint Benjamin est diacre en Perse au 5e siècle ; son charisme est tel qu'il provoque de très nombreuses conversions chez les adorateurs du feu ; les grands prêtres s'en émeuvent et le roi, irrité, le condamne à deux ans de prison, pensant que cette peine le dissuadera de poursuivre son œuvre de prédicateur. Mais à sa libération, Benjamin part à travers le pays pour enseigner l'Évangile. À nouveau arrêté, il est condamné au supplice du pal en 425.

Benjamin est, selon la Bible, le dernier des douze fils de Jacob et de Rachel.

Personnages célèbres : l'écrivain et homme politique Benjamin Constant, l'homme politique américain Benjamin Franklin.

Benoît

Fête le 11 juillet.
Prénom d'origine latine.

• **Étymologie** : vient de *benedictus* : béni.

• **Symbolique** : 2 - orange - Vierge - topaze.

• **Caractère** : délicat, affectueux, sensible, Benoît manifeste une grande attention aux autres ; son sens de la coopération et du partage en font un ami agréable, un collègue efficace. Heureux dans une ambiance feutrée, il recherche la tranquillité et fuit les complications.

Prénom classique en faveur depuis 1970.

• **Prénoms français associés** : Benead (breton) - Bénédicte* - Bénédit (provençal) - Beneix - Benen - Benezet (provençal) - Bennideg (breton) - Benit - Benoîte*.

• **Prénoms étrangers associés** : Benedetto - Benedit - Beneto - Benita - Benito - Bennon - Benon - Benny - Benz.

Saint Benoît est fils d'une famille aisée et puissante à Nursie en Italie, au 5e siècle. À 20 ans, il se retire dans la montagne pour prier, mais sa piété est vite connue et il reçoit la visite de curieux, à qui il prêche l'Évangile. Il est sollicité pour diriger un monastère dont les moines ont des mœurs très libres : il tente de leur imposer la rigueur, mais ceux-ci cherchent à l'empoisonner ! De très nombreux fidèles le prient de créer pour eux un monastère plus... paisible. Il en fonde douze, dont celui du Monte Cassino, et instaure la règle bénédictine qui repose sur la prière, le travail manuel et la lecture. Cette règle fut progressivement adoptée par la majorité des monastères européens.

Béranger

Fête le 26 mai.
Prénom d'origine germanique.

• **Étymologie** : vient de *ber* : ours et *gari* : lance.

• **Symbolique** : 7 - violet - Cancer - améthyste.

• **Caractère** : dynamique et actif, Béranger cherche à rallier les suffrages de ses proches. Il canalise sa grande émotivité dans l'action, mais revient dans sa famille chercher l'apaisement avant de partir vers de nouveaux horizons.

Prénom médiéval rare.

• **Prénoms français associés** : Bérangère* - Bérenger.

• **Prénoms étrangers associés** : Berenguer - Berenguié - Berenguiera - Berenguiéra - Beringer.

Saint Béranger est moine bénédictin près de Carcassonne au 11e siècle.

Bernard

Fête le 20 août.
Prénom d'origine germanique.

• **Étymologie** : vient de *bern* : ours et *hard* : fort.

• **Symbolique** : 8 - violet - Cancer - améthyste.

• **Caractère** : réaliste, volontaire, Bernard possède un magnétisme certain. Homme de devoir, fidèle, il a un sens aigu de ses responsabilités, et dissimule souvent sa tendresse derrière une attitude bourrue ponctuée de quelques colères.

Prénom classique à l'honneur pendant la première moitié du 20e siècle.

• **Prénoms français associés** : Bernadette* - Bernarde - Bernardin* - Bernardine - Bernat (provençal) - Bernez (breton) - Bernward (alsacien).

• **Prénoms étrangers associés** : Barnd - Barnard - Barnd - Bernart - Bernarda - Bernardino - Bernardo - Bernat - Bernhardt - Bernd - Bernie - Berny.

Saint Bernard naît en 1090 près de Dijon dans une famille noble, et reçoit avec ses six frères et sœurs une éducation humaniste. Il pourrait mener une vie facile et mondaine, mais il rêve de la vie austère du monastère de Cîteaux ; il s'y retire, avec trente de ses proches, amis ou membres de sa famille, en 1112. Trois ans plus tard, l'abbé lui demande de fonder un monastère en Champagne. Son sens de la justice, sa sagesse et sa piété sont tels que princes et évêques requièrent souvent son arbitrage. Même le pape Innocent II lui demande de plaider sa cause ; il participe à la lutte contre l'hérésie albigeoise, prêche en 1146 une croisade qui rallie Éléonore d'Aquitaine, Louis de France et Conrad d'Allemagne. Il meurt en 1153 à 63 ans. Il fut proclamé docteur de l'Église.

Personnages célèbres : l'écrivain Bernard Clavel, le peintre Bernard Buffet.

Bernardin

Fête le 28 septembre.
Prénom d'origine germanique, dérivé de Bernard.

- **Étymologie** : vient de *bern* : ours et *hard* : fort.
- **Symbolique** : 4 - jaune - Verseau - topaze.
- **Caractère** : raisonnable, réfléchi, Bernardin ne laisse rien au hasard ; il est prévoyant sans être calculateur, mais peut être parfois sentencieux et moralisateur, à moins qu'il ne devienne cynique, s'il sent une quelconque résistance.

Prénom rare.

- **Prénom français associé** : Bernardine.
- **Prénoms étrangers associés** : Bernardina - Bernardino.

Saint Bernardin de Sienne naît en Toscane dans une famille noble. Il a sept ans lorque ses parents meurent tous les deux. Il est alors élevé par une tante qui lui dispense une éducation religieuse stricte, et fait de brillantes études. En 1400, la peste ravage Sienne : les cours sont interrompus ; Bernardin recrute quelques amis pour l'aider à soigner les malades de l'hôpital bondé. À la fin de l'épidémie, il prend l'habit chez les franciscains, et parcourt l'Italie à pied pour prêcher. Il fuit les honneurs et refuse plusieurs évêchés. Il meurt à soixante-quatre ans, épuisé par ses périples.

Personnage célèbre : l'écrivain Bernardin de Saint-Pierre.

Bertil

Fête le 6 novembre.
Prénom d'origine germanique.

- **Étymologie** : vien de *berht* : illustre et *til* : habile.
- **Symbolique** : 3 - vert - Capricorne - émeraude.
- **Caractère** : amical et serviable, Bertil est un très agréable compagnon ; diplomate, habile, il possède l'art de concilier, et se montre très compétent dans les activités de groupe, les travaux en collaboration.

Prénom rare mais assez répandu en Suède.

• **Prénoms associés** : Bertile - Bertilie - Bertille*.

Sainte Bertile est la patronne de Bertil.

Bertrand

Fête le 6 septembre.
Prénom d'origine germanique.

• **Étymologie** : vient de *berht* : illustre et *hramm* : corbeau.

• **Symbolique** : 1 - orange - Lion - topaze.

• **Caractère** : calme et réservé, Bertrand est un homme stable qui ne craint pas les responsabilités ; déterminé, efficace, il est travailleur, et s'investit avec beaucoup d'opiniâtreté dans sa vie professionnelle. Conciliant et sociable, il est un ami sincère.

Prénom médiéval en faveur de 1950 à 1980.

• **Prénoms français associés** : Bertram - Bertrande - Bertrane - Bertranet (provençal) - Bertraneu.

• **Prénoms étrangers associés** : Bertranda - Bertrando - Ebertram.

Saint Bertrand des Garrigues est un disciple de saint Dominique, fondateur de l'ordre des frères prêcheurs ; il crée des couvents à Paris, à Montpellier et à Avignon, revient à Toulouse et meurt en 1230.

Personnage célèbre : le chevalier Bertrand Du Guesclin.

Bienvenu

Fête le 22 mars.
Prénom d'origine latine.

• **Étymologie** : vient de *bene* : bien et *veni* : venu.

• **Symbolique** : 2 - orange - Lion - topaze.

• **Caractère** : timide et réservé, Bienvenu n'offre pas facilement son amitié ; il faut savoir le conquérir pour découvrir ses grandes qualités de sérieux, de tendresse, de persévérance et de naturel. Fidèle et affectueux, il attache beaucoup d'importance à sa vie privée.

Prénom rare.

• **Prénom féminin associé** : Bienvenue.

• **Prénoms étrangers associés** : Benvenida - Benvenido - Benvenista - Benvenisto - Benvenuta - Benvenuto.

Saint Bienvenu est prêtre à Ancône. Sa sagesse est reconnue de tous. Le pape le nomme évêque d'Osimo où la révolte gronde. Bienvenu parvient à rallier les fidèles à la cause du pape. Il meurt en 1282.

Blaise

Fête le 3 février.
Prénom d'origine latine.

• **Étymologie** : vient de *blaesus* : bègue.

• **Symbolique** : 3 - jaune - Poissons - topaze.

• **Caractère** : communicatif, sensible et chaleureux, Blaise a un profond sens des responsabilités, envers sa famille en particulier ; il montre un goût prononcé pour les études, mais loin de s'enfermer dans ses livres, il apprécie beaucoup la société et les réunions mondaines.

Prénom rare.

• **Prénoms français associés** : Blaisian (occitan) - Blaisette - Blaisiane - Blaisot - Blasioun (provençal) - Blazy - Bleiz (breton).

• **Prénoms étrangers associés** : Blas - Blase - Blasia - Bleiza.

Saint Blaise vit en Arménie, au 4e siècle. Il est nommé évêque de Sébaste ; il accepte cette charge, mais en refuse tous les honneurs : il vit dans une grotte en compagnie d'animaux, soigne les malades dans les campagnes, prêche le jeûne et la prière. Le gouverneur romain s'en inquiète, et envoie une expédition pour capturer le saint homme. Il est sommé de renier sa foi ; il refuse : il est torturé puis décapité en 316.

Personnages célèbres : le mathématicien Blaise Pascal, l'écrivain Blaise Cendrars.

Boniface

Fête le 5 juin.
Prénom d'origine latine.

• **Étymologie** : vient de *bonum fatum* : bonne destinée.

• **Symbolique** : 1 - bleu - Scorpion - saphir.

• **Caractère** : énergique et autoritaire, Boniface en impose à son entourage qu'il intimide parfois par son attitude distante. Travailleur, curieux et assoiffé de connaissances, il se montre brillant dès qu'un sujet l'intéresse. Il est sélectif en amour comme en amitié.

Prénom rare.

• **Prénom français associé** : Bounifaci (provençal).

• **Prénoms étrangers associés** : Bonifaci - Bonifacio - Bonifacius - Bonifas - Faas - Fatzel.

Saint Boniface, de son vrai nom Winfrid, est moine en Angleterre, au 8e siècle, mais il n'a qu'un désir : traverser la Manche pour évangéliser le continent. Il gagne Rome, où le pape le nomme évêque sous le nom de Boniface, puis s'installe en Allemagne, où il multiplie les conversions, et fonde des monastères. Il est sacré archevêque de Mayence, et couronne Pépin le Bref, qui le charge de réformer l'église franque. C'est au cours d'une de ses missions d'évangélisation qu'il est massacré par des païens en 754.

Boris

Fête le 24 juillet.
Prénom d'origine slave.

• **Étymologie** : vient de *borets* : combattant.

• **Symbolique** : 9 - violet - Scorpion - améthyste.

• **Caractère** : enjoué, sociable, tolérant, Boris est l'ami et le compagnon rêvé. Il a besoin d'un climat familial harmonieux et privilégie toujours son environnement affectif. Curieux, artiste, il est très éclectique.

Prénom assez répandu dans les familles slaves.

• **Prénom associé** : Borislav.

Saint Boris est l'un des fils du grand-prince Vladimir de Kiev. Très pieux, il part avec son frère Gleb, en 1015, pour évangéliser la Russie. À leur retour, tous deux sont assassinés par leur frère lors du partage de la successionn de leur père.

Personnages célèbres : les écrivains Boris Pasternak et Boris Vian.

Brendan

Fête le 16 mai.
Prénom d'origine celte.

• **Étymologie** : vient de *bran* : corbeau.

• **Symbolique** : 4 - bleu - Verseau - aigue-marine.

• **Caractère** : épris de nouveauté, voire d'originalité ou d'insolite, Brendan est très déterminé et va jusqu'au bout de ses projets ; adaptable et confiant dans ses grandes capacités, il ne redoute que la routine et l'immobilisme.

Prénom d'origine irlandaise actuellement en vogue.

• **Prénoms associés** : Brandon - Brenda - Brendana - Brendanig - Brendano - Brevalaer - Brevalaire - Broladre.

Saint Brendan naît en Irlande au 6e siècle, et après avoir étudié en Écosse, et beaucoup voyagé sur les océans, il retourne au pays natal où il fonde un monastère. Il publie *Odyssée aux Antilles*, œuvre qui fut traduite dans plusieurs langues.

Briac

Fête le 18 décembre.
Prénom d'origine celte.

• **Étymologie** : vient de *bri* : estime.

• **Symbolique** : 6 - vert - Sagittaire - émeraude.

• **Caractère** : élégant et agréable, Briac a un charme certain. Son sens des responsabilités, sa capacité d'écoute, et la justesse de ses conseils rassurent. Indépendant, il préfère l'aventure à la routine, les voyages à une vie casanière.

Prénom rare.

• **Prénoms français associés** : Briag - Briagenn - Brian - Brianne - Briec - Brieg - Brieu - Brieuc - Brieux - Brioc - Brivaël - Brivaëlle.

• **Prénom étranger associé** : Bryan*.

Saint Briac, moine irlandais au 6e siècle, est contraint de quitter son pays par les envahisseurs anglo-saxons ; il s'établit en Armorique avec Tudwal, et fonde un monastère dans un bourg qui est devenu la ville de Guingamp. Il meurt au cours d'un pèlerinage à Rome.

Brice

Fête le 13 novembre.

Prénom d'origine celte.

- **Étymologie** : vient de *bris* : bigarré.
- **Symbolique** : 1 - rouge - Scorpion.
- **Caractère** : dynamique, enjoué, Brice aime l'action, et ne reste pas en place. La patience n'est pas son fort : rapide et habile, il a besoin de liberté, et d'espace. Il fuit l'autorité, les contraintes, et laisse libre cours à sa colère s'il se sent trop encadré.

Prénom à l'honneur depuis 1970.

- **Prénoms étrangers associés** : Brès - Bricino - Brix - Briz - Bryce.

Saint Brice n'a pas toujours été touché par la grâce ! Orphelin à Tours au 4e siècle, il est recueilli par saint Martin qui le place dans un monastère pour lui donner une éducation religieuse. Mais l'adolescent est rebelle et maintes fois menacé de renvoi ; Saint Martin patiente. Brice devient clerc, mène une vie dissipée, et lorsqu'il devient évêque de Tours, à la mort de saint Martin, il se livre à des prêches sulfureux... et conçoit un enfant avec une jeune moniale en prétextant qu'il s'agit-là d'un miracle... Tous ces scandales lui valent d'être chassé de son diocèse ; après sept années de pénitence à Rome, il revient à Tours assagi, méconnaissable, et termine son sacerdoce en prières, aumônes et actions de grâce.

Bruce

Fête le 24 juin.

Prénom d'origine gauloise.

- **Étymologie** : vient de *bruco* : bruyère.
- **Symbolique** : 4 - Scorpion - rouge - rubis.
- **Caractère** : impatient, impulsif, d'apparence bourrue, Bruce est un grand sentimental. Passionné mais renfermé, il ne s'extériorise pas facilement. Tour à tour hyperactif et réfléchi, il aime à la fois le mouvement et l'étude, mais fuit à grands pas les complications.

Prénom en vogue.

Saint Bruce ne s'est pas encore fait connaître ; Bruce peut donc être fêté avec Jean, le 24 juin.

Bruno

Fête le 6 octobre.

Prénom d'origine germanique.

- **Étymologie** : vient de *brus* : bouclier.
- **Symbolique** : 7 - bleu - Verseau - saphir.
- **Caractère** : secret, distant, Bruno ressent de grandes difficultés pour communiquer, au risque de paraître indifférent ou insensible. Il redoute la vie sociale, et se réfugie dans la solitude pour lire, étudier, réfléchir, mais fait preuve d'une grande gentillesse avec ceux qui ont su le conquérir.

Prénom à l'honneur au milieu du 20e siècle.

• **Prénoms français associés•** : Brun - Brune* - Brunette - Brunoun - Burne.

• **Prénoms étrangers associés** : Broen - Broune - Bruna - Brunetta - Brunetto - Brunella - Brunello - Brunon - Brunone.

Saint Bruno naît à Cologne au 11e siècle où il est ordonné prêtre ; il enseigne la théologie, puis part pour Paris et Grenoble. Il décide de se faire ermite dans le massif de la Chartreuse, et construit une église, des cellules pour ceux qui deviendront sur son exemple des "chartreux".

Bryan

Fête le 18 décembre.
Prénom d'origine celte,
dérivé de Briac.

• **Étymologie** : vient de *bri* : estime.

• **Symbolique** : 6 - bleu - Vierge - saphir.

• **Caractère** : individualiste et secret, doué d'une grande intuition, Bryan est un homme de devoir. Il est sérieux, fiable, très entier, et son tempérament passionné le pousse parfois à de redoutables excès de colère.

Prénom traditionnel en Irlande.

• **Autre orthographe** : Brian.

Saint Briac* est le patron de Bryan.

C

(garçons)

Calliste

Fête le 14 octobre.
Prénom d'origine grecque.

• **Étymologie** : vient de *kallistos* : le plus beau.

• **Symbolique** : 9 - rouge - Gémeaux - rubis.

• **Caractère** : intuitif, émotif, Calliste est un tendre qui aime séduire et privilégie sa vie affective. Il est idéaliste, et parfois peu armé pour affronter les difficultés ; artisan de la paix, il recherche avant tout le bonheur.

Prénom rare.

• **Prénoms français associés** : Caliste - Calistine - Calixte.

• **Prénoms étrangers associés** : Callista* - Callisto - Calixta - Calixto - Kalixtus.

Saint Calliste, esclave à Rome au 3e siècle, est un homme intelligent ; son maître l'affranchit et lui confie l'administration de tout ses biens. Hélas, Calliste se montre piètre gestionnaire. Il comparaît alors devant un tribunal qui le condamne à travailler dans les mines. Libéré, il revient à Rome, étudie la théologie et secourt les miséreux. Il est nommé diacre, puis pape à la mort de Zéphirin ; son indulgence, son extrême bonté sont reconnues de tous. Il meurt assassiné par un païen fanatique en 222.

Camille

Fête le 14 juillet.
Prénom mixte d'origine latine.

• **Étymologie** : vient de *Camillus*, nom donné aux garçons et aux filles qui, à Rome, assistaient les prêtres pendant les sacrifices aux dieux païens.

• **Symbolique** : 1 - jaune - Lion - topaze.

• **Caractère** : énergique, responsable, travailleur(se), sociable, Camille apprécie d'être aimé(e), respecté(e), admiré(e). Il (elle) tient cependant à préserver son indépendance et une certaine intimité, car il (elle) aime la méditation.

Prénom à l'honneur au 19e siècle, et depuis 1980.

• **Prénoms français associés** : Camel - Camelle - Camiho (provençal).

• **Prénoms étrangers associés** : Camila - Camilo - Camill - Camilla - Camillo - Cammie - Kamil - Kamilka - Kamillus - Millie.

Saint Camille de Leilis vit à Rome au 16e siècle dans une famille aisée ; après une jeunesse dissipée, il part combattre les Turcs aux côtés de son père, revient blessé, guérit, retourne guerroyer, revient, s'adonne au jeu, et, totalement démuni, entre comme homme de peine chez les capucins ; repenti, il devient novice, mais les frères refusent qu'il prononce ses vœux perpétuels. Il s'engage alors comme infirmier dans un hôpital. La négligence du personnel le révolte : il fonde l'Institut des clercs réguliers ministres des infirmes, érigé en ordre religieux en 1591. Il meurt en 1614.

Personnages célèbres : le révolutionnaire Camille Desmoulins, le pianiste Camille Saint-Saëns, le peintre Camille Pissarro.

Caradec

Fête le 17 mai.
Prénom d'origine celte.

• **Étymologie** : vient de *kar* : ami.

• **Symbolique** : 8 - Sagittaire - bleu - saphir.

• **Caractère** : expressif, ouvert, sensible, Caradec est un homme de contact. Il a le sens de l'amitié, cultive ses relations avec adresse et séduit facilement par son charme et ses talents d'orateur. Attaché aux biens matériels, il se donne les moyens de les satisfaire, mais il est l'ennemi de la difficulté.

Prénom rare.

• **Autre orthographe** : Karadec.

• **Prénoms associés** : Caradoc - Carante - Karadeg.

Saint Karadeg, disciple de saint Patrick, évangélise la Bretagne à la fin du 5e siècle.

Casimir

Fête le 4 mars.
Prénom d'origine slave.

• **Étymologie** : vient de *kas* : assemblée et *mir* : paix.

• **Symbolique** : 9 - bleu - Lion - saphir.

• **Caractère** : entreprenant et énergique, Casimir va de l'avant ; il ne se laisse pas décourager par les difficultés et ne craint pas les luttes, bien qu'il soit très sensible. Il a une âme de meneur, et ambitionne toujours la première place.

Prénom à l'honneur au 19e siècle et au début du 20e.

• **Prénoms étrangers associés** : Casemir - Casimer - Casimier - Casimiro - Cass - Casie - Casper - Cassy - Kasimir - Kasimier.

Saint Casimir est le prince héritier de Pologne, mais il dédaigne les richesses et les honneurs. Il refuse le trône de Hongrie, et la gentille fiancée qu'on lui désigne. Il meurt prématurément à 26 ans, en 1484.

Personnage célèbre : l'homme politique Casimir Périer.

Cédric

Fête le 7 janvier.
Prénom d'origine celte.

• **Étymologie** : vient de *cader* : chaise et *rik* : roi.

• **Symbolique** : 6 - bleu - Sagittaire - saphir.

• **Caractère** : courtois et charmant, Cédric aime séduire. Mais il n'apprécie guère les contraintes, et préserve sa liberté coûte que coûte. Exigeant, il déteste la médiocrité et demande beaucoup à ses amis comme à ses partenaires professionnels.

Prénom à l'honneur de 1960 à 1980.

• **Prénoms étrangers associés** : Cedar - Cedde.

Saint Cédric est moine en Angleterre au 7e siècle lorsqu'il part évangéliser les Saxons. Le succès que remporte ses prédications, le nombre important de conversions qu'il suscite lui valent d'être nommé évêque. Il fonde plusieurs monastères, et soigne les malades lors de l'épidémie de peste qui ravage le pays. Il en meurt en 664.

Céleste

Fête le 14 octobre.

Prénom mixte d'origine latine.

• **Étymologie** : vient de *caelestis* : céleste.

• **Symbolique** : 6 - jaune - Taureau - topaze.

• **Caractère** : doux et paisible, Céleste est fait(e) pour une vie harmonieuse empreinte de sérénité ; aussi vit-il (elle) un peu en retrait de la société, bien qu'il (elle) ait un sens aigu de ses responsabilités. Le milieu des affaires l'effraie, les activités à caractère social le séduisent davantage.

Prénom rare.

• **Prénoms français associés** : Célestin* - Célestine*.

• **Prénoms étrangers associés** : Célesta - Célestina - Celtina.

Saint Céleste est évêque de Metz au 4e siècle ; on sait seulement que sa vie fut un modèle de piété et de bonté.

Célestin

Fête le 6 avril.

Prénom d'origine latine, dérivé de Céleste.

• **Étymologie** : vient de *caelestis* : céleste.

• **Symbolique** : 6 - jaune - Cancer - topaze.

• **Caractère** : charmant compagnon, ami discret, Célestin est bon conseiller. Valorisé par les responsabilités, il aime se rendre utile, mais n'apprécie pas les rôles subalternes ; son goût du commandement le pousse parfois à l'autoritarisme.

Prénom peu répandu au 19e siècle, rare aujourd'hui.

Saint Célestin est élu pape en 422 ; il combat énergiquement le paganisme, réorganise l'Église. Après lui, quatre autres papes prendront le nom de Célestin, entre 1143 et 1296.

Césaire

Fête le 15 avril.

Prénom d'origine latine,

forme provençale de César*.

- **Étymologie** : vient de *cesare* : couper.
- **Symbolique** : 2 - Balance - jaune - topaze.
- **Caractère** : calme, sérieux, Césaire a une grande puissance de travail qui sert ses ambitions. Sa détermination lui permet de venir à bout des difficultés. Attentif et affectueux, il a le sens de la famille.

Prénom rare.

Saint César* est le protecteur de Césaire.

César

Fête le 15 avril.
Prénom d'origine latine.

- **Étymologie** : vient de *cesare* : couper.
- **Symbolique** : 1 - vert - Balance - émeraude.
- **Caractère** : calme et réservé en apparence, César a une forte personnalité, et un ascendant certain sur les autres qu'il intimide par son autorité naturelle. Sa grande puissance de travail, son don de l'organisation et du commandement servent ses ambitions.

Prénom rare.

- **Prénoms français associés** : Césaire* et Césari (provencaux) - Césarin - Césarine.
- **Prénoms étrangers associés** : Caesar - Césare - Césari - Césarina - Césario - Césarius - Kesari.

Saint César mène à Cavaillon, au 16e siècle, la vie agréable des jeunes gens bien nés. Il fréquente pendant quelques mois, à Paris, la cour de Charles IX. À son retour chez lui, il décide d'entrer en religion. Il est ordonné prêtre en 1582 et se consacre à l'évangélisation des adolescents. Il perd la vue et se retire dans un couvent en Avignon, où il meurt à 73 ans.

Personnages célèbres : le politicien César Borgia, le sculpteur César Baldaccini.

Charles

Fête le 4 novembre.
Prénom d'origine germanique.

- **Étymologie** : vient de *karl* : viril.
- **Symbolique** : 3 - rouge - Balance - rubis.
- **Caractère** : autonome, responsable et communicatif, Charles fait preuve d'une grande richesse intellectuelle ; il est passionné de connaissances, montre un talent certain pour les jeux de l'esprit et s'impose facilement aux postes de commandement.

Prénom intemporel, en faveur depuis le Moyen Âge.

- **Prénoms français associés** : Carel -

Charbel - Charlet - Charlez et Charleza (bretons) - Charlie - Charline - Charlot - Charlotte* - Charloun (provençal) - Charly - Karel - Karelle - Karen.

• **Prénoms étrangers associés** : Carl - Carlo - Carloman - Carlos - Carlyle - Carol - Charel - Charley - Chick - Chuck - Jarl - Karl - Karol - Siarl.

Saint Charles Borromée est un jeune homme précoce : docteur en droit à seize ans, cardinal à vingt-deux, administrateur du diocèse de Milan à vingt-trois... Sa situation lui permet de briguer pouvoir, honneurs, richesses, et il en use largement. Mais lorsqu'il est sacré archevêque de Milan en 1564, il renonce alors aux biens matériels, se dévoue au service des humbles et des malades, participe au concile de Trente et met en place une nouvelle règle de discipline écclésiastique. Il meurt à Milan en 1584.

Personnages célèbres : l'empereur Charlemagne, Charles de Gaulle, Charles Spencer, dit Charlie Chaplin, Karol Wojtyla, devenu pape sous le nom de Jean-Paul II.

Christian

Fête le 12 novembre.
Prénom d'origine grecque.

• **Étymologie** : vient de *kristos* : messie.

• **Symbolique** : 2 - vert - Scorpion - émeraude.

• **Caractère** : actif, indépendant, Christian arbore une confiance en lui qui désarme ou rassure ; mais il traverse parfois des périodes de doute qui le rendent vulnérable. Il supporte difficilement les échecs et les contradictions.

Prénom classique à l'honneur de 1940 à 1960.

• **Prénoms français associés** : Chrétien - Chrestien - Christien - Christel* - Christiane - Christine* - Kristen (breton).

• **Prénoms étrangers associés** : Carsten - Chris - Christen - Christiano - Karsten - Kerst - Kerstin - Kristen - Kristiaan.

Saint Christian est cuisinier dans un monastère en Pologne au 11e siècle ; il est massacré, une nuit, avec quatre compagnons.

Personnages célèbres : le poète médiéval Chrétien de Troyes, le chirurgien Christian Barnard.

Christophe

Fête le 25 juillet.
Prénom d'origine grecque.

• **Étymologie** : vient de *kristophoros* : qui porte le Christ.

• **Symbolique** : 4 - bleu - Poissons - saphir.

• **Caractère** : calme pour ne pas dire flegmatique, Christophe cache derrière sa réserve une grande émotivité et une intuition aiguë. Son humour lui permet de faire face aux situations difficiles.

Prénom classique, à la mode de 1960 à 1980.

• **Prénom français associé** : Cristou (provençal).

• **Prénoms étrangers associés** : Chris - Christof - Christopher - Cristobal - Cristof - Cristoforo - Kester - Kristof - Kristofer - Kristofor - Kristoforo.

Saint Christophe est un géant qui a pour nom Reprobus, c'est-à-dire "le Maudit", au 3e siècle, en Asie Mineure. Sa moralité, on s'en doute, laisse à désirer, et chassé par ses employeurs, il devient, sur le conseil d'un vieil ermite, passeur de rivières. Un jour, il prend sur ses épaules un jeune enfant dont le poids manque de le faire trébucher. Il s'en étonne, regarde le visage de son passager, et reconnait l'Enfant Jésus. Après cette apparition, il se fait baptiser, et continue son office... tout en essayant de convertir tous ceux qu'il convoie. Il y réussit si bien qu'il est arrêté et condamné à mort.

Personnage célèbre : le navigateur Christophe Colomb.

Clarence

Fête le 26 avril.
Prénom d'origine latine.

• **Étymologie** : vient de *clar* : clair.

• **Symbolique** : 7 - bleu - Bélier - saphir.

• **Caractère** : sociable, spirituel, aimable, Clarence est séduisant, mais il garde toujours une certaine réserve face à l'inconnu. Il aime le monde, les voyages, les contacts, car il est vif, intelligent et curieux, mais apprécie de longs moments de solitude pour prendre du recul.

Prénom en vogue depuis 1990.

• **Prénoms français associés** : Clair - Claire*.

Saint Clarence fut évêque de Vienne au 7e siècle et se distingua par une vie d'une extrême piété.

Claude

Fête le 15 février.
Prénom mixte d'origine latine.

• **Étymologie** : vient de *Claudius*, patronyme d'une famille romaine illustre.

• **Symbolique** : 1 - orange - Gémeaux - topaze.

• **Caractère** : généreux, sociable, Claude aime plaire ; il y parvient aisément car il est élégant, vif, sympathique et doté de grandes facilités d'expression. Bien qu'il soit souvent autoritaire, il sait faire preuve de tact et de douceur.

Prénom très répandu de 1920 à 1950.

• **Prénoms français associés** : Claudette - Claudian - Claudic (breton) - Claudie* - Claudien - Claudin - Claudine* - Klaoda (breton).

• **Prénoms étrangers associés** : Claudia - Claudio - Claudios - Claudius - Claudy.

Saint Claude La Colombière, natif du Dauphiné, est précepteur des enfants de Colbert, mais la vie mondaine ne l'intéresse pas ; il entre chez les jésuites et prend la direction d'un collège, puis il est envoyé auprès de la duchesse d'York. Mais atteint de tuberculose, il revient en France pour mourir en 1682.

Personnages célèbres : l'empereur romain Claudius, la reine Claude de France, épouse de François 1er, le musicien Claude Debussy, le peintre Claude Monet.

Cléante

Fête le 24 juin.
Prénom d'origine française, issu du théâtre de Molière.

• **Symbolique** : 6 - Taureau - bleu - saphir.

• **Caractère** : sensible, généreux, Cléante bâtit sa vie autour de ses sentiments. Il est toujours en quête d'affection et de sécurité. S'il est sociable, il apprécie néammoins la tranquillité. Consciencieux et responsable, il est très perfectionniste et supporte mal la médiocrité.

Prénom rare.

Cléante est le nom porté par plusieurs personnages du théâtre de Molière ; il est l'homme sage, sincère, ardent, qui incarne l'Amoureux-type dans *Tartuffe*, *l'Avare*, *le Malade Imaginaire*.

Saint Jean est le protecteur de Cléante.

Clément

Fête le 23 novembre.
Prénom d'origine latine.

• **Étymologie** : vient de *clemens* : indulgent.

• **Symbolique** : 7 - rouge - Balance - rubis.

• **Caractère** : tendre et émotif, Clément sait être cassant, serein, il peut être autoritaire, sensible, il se laisse parfois emporter. Il ne craint pas les difficultés, qu'il aborde avec beaucoup de sang-froid.

Prénom à l'honneur depuis 1990.

• **Prénoms français associés** : Clémence* - Clémentin - Clémentine*.

• **Prénoms étrangers associés** : Clémens - Clémenta - Clémente - Clémentia - Clémentio - Clémentius - Clemenza - Clemmie - Klemens - Klemka.

Saint Clément est, à la fin du 1er siècle, un homme instruit et cultivé ; il aurait été converti par saint Pierre. Il part sur les routes prêcher la bonne parole, avec tant de succès que l'empereur Trajan l'envoie aux travaux forcés en Crimée : il convertit les prisonniers, les gardes, et on accourt même de tout le pays... pour acheter les pierres qu'il casse ! Trajan ordonne qu'il soit jeté dans la mer Noire lesté d'une ancre de fonte.

Personnages célèbres : l'ingénieur Clément Ader, le poète Clément Marot.

Clotaire

Fête le 7 avril.
Prénom d'origine germanique.

• **Étymologie** : vient de *hlod* : gloire et *hart* : fort.

• **Symbolique** : 2 - bleu - Bélier - saphir.

• **Caractère** : très sensible, Clotaire est très dépendant de son entourage affectif. Un climat paisible le réconforte, tensions et agressivité le déstabilisent. Loyal et fidèle, c'est un ami sûr. Son intuition, sa capacité de réflexion lui permettent de réaliser ses ambitions.

Prénom rare.

• **Autre orthographe** : Clothaire.

• **Prénoms étrangers associés** : Chlotar - Clotario.

Saint Clotaire est le discret abbé d'une abbaye, en Champagne au 8e siècle.

Personnage célèbre : le roi des Francs Clotaire 1er.

Clovis

Fête le 25 août.
Prénom d'origine germanique, forme franque de Louis.

• **Étymologie** : vient de *chlodwig* : glorieux combattant.

• **Symbolique** : 8 - vert - Gémeaux - émeraude.

• **Caractère** : énergique, viril, autoritaire parfois, Clovis avance sans se laisser influencer sur la voie qu'il s'est tracée. Il ne manque ni de sensibilité ni de tendresse, mais, très pudique, il exprime peu des sentiments.

Prénom rare, qui fait quelques apparitions depuis 1990.

Clovis 1er a quinze ans lorqu'il devient roi des Francs en 481. Il est tout jeune, et son royaume bien petit : tout juste trois départements de la France aujourd'hui. Dès 487, il commence la conquête pour agrandir son territoire. Il bat le général romain Syagrius, les Alamans, les Wisigoths. Roi païen et barbare, il connaît bien l'énorme influence de l'Église sur les populations gallo-romaines...Il épouse la chrétienne Clotilde, et accepte le baptême en 498. Conversion sincère ? Peut-être. Mais habile manœuvre politique, sûrement. Clovis s'attache ainsi le clergé et la fidélité de ses sujets. Il réunit un concile à Orléans pour faciliter l'organisation administrative de l'Église franque, mais il meurt cette même année, à trente ans.

Colman

Fête le 24 novembre.
Prénom d'origine celte.

• **Étymologie** : vient de *koulma* : colombe.

• **Symbolique** : 4 - rouge - Scorpion - rubis.

• **Caractère** : tendre mais exigeant, courtois mais impatient, imaginatif mais raisonnable, Colman vit dans une parfaite dualité. Il se révolte à la moindre injustice et ne pardonne ni les mesquineries ni la méchanceté.

Prénom rare, dont la forme féminine Colombe est plus courante.

• **Prénoms francais associés** : Coloman - Colomban* - Colombe* - Koulman (breton).

• **Prénoms étrangers associés** : Colombano - Colombus.

Saint Colman est un barde païen, en Irlande au 6e siècle. Il rencontre saint Brendan qui le convertit et le baptise. Il devient évêque et consacre sa vie à l'évangélisation des campagnes.

Colomban

Fête le 23 novembre.
Prénom d'origine celte,
dérivé de Colman.

• **Étymologie** : vient de *koulma* : colombe.

• **Symbolique** : 2 - bleu - Scorpion - aigue-marine.

• **Caractère** : prudent, réservé, Colomban avance dans la vie sur la pointe des pieds. Très réfléchi, il n'entreprend rien au hasard ; méticuleux, il prend son temps. Mais sa persévérance vient à bout de tous les travaux et de toutes les résistances.

Prénom rare.

Saint Colomban est irlandais ; il naît en 521 dans une famille de la grande noblesse. Il achève ses études dans une école monastique ; il est ordonné prêtre, puis retourne chez lui quelques mois avant de repartir sur les routes pour prêcher et construire des monastères. Mais il est l'instigateur d'une guerre dans laquelle périssent plus de trois mille personnes, et doit s'exiler. Il jure d'amener à Dieu autant d'âmes qu'il en mourût dans ces batailles. Il s'embarque pour l'Écosse et se consacre à son évangélisation ; il retourne dans son Irlande natale pour participer à des synodes ; il y acheva sa vie, passant ses derniers mois à transcrire des livres.

Côme

Fête le 25 septembre.

Prénom d'origine grecque.

• **Étymologie** : vient de *kosmos* : ordre.

• **Symbolique** : 9 - rouge - Lion - rubis.

• **Caractère** : émotif, sociable bien que réservé, Côme est infiniment altruiste. Diplomate, sérieux, il inspire confiance. Sa bonté, sa psychologie en font un merveilleux confident, son sens aigu de la justice un excellent conseiller.

Prénom rare.

• **Prénoms étrangers associés** : Cosima* - Cosimo - Cosmano - Cosimino - Kosma - Kosmas.

Saint Côme est le frère jumeau de saint Damien ; il vit avec son frère en Arabie ; tous deux sont chrétiens et médecins. Ils exercent leur art gratuitement : ils soignent les blessés, les malades, réconfortent les désespérés, enseignent l'Évangile et convertissent grand nombre de patients. Lorsque les persécutions sont ordonnées, ils sont les premiers désignés pour le martyr.

Conrad

Fête le 26 novembre.
Prénom d'origine germanique.

• **Étymologie** : vient de *con* : brave et *rad* : conseil.

• **Symbolique** : 1 - vert - Poissons - émeraude.

• **Caractère** : enjoué, original, dynamique, Conrad recueille tous les suffrages grâce à sa force de persuasion. Il est travailleur, réfléchi et organisé, et se contente rarement de la seconde place.

Prénom rare en France.

• **Prénoms français associés** : Coradin - Kurt (alsacien).

• **Prénoms étrangers associés** : Connie - Conny - Corada - Coradina - Coradino - Corrado - Corradus - Curd - Curt - Keno - Koert - Koertsje - Kohn - Kord - Kerno - Kunz - Radel - Rasch.

Saint Conrad, évêque de Constance au 10e siècle, fit plusieurs pèlerinages à Jérusalem.

Constantin

Fête le 21 mai.
Prénom d'origine latine.

• **Étymologie** : vient de *constantia* : constance.

• **Symbolique** : 3 - rouge - Capricorne - rubis.

• **Caractère** : rapide et opportuniste, Constantin s'adapte facilement à son environnement. Il est sociable et communicatif, privilégie sa vie sociale, mais reste un peu sur la défensive tant qu'il n'est pas en confiance.

Prénom rare.

• **Prénom français associé** : Coustantin (provençal).

• **Prénoms étrangers associés** : Constante - Constans - Contanzo - Costantina - Costantino - Costin - Konstantin - Kostaki - Kostas - Kostia - Tino - Sta - Stans.

Saint Constantin 1er le Grand est proclamé empereur de Rome en 306. Bien qu'il soit païen, il entretient d'excellentes relations avec l'Église et, par l'édit de Milan, en 313 garantit aux chrétiens la liberté de culte ; modèle de tolérance, il favorise l'implantation de la réligion orthodoxe, mais se refuse à persécuter les hérétiques. Pour mieux surveiller la frontière de l'empire avec les Perses, il fonde Constan-tinople. Il se fait baptiser en 337, quelques mois avant sa mort.

Corentin

Fête le 12 décembre.
Prénom d'origine celte.

• **Étymologie** : vient de *kar* : ami.

• **Symbolique** : 8 - bleu - Gémeaux - saphir.

• **Caractère** : énergique, actif et combatif, Corentin s'affirme dès son jeune âge. Exigeant, il cède à la colère s'il est trompé ou déçu. Mais il a un grand besoin de tendresse et sait faire preuve d'une déconcertante gentillesse avec ceux qui se montrent dignes de son affection.

Prénom breton à l'honneur depuis 1980.

• **Prénoms français associés** : Corentine - Kaourentin (breton).

• **Prénoms étrangers associés** : Corentina - Corentino - Curi - Kaoun - Tin.

Saint Corentin est ermite en Bretagne à la fin du 5e siècle. De nombreux pèlerins viennent le voir. Il fonde avec eux un monastère, en Cornouailles, puis est nommé évêque de Quimper. Il est l'un des sept saints fondateurs de la Bretagne, avec Brieuc, Malo, Patern, Pol, Samson et Tugdual.

Crépin

Fête le 25 octobre.
Prénom d'origine latine.

• **Étymologie** : vient de *crépinus* : crêpu.

• **Symbolique** : 2 - bleu - Bélier - saphir.

• **Caractère** : amical, sociable, décontracté, Crépin est un ami charmant qui n'aime guère se compliquer la vie. Il a besoin de franches motivations pour se mobiliser, et compense une activité modeste par un charme irrésistible.

Prénom rare.

• **Prénoms français associés** : Crépine - Crépinette - Crépinien - Crespin - Crispian - Crispin - Crispine.

• **Prénoms étrangers associés** : Crispina - Crispino - Crispinus.

Saint Crépin quitte sa Rome natale avec son frère Crépinien pour s'établir en Gaule. Ils s'installent à Soissons, où ils fabriquent et réparent des chaussures, prêchant l'Évangile à tous leurs clients. Ils sont persuasifs, et les conversions sont nombreuses. Si nombreuses, que lorsque l'empereur Maximien vient en Gaule, ils sont dénoncés, martyrisés et décapités.

Cyprien

Fête le 16 septembre.
Prénom d'origine latine.

• **Étymologie** : vient de *cyprius* : originaire de Chypre.

• **Symbolique** : 9 - rouge - Bélier - rubis.

• **Caractère** : pacifique et sensible, Cyprien recherche la sécurité affective. Il a un goût prononcé pour les arts et s'épanouit dans la créativité, il fuit la routine. Communicatif, il n'apprécie guère la solitude.

Prénom en vogue depuis 1980.

• **Prénoms français associés** : Cyprian (occitan) - Cypriane - Cyprienne - Cyprille.

• **Prénoms étrangers associés** : Cipriana - Cipriano - Ciprianus - Cypria - Cypriana - Cypriano - Cyprianus - Cyprios - Cypris - Cyprius - Zyprian.

Saint Cyprien, orateur et professeur de réthorique, mène à Carthage au 3e siècle, une brillante vie publique. C'est à quarante ans qu'il se convertit au christianisme. Il étudie les Saintes Écritures, et se fait ordonner prêtre ; peu après, il est nommé évêque de Carthage. L'empereur Dèce inaugure son règne par une vague de persécutions ; Cyprien, menacé, se cache ; il est proscrit, ses biens sont confisqués. Il réapparaît lorsque le calme revient à Carthage, pour défendre les chrétiens qui, sous la torture, ont accepté d'abjurer. Sa clémence et sa générosité sont réputées en Occident et dans l'Afrique du Nord tout entière. Il soigne les malades, assiste les mourants pendant l'épidémie de peste qui ravage Carthage. Et après ce fléau, les persécutions reprennent ; exilé, puis rappelé pour être jugé, Cyprien est décapité en 258.

Cyr

Fête le 16 juin.
Prénom d'origine grecque.

• **Étymologie** : vient de *kurios* : maître.

• **Symbolique** : 1 - rouge - Scorpion - rubis.

• **Caractère** : franc et indépendant, Cyr affiche une certaine réserve qui lui permet de réfléchir, de juger. Prudent, il ne se livre jamais tout à fait, et garde une aura de mystère. Homme d'action, cependant, il investit sa forte puissance de travail au service de ses ambitions.

Prénom rare.

• **Prénoms français associés** : Cirgues - Cyran* - Cyrène - Cyriac - Cyrian - Cyriaque - Cyriel - Cyrielle* - Cyrien - Cyril* - Siran - Sirane - Siriane*.

• **Prénoms étrangers associés** : Cyrana - Cyrano - Cyriaco - Cyrena - Cyriana - Cyrus - Kuriakos - Kyril - Sirana.

Saint Cyr est un enfant de trois ans, arrêté avec sa mère, sainte Juliette, en Asie Mineure au début du 4e siècle. Pendant le procès, il vient narguer le juge et lui annonce qu'il est chrétien lui aussi. Le magistrat attrape l'enfant, et lui fracasse la tête contre un pilier.

Cyran

Fête le 16 juin.
Prénom d'origine grecque, dérivé de Cyr.

• **Étymologie** : vient de *kurios* : maître.

• **Symbolique** : 7 - Capricorne - rouge - rubis.

• **Caractère** : franc, indépendant, Cyran est de prime abord distant. Cette réserve lui permet de prendre du recul. Prudent, il ne se livre jamais tout à fait et protège ses mystères. Actif et très travailleur, il a des ambitions élevées.

Saint Cyr* est le protecteur de Cyran.

Cyril

Fête le 12 février.
Prénom d'origine grecque, dérivé de Cyr.

- **Étymologie** : vient de *kurios* : maître.
- **Symbolique** : 3 - rouge - Verseau - rubis.
- **Caractère** : observateur, curieux, Cyril aime la lecture et l'étude. Prudent en amour comme en amitié, sentimental pudique, il est un homme fidèle qui recherche avant tout la stabilité. Sa patience et sa détermination lui garantissent bien des succès.

Prénom en faveur de 1960 à 1980.

- **Autre orthographe** : Cyrille.

Saint Cyril naît à Thessalonique en 823, dans une riche famille. Il fait ses études avec le prince Michel à Constantinople, se fait ordonner diacre, et enseigne la philosophie avant de rejoindre son frère Méthode, moine sur le mont Olympe. Michel devenu empereur l'envoie en mission avec son frère en Moravie, et lui demande de transcrire en slavon la Bible et les Saintes Écritures. Cyril crée l'alphabet "cyrillique", inspiré des caractères grecs, encore en usage aujourd'hui dans les pays slaves. Il meurt à Rome en 869.

D

(garçons)

Dalmace

Fête le 13 novembre.
Prénom d'origine latine.

• **Étymologie** : vient de *Dalmatius* : originaire de Dalmatie.

• **Symbolique** : 3 - bleu - Cancer - saphir.

• **Caractère** : inquiet, Dalmace est angoissé par la moindre tension ; il se protège des blessures affectives en affichant une certaine froideur. Ce n'est pas de l'indifférence, bien au contraire, mais une hypersensibilité que Dalmace préfère cacher.

Prénom rare.

• **Prénoms associés** : Damace - Damas - Damase - Delmas.

Saint Dalmace est évêque de Rodez, sa ville natale, au 6e siècle. La légende raconte qu'il délivre les possédés du démon et qu'il obtient la libération des prisonniers par ses simples prières.

Damien

Fête le 25 septembre.
Prénom d'origine grecque.

• **Étymologie** : vient de *Damia*, nom de la déesse de la fertilité.

• **Symbolique** : 1 - rouge - Cancer - rubis.

• **Caractère** : sérieux et stable, Damien est le calme et la douceur mêmes ; réfléchi et très travailleur, il gère, organise, dirige, développe projets et entreprises. Seules la mesquinerie et la médiocrité peuvent déclencher sa colère.

Prénom courant dans l'Antiquité, à l'honneur depuis 1970.

• **Prénoms français associés** : Damian (occitan) - Damiane - Damienne - Damiette.

• **Prénoms étrangers associés** : Damia - Damiana - Damiano - Damy.

Saint Damien, frère jumeau de Côme, est médecin comme lui, en Arabie, au 3e siècle. Comme lui, il soigne gratuitement tous ceux qui font appel à lui, comme lui, il prêche l'Évangile, et convertit un grand nombre de païens. Il est arrêté, condamné au supplice, et décapité avec son frère. La légende lui prête de nombreux miracles, comme la greffe de la jambe d'un Noir sur un patient blanc...

Daniel

Fête le 11 décembre.
Prénom d'origine hébraïque.

• **Étymologie** : vient de *dân* : juge et *El* : Dieu.

• **Symbolique** : 9 - jaune - Cancer - topaze.

• **Caractère** : fin psychologue, tolérant et communicatif, Daniel est un homme séduisant. Son intelligence vive, son charme et son tact lui permettent de faire face à toutes les situations, même les plus périlleuses. Exigeant en amour comme en amitié, il sait cependant être tendre.

Prénom à l'honneur de 1930 à 1950.

- **Prénoms français associés** : Dan - Danel - Dani - Danié (provençal) - Danièle - Daniélou - Daniset (provençal) - Dany - Deniel et Deniol (bretons).
- **Prénoms étrangers associés** : Daniele - Danilo - Danjel - Dännel - Niel - Niels*.

Saint Daniel vit à Constantinople au 5e siècle ; très pieux dès la petite enfance, il entre au couvent à l'âge de douze ans. Lors d'une sortie avec son abbé, il passe devant la retraite de saint Siméon, le stylite, et il est fasciné par la foule qui écoute le saint, sollicite des audiences, demande prières et bénédictions. Daniel passe les trente-trois dernières années de sa vie sur cette même colonne, au bord du Bosphore, prêchant l'amour du prochain, recevant même des empereurs sur son étroite plate-forme. Il meurt à son poste à quatre-vingt-quatre ans, en 493.

Saint Daniel Brottier, missionnaire au Sénégal puis aumonier militaire pendant la Première Guerre mondiale prit la direction de l'œuvre des Orphelins-Apprentis d'Auteuil. Il mourut en 1936.

Personnage célèbre : l'écrivain anglais Daniel Defoe.

David

Fête le 29 décembre ou 1er mars.
Prénom d'origine hébraïque.

- **Étymologie** : vient de *dôdi* : bien aimé.
- **Symbolique** : 4 - bleu - Bélier - saphir.
- **Caractère** : décidé, orgueilleux, mais sociable et charmant, David a une très forte personnalité ; il sait très bien ce qu'il veut et use et abuse de son charisme pour rallier son entourage à sa cause. Indépendant, il n'apprécie guère les contraintes.

Prénom en vogue de 1950 à 1980.

- **Prénoms français associés** : Davi et Davioun (provençaux) - Dewi (breton).
- **Prénoms étrangers associés** : Daoud - Dave - Davia - Daviane - Davie - Davina - Davinia - Daviot - Davit - Davy - Daw - Dawit - Divi - Divy - Taffy - Vida - Vidli.

David, fils de Jesse, naît à Bethléem ; tout jeune, il vainc le géant Goliath en l'assommant avec sa fronde. Sacré roi de Juda et d'Israël en 1010 avant J.-C., il succède à Saul le mélancolique dont, d'après la légende, il apaisait la dépression en jouant de la harpe... Grand adorateur de Yahvé, il compose les plus belles prières de la Bible. Il fait de Jérusalem sa capitale, et remporte de nombreuses victoires sur les envahisseurs.

Saint David est moine au pays de Galles, au 6e siècle. Il voyage à travers le pays, créant abbayes et monastères, puis s'établit à Mynwyn, où il fonde une abbaye dont la règle est d'une extrême sévérité.

Personnages célèbres : l'homme politique israélien David ben Gourion, les chanteurs David Bowie et David Hallyday.

Denis

Fête le 9 octobre.
Prénom d'origine grecque.

• **Étymologie** : vient de *Dionysos*, dieu de la vigne et du vin.

• **Symbolique** : 6 - orange - Bélier - topaze.

• **Caractère** : courtois, aimable, mais réservé, Denis est un homme agréable. Il est très actif, indépendant, et déteste la médiocrité ; il se montre souvent directif, voire autoritaire avec son entourage et supporte très mal les contraintes.

Prénom en vogue de 1930 à 1960.

• **Prénoms français associés** : Denez (breton) - Denise* - Denys - Nise - Niset.

• **Prénoms étrangers associés** : Denice - Deniso - Denissio - Denisso - Dennis - Deoniso - Diniz - Dino - Dinu - Dioniso - Dionys - Dionysiou - Dionysius - Dionyso - Dionysus - Donisi - Dwigh - Dyonisos - Nisi - Sidney.

Saint Denis est né en Italie. Ordonné prêtre puis évêque, il part comme missionnaire, en 250, pour évangéliser la Gaule païenne. Ses sermons font merveille et les conversions se multiplient. Il devient le premier évêque de Paris. L'empereur Domitien le fait arrêter et décapiter en 258. La légende raconte que le bon saint, après avoir été décapité, se releva, prit sa tête dans ses mains, et marcha jusqu'à l'emplacement actuel de la basilique Saint-Denis, escorté d'anges…

Personnages célèbres : le physicien Denis Papin, le philosophe Denis Diderot, le musicien américain Sidney Bechet, l'acteur américain Sidney Poitiers.

Déodat

Fête le 19 juin.
Prénom d'origine latine.

• **Étymologie** : vient de *Deus dedit* : Dieu donne.

• **Symbolique** : 4 - vert - Lion - émeraude.

• **Caractère** : sensible mais autoritaire, sympathique mais dominateur, Déodat est un homme de contact, mais il supporte mal les seconds rôles. Travailleur acharné, il est opiniâtre et va jusqu'au bout de ses projets.

Prénom rare.

• **Prénoms francais associés** : Adéodat - Déodate - Dié - Dieudonné - Dodat.

• **Prénoms étrangers associés** : Adéodata - Adéodato - Déodata - Déodato.

Saint Déodat est moine, puis évêque de Nevers au 7e siècle. Les honneurs de sa charge lui pèsent : il quitte son évêché pour vivre dans une grotte dans les Vosges ; les pèlerins affluent, et à leur demande, il fonde, en 669, un monastère, dans ce lieu qui aujourd'hui se nomme Saint-Dié. La légende raconte qu'il obtenait, par ses prières, la dissipation des brouillards…

Personnage célèbre : le compositeur Déodat de Séverac.

Désiré

Fête le 8 mai.
Prénom d'origine latine.

- **Étymologie** : vient de *desirare* : désirer.
- **Symbolique** : 6 - violet - Vierge - améthyste.
- **Caractère** : charmant, attentif, Désiré a le culte de la famille et de l'amitié. Il a le sens des responsabilités, et excelle dans les rôles de conseiller et de mentor. L'aventure l'exalte, les changements l'amusent, et il sait se mettre très vite au diapason.

Prénom à l'honneur au 19e siècle.

- **Prénoms français associés** : Désirat (provençal) - Désirée*.
- **Prénoms étrangers associés** : Dees - Desideratus - Desidaria - Desideria - Desiderio - Desiderius.

Saint Désiré est évêque de Bourges et gardien du sceau royal sous Clotaire et Childebert. Fin diplomate, il intervient parfois à la demande des souverains dans les négociations délicates. Il meurt en 550 dans son évêché.

Didier

Fête le 23 mai.
Prénom d'origine latine.

- **Étymologie** : vient de *desirare* : désirer.
- **Symbolique** : 4 - jaune - Scorpion - topaze.
- **Caractère** : prudent, Didier semble toujours réservé ; il cache derrière cette apparente froideur une grande inquiétude. À la recherche de stabilité, il ne craint pas une certaine routine, pourvu qu'elle lui assure la sécurité.

Prénom à la mode de 1940 à 1960.

- **Prénoms français associés** : Dider (breton) - Didiane - Dieter (alsacien).
- **Prénoms étrangers associés** : Dédié - Déider - Didia - Didiana - Dizier - Dizzi.

Saint Didier est évêque de Vienne en 595. Il remplit ses fonctions à merveille, mais n'hésite pas à reprocher à Brunehaut ses mœurs légères et son manque de scrupules. La reine n'apprécie guère ces remarques, et le fait exiler. Inquiète pour son propre sort, elle le rappelle ensuite, mais Didier renouvelle ses remontrances. Il est enlevé pendant qu'il célèbre la messe, roué de coups et assassiné en 607.

Personnages célèbres : les écrivains Didier van Cauwelaert et Didier Decoin.

Dimitri

Fête le 26 octobre.
Prénom slave d'origine latine, dérivé de Démétrie.

• **Étymologie** : vient de *Demeter*, déesse romaine de la terre et des moissons.

• **Symbolique** : 1 - vert - Verseau - émeraude.

• **Caractère** : raffiné, sociable et généreux, Dimitri s'attire bien des amitiés. Très sensible, il attache une réelle importance à son environnement affectif, mais il est exigeant, et accepte mal les déceptions.

Prénom en vogue de 1970 à 1990.

• **Prénoms français associés** : Démétrie - Démétrien - Démétrienne.

• **Prénoms étrangers associés** : Démétrio - Démétrios - Démétrius - Dimitar.

Saint Dimitri est un prêtre yougoslave venu s'établir en Gaule ; il devint le premier évêque de Gap au 5e siècle.

Dominique

Fête le 8 août.
Prénom mixte d'origine latine.

• **Étymologie** : vient de *dominicus* : maître.

• **Symbolique** : 8 - jaune - Capricorne - topaze.

• **Caractère** : charmants, entreprenants, les Dominique, hommes et femmes, sont sociables. Combatifs face aux difficultés, opiniâtres dans l'effort, ils ont le sens des affaires et réussissent bien leur vie, en dépit d'un refus des critiques, des ordres, et des contraintes.

Prénom à l'honneur de 1940 à 1960.

• **Prénoms français associés** : Domineuc (breton) - Doumenique (provençal).

• **Prénoms étrangers associés** : Doma - Domenc - Domenica - Domenico - Domenikos - Domien - Domingo - Domingos - Domini - Dominik - Dominika - Dominikus - Domnika - Doumé - Dounia - Nika - Nikoucha - Mingo - Minkes - Minna - Minnie.

Saint Dominique de Guzman, prêtre espagnol, est envoyé en France par le pape, en 1206, pour combattre l'hérésie cathare. Il prêche la pauvreté, le jeûne, et fonde l'ordre dominicain, dont il rédige la règle de vie.

Domitien

Fête le 10 mars.
Prénom d'origine latine.

• **Étymologie** : vient de *domus* : maison.

• **Symbolique** : 8 - violet - Balance - améthyste.

• **Caractère** : solide, viril, Domitien a une présence sécurisante. Il est charmeur, mais possède une droiture inébranlable, et une force de travail qui l'exposent parfois à l'intolérance. Ami fiable et attentif, il est exigeant et supporte mal les déceptions affectives.

Prénom rare.

• **Prénoms français associés** : Domitian (occitan) - Domitianne - Domitienne - Domitille*.

• **Prénoms étrangers associés** : Domitié - Domitia - Domitiana - Domitio - Domitius - Domizio - Domizius - Tilla - Tille.

Saint Domitien est soldat romain au 4e siècle ; chrétien, il est sommé de renier sa foi ; refusant, il est noyé avec 39 compagnons.

Personnage célèbre : l'empereur romain Domitien.

Donatien

Fête le 24 mai.
Prénom d'origine latine.

• **Étymologie** : vient de *donatio* : donation.

• **Symbolique** : 1 - jaune - Scorpion - topaze.

• **Caractère** : calme mais énergique, Donatien est un homme d'action réfléchi. Intellectuel, il aime l'étude qui satisfait sa grande curiosité. Persuasif, il sait rallier son entourage à ses idées, mais préserve toujours son indépendance.

Prénom rare.

• **Prénoms français associés** : Donasian (breton) - Donatian (occitan) - Donatianne - Donatienne - Donatille.

Saint Donatien est un jeune chrétien qui vit à Nantes au 3e siècle avec son petit frère Rogatien. Tous deux sont arrêtés par les troupes de l'empereur Maximin qui leur ordonnent de se prosterner devant les dieux païens. Ils refusent : ils sont emprisonnés et décapités.

Personnage célèbre : Donatien, marquis de Sade, écrivain du 18e siècle.

Dorian

Fête le 9 novembre.

Prénom d'origine grecque,

dérivé de Théodore.

• **Étymologie** : vient de *theodoros* : don de Dieu.

• **Symbolique** : 4 - vert - Poissons - émeraude.

• **Caractère** : émotif, sensible, Dorian s'inquiète facilement et préfère la solitude, l'étude et la réflexion à la vie mondaine. Il n'accorde pas facilement sa confiance et, prudent, cherche la sécurité dans des amitiés qu'il a éprouvées.

Prénom rare.

Saint Théodore* est le patron de Dorian.

Dylan

Fête le 24 juin.
Prénom d'origine galloise.

• **Étymologie** : vient de *dylan* : mer.

• **Symbolique** : 2 - vert - Cancer - émeraude.

• **Caractère** : travailleur, discipliné, persévérant et méthodique, Dylan a toutes les qualités d'un bon élève. Coopératif et conciliant, il apprécie particulièrement le travail en association et se révèle un partenaire fiable et consciencieux.

Prénom à l'honneur depuis 1990.

Dylan peut être fêté avec Jean.

E

(garçons)

Édern

Fête le 26 août.
Prénom d'origine galloise.

• **Étymologie** : vient de *edyrn* : grand.

• **Symbolique** : 1 - vert - Sagittaire - émeraude.

• **Caractère** : très viril et autoritaire, Édern est un tendre qui craint de se laisser émouvoir ; il est parfois, en dépit de l'apparente domination qu'il cherche à exercer sur son entourage, désarmant de tendresse. Orgueilleux, il ne se contente pas des seconds rôles.

Prénom rare, le plus souvent composé avec Jean.

• **Prénoms français associés** : Ederna - Edernez et Édernig (bretons).

Saint Édern est un moine irlandais du 9e siècle ; il quitte son pays natal pour s'établir en Bretagne où il fonde un ermitage.

Personnage célèbre : l'écrivain Jean-Édern Hallier.

Edgar

Fête le 8 juillet.
Prénom d'origine germanique.

• **Étymologie** : vient de *ed* : richesse et *gari* : lance.

• **Symbolique** : 8 - jaune - Scorpion - topaze.

• **Caractère** : méfiant, inquiet parfois, Edgar ne craint cependant pas les difficultés et se révèle combatif et déterminé quand nécessaire. Son réalisme, son opportunisme alliés à une grande énergie lui permettent de réussir ce qu'il entreprend.

Prénom à l'honneur au 19e siècle.

• **Prénoms français associés** : Edgard.

• **Prénoms étrangers associés** : Edgardo - Edger - Ogier* - Otgar - Otger - Otker.

Saint Edgar, dit le Pacifique, est roi des Anglo-Saxons à la fin du 10e siècle. Juste et magnanime, il protège l'Église, promulgue des lois banissant le paganisme, renforce le pouvoir de la monarchie, et rétablit la paix entre les Danois et les Saxons.

Personnages célèbres : l'historien Edgar Quinet, l'écrivain américain Edgar Poe, le peintre Edgar Degas.

Edmond

Fête le 20 novembre.
Prénom d'origine germanique.

• **Étymologie** : vient de *ed* : richesse et *mund* : protection.

• **Symbolique** : 1 - violet - Vierge - améthyste.

• **Caractère** : un peu rude en apparence, Edmond est en réalité un sentimental qui craint de se laisser influencer par sa sensibilité. Viril, combatif, il déborde d'activité. Bien qu'indépendant, il apprécie la vie sociale et le travail d'équipe.

Prénom assez répandu au début du 20e siècle.

• **Prénoms français associés** : Edme - Edmée* - Edmonde - Edmondine - Eimound (provençal).

• **Prénoms étrangers associés** : Adméo - Eamon - Edma - Edméa - Edméo - Edmonda - Edmondo - Edmund - Edmundo - Eimond - Desmond - Otmund.

Saint Edmond devient à quatorze ans roi des Saxons ; son royaume est menacé de toutes parts par les invasions des vikings. En 870, des hordes s'abattent sur le pays, pillent et brûlent tout sur leur passage. Edmond est capturé et décapité.

Personnages célèbres : Edme Mac Mahon, maréchal de France, l'astronome anglais Edmond Halley, l'écrivain Edmond Rostand.

Édouard

Fête le 5 janvier.
Prénom d'origine germanique.

• **Étymologie** : vient de *ed* : richesse et *waeden* : garder.

• **Symbolique** : 5 - rouge - Capricorne - rubis.

• **Caractère** : ouvert, curieux, ambitieux et responsable, Édouard a beaucoup d'atouts pour réussir. Il sait être sympathique, et prêter une oreille attentive à ses proches, mais son autorité et son impatience le conduisent parfois à des excès d'agressivité regrettables.

Prénom à l'honneur au 19e siècle et depuis 1980.

• **Prénoms français associés** : Edard (occitan) - Edouarde - Edouardine.

• **Prénoms étrangers associés** : Duarte - Ed - Eddie - Eddy - Edouarda - Edouardo - Edward - Edwy - Eideard - Otward - Ned - Neil - Ted - Teddy.

Saint Édouard le Confesseur est couronné roi en 1042, alors que son pays traverse une grave crise politique. Pacifiste avant tout, il se consacre au bien-être de ses sujets, soulage la misère, évite les combats, s'attirant l'affection de son peuple et le respect de ses ennemis. Il se retire à l'abbaye de Westminster où il meurt en 1066.

Personnages célèbres : le roi Édouard III d'Angleterre, créateur de l'ordre de la Jarretière, le peintre Édouard Manet.

Élie

Fête le 20 juillet.
Prénom d'origine hébraïque.

• **Étymologie** : vient de *el Yah* : Seigneur Dieu.

• **Symbolique** : 4 - orange - Taureau - topaze.

• **Caractère** : sociable, charmant, Élie est un homme de communication. Il rallie son entourage à ses projets grâce à sa force de persuasion. Il aime la vie et ses plaisirs, le pouvoir et ses vertus.

Prénom biblique assez répandu.

• **Prénoms français associés** : Aelian - Aelien - Aliette - Éli - Élian - Éliane - Élias - Eliaz (breton) - Élien - Éliette - Élier - Éliez (breton) - Eline - Elioun (provençal) - Élisée* - Lélian - Léliane.

• **Prénoms étrangers associés** : Elia - Eliana - Eliano - Eliam - Elina - Elino - Elinos - Eliott* - Ella* - Leïla - Lélia.

Élie est prophète au 9e siècle avant J.-C. Il participe aux affaires publiques, au royaume d'Israël et lutte contre les cultes idolâtriques. La légende raconte qu'il quitta la terre sur un char de feu, en laissant ses recommandations à son disciple Élisée.

Eliott

Fête le 20 juillet.
Prénom d'origine hébraïque, forme anglo-saxonne de Élie.

• **Étymologie** : vient de *el Yah* : Seigneur Dieu.

• **Symbolique** : 9 - rouge - Bélier - rubis.

• **Caractère** : chaleureux, sympathique, Eliott est un homme de communication. Ses talents oratoires, son élégance sereine et sa capacité d'adaptation lui donnent une grande aisance en société, mais hypersensible, il a parfois des réactions épidermiques.

Prénom qui apparaît timidement.

Saint Élie* est son protecteur.

Élisée

Fête le 14 juin.
Prénom d'origine hébraïque, dérivé de Élie.

• **Étymologie** : vient de *el Yah* : Seigneur Dieu.

• **Symbolique** : 1 - vert - Poissons - émeraude.

• **Caractère** : calme et assez renfermé, Élisée est cependant un homme de caractère. Déterminé et responsable, il met sa grande capacité de travail au service de ses ambitions, et parvient à ses fins. Doux et conciliant dans ses relations amicales et amoureuses, il attache beaucoup d'importance à l'harmonie.

Prénom rare.

Saint Élisée, disciple d'Élie, devient prophète comme lui et poursuit sa mission.

Personnage célèbre : le géographe Élisée Reclus.

Éloi

Fête le 1er décembre.
Prénom d'origine latine.

• **Étymologie** : vient de *eligius* : élu.

• **Symbolique** : 5 - jaune - Cancer - topaze.

• **Caractère** : vif, ambitieux, déterminé, Éloi a un goût prononcé pour les contacts humains. Fin observateur, il sait détecter les faiblesses de ses adversaires et les exploiter pour mieux négocier, avec un parfait sens de l'humour qui le rend très populaire.

Prénom à l'honneur depuis 1990.

- **Autre orthographe** : Eloy.
- **Prénoms associés** : Aloi - Eligio.

Saint Éloi naît dans le Limousin en 588, devient forgeron comme son père, puis part en apprentissage chez un orfèvre ; son talent se révèle, et sa renommée atteint la cour du roi. Il exécute de nombreux travaux pour Clotaire II qui le nomme "maître de la monnaie", et se lie d'amitié avec Dagobert, son fils, dont il devient le trésorier et le conseiller en 629. À la mort de Dagobert, Éloi est ordonné prêtre ; avec sa fortune personnelle, il fonde des monastères, ouvre des hôpitaux, affranchit les esclaves. Il est sacré évêque de Noyon en 641 et entreprend l'évangélisation des Flamands et des Frisons. Il meurt en 660.

Élouan

Fête le 28 août.
Prénom d'origine celte.

- **Étymologie** : vient de *el* : richesse et *louan* : lumière.
- **Symbolique** : 5 - Vierge - rouge - rubis.
- **Caractère** : curieux, débrouillard, casse-cou, Élouan est l'aventurier-type. Son intelligence, son optimisme, son adaptabilité lui permettent d'affronter toutes les situations et de s'en tirer à son avantage. Mais amoureux farouche de la liberté, il fuit les obligations et les contraintes.

Prénom rare.

Saint Élouan, moine irlandais, s'installe en Bretagne pour évangéliser la région au 6e siècle.

Emeric

- (voir Aymeric page 214)

Émile

Fête le 22 mai.
Prénom d'origine latine.

- **Étymologie** : vient de *aemulus* : émule.
- **Symbolique** : 8 - bleu - Gémeaux - saphir.
- **Caractère** : sensible, passionné, Émile ne laisse pas indifférent. Il passe d'une activité intense à la plus parfaite paresse. Ami exigeant, amoureux jaloux, il éprouve toujours des sentiments tranchés.

Prénom en faveur au 19e siècle, qui réapparaît timidement.

- **Prénoms français associés** : Amiel - Amielle - Emmeline* - Émilian - Émiliane - Émilie* - Émilien - Émilienne - Émilion - Milan - Milliau - Milou.
- **Prénoms étrangers associés** : Aemilia - Aemilius - Emele - Emib - Emil - Emilia - Emiliana - Emilio - Emilius - Emiljan - Emmy - Mel - Melia - Meliocha - Migeli - Mil - Millia - Milly - Milos.

Saint Émile vit à Carthage au 3e siècle ; arrêté et condamné à mort avec son ami Caste, il renie tout d'abord sa foi par crainte du supplice, puis se reprend et meurt sur le bûcher.

Personnage célèbre : l'écrivain Émile Zola.

Emmanuel

Fête le 10 juillet.
Prénom d'origine hébraïque.

• **Étymologie** : vient de *immanuel* : Dieu avec nous.

• **Symbolique** : 3 - orange - Lion - topaze.

• **Caractère** : dynamique et curieux, Emmanuel satisfait son appétit de découvertes et de changements dans l'action et l'indépendance. Il est l'ennemi des contraintes et recherche en tout une certaine facilité. Il affiche une grande aisance, même s'il est dans le doute et l'inquiétude.

Prénom en vogue de 1950 à 1970.

• **Prénoms français associés** : Emmanuelle* - Manuel.

• **Prénoms étrangers associés** : Emanuele - Immanuel - Mandel - Manolo - Manuele - Manuelo - Manuelito - Mendel.

Saint Emmanuel est un missionnaire franciscain qui fut martyrisé à Damas en Syrie en 1860.

Personnages célèbres : le philosophe allemand Emmanuel Kant, le compositeur Emmanuel Chabrier.

Enguerrand

Fête le 28 octobre.
Prénom d'origine germanique.

• **Étymologie** : vient de *angil* : lame et *hramm* : corbeau.

• **Symbolique** : 8 - bleu - Vierge - saphir.

• **Caractère** : réservé, Enguerrand semble froid et quelque peu hautain ; il extériorise peu ses sentiments et déteste les effusions bruyantes. Il est cependant très sensible, mais affiche une parfaite maîtrise de ses émotions.

Prénom médiéval rare.

• **Prénoms associés** : Angelran - Angelram - Angilram - Angilram - Engerand.

Saint Engerand, moine cultivé, est sacré évêque de Metz en 768. Charlemagne l'appelle pour en faire son chapelain ; il devient en fait un très proche conseiller.

Éric

Fête le 18 mai.
Prénom d'origine germanique.

• **Étymologie** : vient de *ehre* : honneur et *rik* : roi.

• **Symbolique** : 8 - rouge - Scorpion - rubis.

• **Caractère** : entreprenant, décidé, Éric fait preuve de beaucoup d'enthousiasme et de détermination pour les causes qui l'intéressent. Doté d'un esprit vif et d'une grande confiance en lui, il réussit, malgré un penchant très net pour la facilité.

Prénom classique à l'honneur de 1950 à 1970.

• **Prénoms étrangers associés** : Arrigo - Eirik - Eri - Erica - Erich - Erico - Erik - Erke - Erker - Eryck - Genseric - Jerk - Ric - Ricka - Ricky.

Saint Éric accède au trône de Suède en 1156. Il favorise l'extension du christianisme dans son pays, construit des églises et regroupe en un ouvrage, appelé *Loi du Roi Éric*, les lois et la constitution du royaume. Il lutte contre les Finnois, peuple païen et barbare qu'il tente d'évangéliser. Mais une partie de la noblesse suédoise, mécontente de la rigueur du roi, conspire avec le fils du roi de Danemark et lève une armée contre lui. Éric prend la tête de ses troupes contre les rebelles ; il est fait prisonnier et décapité en 1161.

Personnages célèbres : l'explorateur norvégien Erik le Rouge qui découvrit le Grœnland, le navigateur français Éric Tabarly, l'acteur américain Eric von Stroheim, le compositeur Erik Satie.

Ernest

Fête le 7 novembre.
Prénom d'origine germanique.

• **Étymologie** : vient de *ernst* : sérieux.

• **Symbolique** : 9 - jaune - Poissons - topaze.

• **Caractère** : énergique, autoritaire, Ernest cache sous une apparence bourrue un cœur d'or et une grande sensibilité. Passionné, attentif et jaloux, c'est un ami et un amant exigeant. Il ne craint pas les obstacles qui stimulent sa volonté.

Prénom en vogue au 19e siècle.

• **Prénom français associé** : Ernestine*.

• **Prénoms étrangers associés** : Aerna - Arbst - Earnest - Erna - Ernestina - Ernesto - Ernestus - Ernö - Ernst - Erny.

Saint Ernest est l'abbé d'un monastère, près de Constance au début du 12e siècle ; il démissionne pour accompagner l'empereur à la croisade, et meurt en Turquie en 1147.

Personnages célèbres : les écrivains Ernest Hemingway et Ernest Renan.

Erwann

Fête le 19 mai.
Prénom d'origine celte,
forme bretonne de Yves.

• **Étymologie** : vient de *yv* : if.

• **Symbolique** : 3 - vert - Verseau - émeraude.

• **Caractère** : bien qu'indépendant, Erwann craint la solitude ; l'affection, l'amour lui sont indispensables, mais il est très exigeant envers son entourage. Prénom rare, excepté dans les familles bretonnes.

• **Prénoms associés** : Erwan - Erwana - Erwanez - Erwanig.

Saint Yves* est le patron d'Erwann.

Étienne

Fête le 26 décembre.
Prénom d'origine grecque.

• **Étymologie** : vient de *stephanos* : couronné.

• **Symbolique** : 9 - vert - Vierge - émeraude.

• **Caractère** : sociable et optimiste, Étienne est un ami fort agréable. Il saitse sortir des situations périlleuses par une pirouette. L'harmonie familiale est indispensable à son équilibre, et il se renferme sur lui-même s'il est blessé.

Prénom peu répandu.

• **Prénoms français associés** : Esteban (provençal) - Estève - Estienne - Étiennette - Estin (breton) - Stéphane* - Stéphanie*.

• **Prénoms étrangers associés** : Estafan - Estafena - Estavan - Esteban - Estefania - Estefano - Esteffe - Estevana - Fania - Istvan - Phanos - Stafan - Staffan - Staines - Steaphan - Stef - Stefa - Stefani - Stefano - Stefi - Stepan - Stepanida - Steph - Stephan - Stephanos - Stephanson - Stephen - Stevana - Steve - Stevena - Stevenje - Stevenson - Stiabban.

Saint Étienne est grec et chrétien. Il vit à Jérusalem au 1er siècle. Peu après la Pentecôte, les apôtres le consacrent diacre ; ses sermons font autorité et sa sagesse est reconnue. On accourt de tout le pays pour le voir et l'entendre ; ce succès irrite les rhéteurs qui le convoquent à la synagogue, le somment de s'expliquer sur ses théories. Il est condamné et meurt lapidé.

Personnages célèbres : le prévôt des marchands de Paris Étienne Marcel, le poète Étienne de La Boétie.

Eudes

Fête le 19 novembre.
Prénom d'origine germanique.

• **Étymologie** : vient de *ed* : richesse.

• **Symbolique** : 9 - orange - Verseau - topaze.

• **Caractère** : sentimental, altruiste, Eudes organise sa vie en fonction de son entourage affectif ; l'équilibre, l'harmonie sont indispensables à son bonheur. Il éprouve un intense besoin de sécurité, mais ne déteste pas les imprévus et la fantaisie.

Prénom médiéval rare.**Prénoms français associés** : Eude - Eudelin - Eudeline - Eudiane - Eudine.

• **Prénoms étrangers associés** : Eudelina - Eudora.

Saint Eude est, au 8e siècle, le premier abbé d'un monastère dans le Velay où il mène une vie pieuse et discrète.

Personnage célèbre : Eudes, roi de France au 9e siècle.

Eugène

Fête le 13 juillet.
Prénom d'origine grecque.

• **Étymologie** : vient de *eugenios* : bien né.

• **Symbolique** : 3 - bleu - Gémeaux - saphir.

• **Caractère** : intelligent, chaleureux et facétieux même parfois, Eugène est un homme sociable qui recherche l'estime et l'admiration. Il n'a pas une grande passion pour le travail et recherche la facilité. Sa vivacité d'esprit, son élocution brillante lui permettent néammoins de réussir.

Prénom à l'honneur au 19e siècle.

• **Prénoms français associés** : Eugénie* Eugénien.

• **Prénoms étrangers associés** : Eugend Eugénia - Eugénio - Eugénius - Evedin - Evguecha - Evgueni - Evguenia - Gene - Genia - Guedra - Ugénia - Xénia.

Saint Eugène, évêque de Carthage au 3e siècle, lutte contre les Vandales, mais il passe treize ans en exil, et meurt loin de son évêché.

Personnages célèbres : Eugène de Beauharnais, vice-roi d'Italie, Eugène Delacroix, peintre du 19e siècle.

Eustache

Fête le 20 septembre.
Prénom d'origine grecque.

• **Étymologie** : vient de *eustachios* : bon épi.

• **Symbolique** : 1 - violet - Bélier - améthyste.

• **Caractère** : dynamique, très actif, Eustache est un meneur. Rapide, il s'adapte à toutes les situations, affronte les difficultés avec ardeur, saisit les opportunités avec passion. La patience n'est pas son fort, et il rejette violemment toute forme de contrainte.

Prénom rare.

• **Prénoms étrangers associés** : Eustacia - Eustasio - Eustasius - Eustatius - Eustazio - Stacey - Stacie - Stazio.

Saint Eustache est général dans l'armée romaine au 2e siècle. La légende raconte qu'il se convertit, avec sa femme et ses deux fils, après avoir vu un cerf portant entre ses bois l'effigie du Christ en croix. Lors d'une cérémonie célébrant l'une de ses victoires, il refuse d'adorer les dieux païens : il est martyrisé avec sa famille.

Évariste

Fête le 26 octobre.
Prénom d'origine latine, dérivé de Évagre.

• **Étymologie** : vient de *evagor* : se propager.

• **Symbolique** : 9 - jaune - Balance - topaze.

• **Caractère** : idéaliste et sensible, Évariste recherche l'harmonie. Il contribue, par sa diplomatie, son tact et sa finesse d'esprit à établir la paix dans son entourage. Homme de négociation, il est un partenaire précieux, réservé mais très intuitif.

Prénom rare.

Saint Évariste, originaire d'Antioche, est pape de 95 à 107. Arrêté par les hommes de l'empereur Trajan, il meurt en martyr.

Personnage célèbre : le mathématicien Évariste Gallois.

Evrard

Fête le 14 août.
Prénom d'origine germanique, dérivé d'Éberhard.

• **Étymologie** : vient de *eber* : sanglier et *hard* : dur.

• **Symbolique** : 5 - violet - Sagittaire - améthyste.

• **Caractère** : ambitieux et hyperactif, Evrard affiche une grande confiance en lui ; il a raison, car son autorité, son opiniâtreté, son agilité d'esprit lui permettent d'espérer toutes les réussites. Son entourage peut compter sur lui, car il a un sens aigu des responsabilités.

Prénom rare.

Saint Éberhard est le patron d'Evrard.

F

(garçons)

Fabien

Fête le 20 janvier.
Prénom d'origine latine.

• **Étymologie** : vient de *Fabius*, patronyme d'une famille romaine.

• **Symbolique** : 1 - jaune - Lion - topaze.

• **Caractère** : sous une apparence calme et réservée, Fabien est un homme stable digne de confiance. Travailleur, organisé, opiniâtre, il mène à bien ses projets sans concession, car il déteste la faiblesse et la médiocrité.

Prénom à la mode de 1970 à 1990.

• **Prénoms français associés** : Fabian (occitan) - Fabiane - Fabienne*.

• **Prénoms étrangers associés** : Faba - Fabiana - Fabiano - Fabiénus - Fabio - Fabiola - Fava.

Saint Fabien est un homme de bonne volonté qui vit à Rome au 3e siècle. Il entre dans l'église où le clergé s'est réuni pour procéder aux élections pontificales, et s'assied parmi les prêtres. La légende raconte qu'une colombe se posa sur son épaule. Alors, bien qu'il soit laïc, et qu'il ne brigue pas particulièrement le siège pontifical, les hommes d'Église y voient un signe de Dieu, et Fabien est élu pape. Pendant les quatorze années de son pontificat, il gère sagement les affaires de l'Église. Il est martyrisé sur les ordres de l'empereur Dèce en 250.

Fabrice

Fête le 22 août.
Prénom d'origine latine.

• **Étymologie** : vient de *faber* : savant.

• **Symbolique** : 8 - rouge - Verseau - rubis.

• **Caractère** : courageux, ambitieux, Fabrice est un combatif. Sympathique, il se montre courtois et diplomate, même si son attitude est parfois un peu autoritaire. Son intelligence fine alliée à une grande énergie lui donnent beaucoup d'espoir de réussite.

Prénom à l'honneur de 1960 à 1980.

• **Prénoms français associés** : Fabrician (occitan) - Fabricianne - Fabricien - Fabricienne - Favre.

• **Prénoms étrangers associés** : Fabri - Fabricia - Fabricio - Fabricius - Fabrizia - Fabrizio.

Saint Fabrice vit à Tolède au 3e siècle. Il meurt en martyr lors des premières persécutions.

Faust

Fête le 19 novembre.
Prénom d'origine latine.

• **Étymologie** : vient de *faustus* : fortuné.

• **Symbolique** : 4 - Gémeaux - rouge - rubis.

• **Caractère** : réfléchi et dévoué, Faust possède un sens des responsabilités qui l'incline parfois à prendre en charge son entourage ; il en oublie sa propre vie. Sa grande conscience professionnelle, son goût de la perfection en font un travailleur acharné. Exigeant pour lui-même, il est cependant indulgent.

Prénom rare.

- **Autre orthographe** : Fauste.
- **Prénoms associés** : Fausta - Faustin - Faustine*.

Saint Faust, diacre à Alexandrie en Égypte au 3e siècle, est exilé par l'empereur Valérien, puis décapité sur ordre de l'empereur Dioclétien.

Félicien

Fête le 9 juin.
Prénom d'origine latine, dérivé de Félix.

- **Étymologie** : vient de *félix* : heureux.
- **Symbolique** : 9 - orange - Balance - topaze.
- **Caractère** : solide, énergique, entreprenant, Félicien exerce sur son entourage un certain magnétisme. Il ne craint pas les difficultés qu'il affronte courageusement. Exigeant, il est volontiers bourru ou autoritaire, mais sait aussi dévoiler des trésors d'attention et de gentillesse.

Prénom peu courant.

- **Prénoms français associés** : Félician (occitan) - Féliciane - Félicienne.
- **Prénomsétrangersassociés** :Féliciana - Féliciano.

Saint Félicien refuse de renier sa foi : il est martyrisé avec deux de ses amis en Italie, au 3e siècle.

Personnages célèbres : le romancier et auteur dramatique Félicien Marceau, le compositeur Félicien David.

Félix

Fête le 12 janvier.
Prénom d'origine latine.

- **Étymologie** : vient de *félix* : heureux.
- **Symbolique** : 2 - orange - Balance - topaze.
- **Caractère** : intuitif, charmant, rêveur, Félix respire la joie de vivre. Il a tendance à fuir l'ordre et la discipline, tout à l'écoute de son tempérament d'artiste. Il a un sens inné du bonheur et se donne tous les moyens pour y parvenir.

Prénom à l'honneur au 19e siècle et depuis 1990.

- **Prénoms français associés** : Félicie* - Félicien* - Félicité* - Féliz (breton).
- **Prénoms étrangers associés** : Féli - Félice - Félis.

Saint Félix est prêtre en Campanie au 3e siècle ; il est arrêté et condamné au martyr, mais il survit. On lui propose un évêché : il le refuse, et termine ses jours dans la prière et la contemplation.

Personnage célèbre : le poète espagnol Félix Lope de Vega.

Ferdinand

Fête le 30 mai.

Prénom d'origine germanique.

• **Étymologie** : vient de *frido* : paix et *nanthjan* : oser.

• **Symbolique** : 3 - jaune - Taureau - topaze.

• **Caractère** : intelligent, rapide, Ferdinand séduit par sa facilité d'élocution et sa belle prestance. Il est sympathique, ouvert, sensible et s'adapte très facilement aux événements, mais recherche avant tout la facilité et n'est pas un travailleur acharné.

Prénom à la mode au 19e siècle.

• **Prénoms français associés** : Ferdinande - Fernand* - Fernande* - Ferrand - Ferrante.

• **Prénoms étrangers associés** : Ferd - Ferdi - Ferdie - Ferdinanda - Ferdinando - Ferdl.

Saint Ferdinand devient roi de Castille en 1217. Il a dix-neuf ans mais a déjà l'étoffe d'un grand roi. Il réunit les provinces de Castille et de Léon, refoule les Maures, fonde l'université de Salamanque, impose le castillan comme langue nationale et donne tous les exemples de la vertu à son peuple.

Personnages célèbres : le roi d'Espagne Ferdinand II le catholique, le diplomate Ferdinand de Lesseps.

Fergal

Fête le 27 novembre.

Prénom d'origine celte.

• **Étymologie** : vient de *fur* : sage et *gal* : brave.

• **Symbolique** : 4 - Verseau - bleu - saphir.

• **Caractère** : discret, Fergal cache sous une apparente réserve une très forte émotivité. Sa vie s'organise autour de ses sentiments. Vulnérable parce qu'affectif, il recherche passionnément l'équilibre et l'harmonie pour lui comme pour les siens.

Prénom rare.

Saint Fergal, abbé en Irlande au 8e siècle évangélise pendant plus de quarante ans les païens francs et germaniques.

Fernand

Fête le 30 mai.

Prénom d'origine germanique.

• **Étymologie** : vient de *frido* : paix et *nanthjan* : oser.

• **Symbolique** : 8 - jaune - Taureau - topaze.

• **Caractère** : viril, énergique, Fernand se laisse peu influencer et poursuit ses projets avec une grande détermination. Son attitude un peu bourrue cache une forte sensibilité, un grand sens des responsabilités, mais, impatient, il s'emporte facilement.

Prénom en vogue au 19e siècle.

• **Prénoms français associés** : Fernan - Fernande* - Ferdinand* - Ferdinande.

• **Prénoms étrangers associés** : Fernanda - Fernandez - Fernando - Ferren - Fertel - Friedenand - Hernanda - Hernando.

Saint Ferdinand* est le patron de Fernand.

Personnages célèbres : le navigateur portugais Fernand de Magellan, le peintre Fernand Léger, le comique Fernand Raynaud.

Fiacre

Fête le 30 août.
Prénom d'origine celte.

• **Étymologie** inconnue.

• **Symbolique** : 6 - vert - Verseau - émeraude.

• **Caractère** : posé, serein, Fiacre donne l'image de l'équilibre le plus parfait. Il est agréable, ouvert, plein de tact et de gentillesse. Il ne manque pas de courage, et surmonte avec beaucoup de calme les difficultés de l'existence.

Prénom rare.

• **Prénom français associé** : Fieg (breton).

Saint Fiacre, moine irlandais, arrive en France, vers l'an 600, à la recherche d'un ermitage discret. Il s'installe près de Meaux, cultive son jardin, construit un hospice pour les voyageurs de passage. Les pauvres s'y pressent nombreux ; il les soigne, les nourrit, les guérit miraculeusement, dit-on. Sa bonté, sa générosité, comme ses talents d'horticulteur font sa renommée. Il meurt saintement vers 670.

Firmin

Fête le 25 septembre.
Prénom d'origine latine.

• **Étymologie** : vient de *firmus* : solide.

• **Symbolique** : 6 - vert - Bélier - émeraude.

• **Caractère** : affectueux, sensible, perfectionniste, Firmin est très exigeant dans sa vie professionnelle comme dans sa vie privée. Il déteste les conflits, et se renferme sur lui-même devant l'hostilité, mais fait preuve de ténacité lorsqu'il est motivé.

Prénom rare.

• **Prénoms français associés** : Fermin - Fermine - Firmiane - Firminan - Firmine - Firminie - Firminien - Firminienne .

Saint Firmin est évêque d'Amiens au 3e siècle. Il convertit, baptise de nombreux fidèles. Son aura inquiète le préfet qui le fait décapiter.

Flavien

Fête le 24 février.
Prénom d'origine latine.

• **Étymologie** : vient de *flavus* : jaune.

• **Symbolique** : 6 - jaune - Balance - topaze.

• **Caractère** : calme et équilibré, Flavien est tolérant, diplomate, courageux, généreux... Il a mille qualités mais il lui faut beaucoup d'encouragements pour se réaliser complètement, et il se renferme souvent devant l'agressivité.

Prénom peu répandu.

• **Prénoms français associés** : Flavian et Flaviane (occitans) - Flavie*.

• **Prénoms étrangers associés** : Flavianus - Flavio - Flavius - Flavy.

Saint Flavien, diacre à Carthage au 3e siècle, est arrêté, emprisonné et décapité en 259.

Florent

Fête le 4 juillet.
Prénom d'origine latine.

• **Étymologie** : vient de *florens* : florissant.

• **Symbolique** : 9 - orange - Taureau - topaze.

• **Caractère** : réservé et un peu méfiant, Florent ne se livre pas facilement, car il est hypersensible, et craint les blessures affectives. Son intuition lui permet cependant d'éviter les relations superficielles ou intéressées. Sa discrétion cache une grande bonté et un réel intérêt pour les autres.

Prénom à l'honneur de 1970 à 1990.

• **Prénoms français associés** : Florence* - Florès - Florestan - Florien.

• **Prénoms étrangers associés** : Fiorello - Fioretto - Fiorenzino - Fiorenzo - Fiorino - Fiorillo - Fioro - Florenci - Florencio - Florentius - Florenty - Florenz - Floriano - Florindo.

Saint Florent est, au 5e siècle, le premier évêque de Cahors. Il évangélise le Quercy.

Florentin

Fête le 24 octobre.
Prénom d'origine latine.

• **Étymologie** : vient de *floretum* : jardin de fleurs.

• **Symbolique** : 5 - vert - Cancer - émeraude.

• **Caractère** : séduisant, éloquent, dynamique, Florentin recueille tous les suffrages. Il est passionné, mais possède une bonne maîtrise de ses sentiments. Observateur et rusé, il sait tirer parti de toutes les situations.

Prénom peu courant.

• **Prénoms français associés** : Florentine - Florestan et Florestane (occitans).

• **Prénoms étrangers associés** : Fiorentina - Fiorentino - Florentina - Florentino - Florestana.

Saint Florentin est provençal ; il prend l'habit très jeune et devient le premier abbé d'un monastère en Arles au 5e siècle. Sa bonté et sa clémence sont reconnues de tout son entourage.

Florian

Fête le 4 mai.
Prénom d'origine latine.

• **Étymologie** : vient de *florus* : fleuri.

• **Symbolique** : 3 - orange - Gémeaux - topaze.

• **Caractère** : sociable mais individualiste, communicatif mais réservé, Florian ne se livre jamais tout à fait ; il a l'esprit vif, s'adapte aux circonstances avec facilité, mais son insatiable curiosité l'entraine parfois à se disperser.

Prénom à la mode de 1980 à 1990.

• **Prénoms associés** : Floriane - Florus.

Saint Florian vit à Rome au 3e siècle. Il s'engage dans l'armée, et part en Autriche avec sa troupe après s'être fait baptiser en secret. Il visite les prisonniers, les réconforte, leur parle du Christ... Ses supérieurs l'arrêtent, le jugent et le jettent dans la rivière Enns avec une pierre au cou en 304.

Florimond

Fête le 4 novembre.
Prénom d'origine latino-germanique.

• **Étymologie** : vient de *floris* : fleur et *mund* : monde.

• **Symbolique** : 7 - Balance - violet - améthyste.

• **Caractère** : calme en apparence, Florimond est nerveux et impatient. Intelligent, curieux, il aime l'étude ; son esprit analytique très aiguisé le rend critique et exigeant. Son affectivité est développée, mais il l'exprime peu.

Prénom rare.

• **Prénoms associés** : Floremond - Floremonde - Florimonde.

Saint Flour est le patron de Florimond. Disciple de Jésus, il part, après la Pentecôte, évangéliser la Gaule, et établit un monastère là où les romains avaient bâti un temple païen, au lieu nommé aujourd'hui Saint-Flour.

Floris

Fête le 4 novembre.

Prénom d'origine latine.

• **Étymologie** : vient de *flor* : fleur.

• **Symbolique** : 7 - Verseau - bleu - saphir.

• **Caractère** : perfectionniste, maniaque même, Floris a un sens aigu du détail. Son amour du beau, son sens de l'esthétique ne souffrent ni les fausses notes ni le mauvais goût.

Prénom rare.

• **Prénoms de la même famille** : Fleur, Flora, Flore.

Saint Flour est le protecteur de Floris.

Foucault

Fête le 10 juin.
Prénom d'origine germanique,
forme médiévale de Foulques.

- **Étymologie** : vient de *folc* : peuple.
- **Symbolique** : 9 - vert - Sagittaire - émeraude.
- **Caractère** : sérieux et sensible, Foucault a un sens des responsabilités très aigu qui le pousse à se dévouer pour les siens. Son intuition et sa diplomatie le prédisposent à la négociation : il sait apaiser les tensions, mais sa grande émotivité le rend vulnérable.

Prénom à la mode depuis 1990.

Saint Foulques* est le patron de Foucault.

Foulques

Fête le 10 juin.
Prénom d'origine germanique.

- **Étymologie** : vient de *folc* : peuple.
- **Symbolique** : 8 - orange - Sagittaire - topaze.
- **Caractère** : énergique, courageux et combatif, Foulques est un homme d'entreprise, parfois ombrageux et coléreux. Franc et direct, il est peu diplomate, mais sait faire oublier sa susceptibilité par sa loyauté et sa générosité.

Prénom médiéval rare.

- **Prénoms français associés** : Foucault* - Fouques.
- **Prénoms étrangers associés** : Folco - Fulco - Volker - Volter.

Saint Foulques devient évêque de Reims en 882. En dehors de ses activités pastorales, il a un rôle administratif et politique important : il protège la ville des invasions en édifiant des fortifications, soutient le roi Charles le Simple contre son cousin Eudes. Il meurt assassiné par le comte de Flandre en 900.

Francis

Fête le 4 octobre ou le 24 janvier.

Prénom d'origine latine,

dérivéde François.

- **Étymologie** : vient de *Franci*, nom latin des Francs.
- **Symbolique** : 7 - bleu - Bélier - saphir.
- **Caractère** : charmant et raffiné, Francis arbore une élégance discrète. Bien que sensible et sociable, il est peu expansif. Intelligent, organisé, épris de beauté et de luxe, il est méticuleux et ne supporte pas la médiocrité.

Prénom en faveur de 1930 à 1960.

Saint François* est le patron de Francis.

Personnages célèbres : le romancier américain Francis Scott Fitzgerald, l'écrivain français Francis Carco, le compositeur Francis Poulenc.

Franck

Fête le 4 octobre ou le 24 janvier.
Prénom d'origine latine,
dérivé de François.

• **Étymologie** : vient de *Franci*, nom latin des Francs.

• **Symbolique** : 8 - bleu - Bélier - saphir.

• **Caractère** : combatif, courageux, enthousisate, Franck est cependant réservé, timide même. Son énergie est fluctuante : l'inertie succède à l'hyperactivité. Il aime plaire, se faire remarquer et y parvient, au prix de quelques excès parfois.

Prénom à la mode de 1950 à 1970.

Saint François* est le patron de Franck.

François

Fête le 4 octobre ou le 24 janvier.
Prénom d'origine latine.

• **Étymologie** : vient de *Franci*, nom latin des Francs.

• **Symbolique** : 4 - bleu - Bélier - saphir.

• **Caractère** : prudent, exigeant, réservé et observateur, François n'accorde pas sa confiance, encore moins son amitié, au premier venu. Intellectuel passionné de lecture, parfois un peu solitaire, il est aussi doté d'une forte volonté d'action, et sait se montrer opiniâtre.

Prénom classique indémodable.

• **Prénoms français associés** : Fanch (breton) - Ferenc - Francelin - Francès (occitan) - Francet (provençal) - Francis* - Francisque - Franck* - Fransoun (provençal) - Fransez (breton) - Frantz (alsacien).

• **Prénoms étrangers associés** : Francesco - Francisco - Francisek - Franek - Frangag - Frankie - Franz - Paco - Pancho - Ziskus.

Saint François d'Assise naît en Italie en 1181. Baptisé sous le nom de Jean, il est surnommé François par son père, amoureux de la France et de son prestige. Élevé dans le luxe, il rêve de puissance, s'entoure d'une multitude d'amis et mène une vie facile. Lorsqu'un conflit oppose Assise à Pérouse, il s'engage dans l'armée, est fait prisonnier et tombe malade. Libéré, il revient à Assise pour se soigner ; il a bien changé, François : plus réfléchi, plus charitable aussi. Il s'insurge contre son père qui lui refuse des fonds pour faire réparer une chapelle ; en 1205, il rompt avec sa famille et s'engage avec quelques compagnons dans une existence de pauvreté et de prédication. Il parcourt l'Espagne pour convertir les Maures et l'Égypte pour soutenir les croisés, rédige le *Cantique des Créatures*, premier poème religieux en langue italienne. Il fonde l'ordre des Franciscains, en rédige la règle, mais poursuit sa vie d'ermite. Il termine ses jours aveugle, entouré de pèlerins, en 1226.

Saint François de Sales est savoyard. Ordonné prêtre en 1593, il a pour mission de convertir les protestants attirés par le calvinisme. Il est nommé évêque de Genève en 1602, et fonde à Annecy la congrégation des Filles de la Visitation. Grand prédicateur, grand humaniste, il est aussi un excellent écrivain : il rédige deux ouvrages, *Les Controverses et La Défense de l'étendard de la Sainte-Croix* ; il est à ce titre, proclamé docteur de l'Église. Il meurt en 1622.

Personnages célèbres : le poète François Villon, le roi François 1er, François-Marie Arouet, dit Voltaire, François-René de Château-briand, François Mauriac, François Rabelais, François Nourrissier, François Fénelon, hommes de lettres français, François Mitterrand.

François-Xavier

Fête le 3 décembre.
Prénom composé d'origine latine et basque.

• **Étymologie** : vient de *Franci*, nom latin des Francs et de *Etchebarri*, nom d'une localité basque.

• **Symbolique** : 2 - bleu - Cancer - aigue-marine.

• **Caractère** : exigeant et secret, François-Xavier est sociable… avec ceux qu'il a choisis. Il révèle alors toute la tendresse dont il est capable. Il est méfiant, souvent inquiet devant les difficultés de l'existence et préfère la solitude aux mondanités.

Saint François-Xavier, né en Navarre en 1506, est l'un des premiers membres de la Compagnie de Jésus ; à la demande du roi de Portugal, il part évangéliser l'Inde portugaise, puis le Japon. Il meurt en 1552.

Frédéric

Fête le 18 juillet.
Prénom d'origine germanique.

• **Étymologie** : vient de *frido* : paix et *rik* : roi.

• **Symbolique** : 5 - jaune - Vierge - topaze.

• **Caractère** : courageux, déterminé, enthousiaste et entreprenant, Frédéric donne toute la mesure de sa forte personnalité dans l'action, car son besoin de conquêtes et de suprématie l'entraîne vers toutes les ambitions.

Prénom à la mode de 1960 à 1980.

• **Prénoms français associés** : Frédéri (provençal) - Frédérique* - Frédrich et Fritz (alsaciens).

• **Prénoms étrangers associés** : Fédérico - Fedder - Fred - Freddie - Freddy - Frédérica - Frédérico - Frédéricus - Frederik - Frederk - Fredrich - Freek - Frerich - Friederick - Friedel - Friedl - Friedrich - Fridrik - Rick - Rickel.

Saint Frédéric est évêque d'Utrecht aux Pays-Bas, au 9e siècle. Le saint homme est toute bonté, mais il ne mâche pas ses mots : il n'hésite pas à reprocher à l'impératrice Judith son inconduite. Elle le fait assassiner en 838.

Personnages célèbres : Frédéric Chopin, le physicien Frédéric Joliot-Curie, le comédien américain Fred Astaire.

Fulbert

Fête le 10 avril.
Prénom d'origine germanique.

• **Étymologie** : vient de *full* : abondance et *behrt* : brillant.

• **Symbolique** : 3 - jaune - Bélier - topaze.

• **Caractère** : sociable mais réservé, sentimental mais discret, Fulbert est un homme charmant qui s'adapte facilement aux situations les plus inattendues, car il a une intelligence très pragmatique et une grande vivacité d'esprit.

Prénom rare.

• **Prénoms français associés** : Fulberte - Volbert - Volberte.

Saint Fulbert est un jeune étudiant brillant à Reims au 10e siècle. En 999, il rejoint à Rome son maître élu pape, qu'il sert avec dévouement. Il est nommé évêque de Chartres, dont il fait un centre religieux et intellectuel.

G

(garçons)

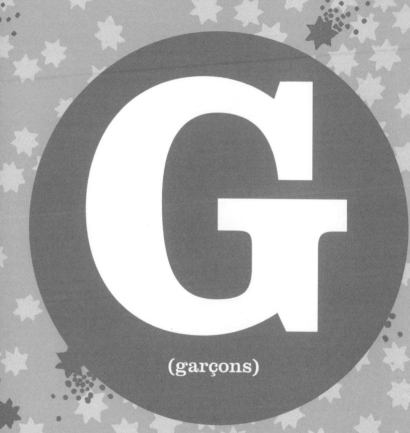

Gabin

Fête le 19 février.
Prénom d'origine latine.

• **Étymologie** : vient de *Gabies*, ville du Latium en Italie centrale.

• **Symbolique** : 6 - jaune - Gémeaux - topaze.

• **Caractère** : séduisant, affectueux, Gabin apporte à son entourage sécurité et réconfort. Les reponsabilités le dynamisent, il a une grande conscience professionnelle et beaucoup d'exigences pour ses proches comme pour lui-même.

Prénom qui devient à la mode.

• **Prénoms français associés** : Gabien - Gabinien - Gabinienne.

• **Prénoms étrangers associés** : Gabia - Gabinia - Gabinio.

Saint Gabin est parent de l'empereur Dioclétien et sénateur à Rome, au 3e siècle. Les persécutions des chrétiens n'empêchent pas Gabin et sa fille de se convertir. Ils sont aussitôt arrêtés et emprisonnés. Sa fille subit le martyr. Gabin se laisse mourir de chagrin et de faim dans sa geôle.

Gabriel

Fête le 29 septembre.
Prénom d'origine hébraïque.

• **Étymologie** : vient de *gabar* : force et *el* : Dieu.

• **Symbolique** : 9 - bleu - Sagittaire - saphir.

• **Caractère** : sociable, tolérant, plein de tact, Gabriel sait parfaitement s'adapter à son entourage, mais il déteste les tensions et les conflits qui le déstabilisent. Homme de communication par excellence, il est très bon médiateur.

Prénom biblique assez répandu.

• **Prénom français associé** : Gaby.

• **Prénoms étrangers associés** : Biélo - Gaaf - Gabay - Gabor - Gabriele - Gabriello - Gabrio - Gabry - Gavrill.

Saint Gabriel vit en Cappadoce au 5e siècle ; très jeune, il postule à la vie monastique ; on lui confie la responsabilité de diriger le monastère Saint-Étienne, à Jérusalem, où il passe toute sa vie. Il meurt à quatre-vingts ans.

L'archange Gabriel est le messager du Ciel : il explicita ses songes au prophète Daniel, il annonça à Zacharie et Élisabeth la naissance de leur fils Jean le Baptiste, et il vint avertir Marie qu'elle avait été choisie par Dieu pour être la mère de son Fils.

Personnages célèbres : Gabriel Péri, Gabriele d'Annunzio.

Gaël

Fête le 17 décembre.
Prénom d'origine celte,
dérivé de Gwenaël.

• **Étymologie** : vient de *lud* : seigneur et *haël* : généreux.

• **Symbolique** : 7 - jaune - Taureau - topaze.

• **Caractère** : indépendant, Gaël a cependant besoin d'un environnement affectif stable pour être heureux. Ambitieux, épris de pouvoir et de réussite, il est capable de déployer d'immenses efforts lorsqu'il est motivé. Il est exigeant en amour comme en amitié.

Prénom régional rare.

• **Prénoms français associés** : Gaëla - Gaélig - Gaëlle* - Gaïl.

Saint Gaël, moine cistercien au 12e siècle, abbé de Guingamp, devient évêque de Saint-Malo et fonde de nombreux monastères.

Gaétan

Fête le 7 août.
Prénom d'origine latine.

• **Étymologie** : vient de *gaétanus* : habitant de Gaète, ville du Latium en Italie.

• **Symbolique** : 3 - orange - Cancer - topaze.

• **Caractère** : rêveur, placide, Gaétan a besoin d'être sécurisé pour s'épanouir. Il est très réservé, car il se méfie de son affectivité, et privilégie dès son plus jeune âge son indépendance.

Prénom traditionnel peu répandu.

• **Prénoms français associés** : Gaétane - Gaïetan - Gaïetane.

• **Prénoms étrangers associés** : Caétan - Caétana - Caétano - Caïtan - Cajetan - Gaïetan - Gaïetana - Kajetan - Kajetane.

Saint Gaétan de Thiène naît en 1480 à Vicence en Italie. Ordonné prêtre, il fonde avec le futur pape Paul IV la congrégation des Théatins, qui se voue aux pauvres et aux malades. Il meurt en 1547.

Garnier

Fête le 26 avril.
Prénom d'origine germanique, forme française de Werner.

• **Étymologie** : vient de *waran* : protéger et *heri* : armée.

• **Symbolique** : 9 - Cancer - jaune - topaze.

• **Caractère** : c'est dans l'étude et la recherche que Garnier trouve son équilibre. Il a de hautes aspirations, et cherche la réalisation dans le dépassement. Son manque de confiance en lui le pousse à fuir la vie sociale bien qu'il soit profondément altruiste.

Prénom rare.

• **Prénoms associés** : Varnier - Vernier - Verney - Verny - Wernher - Werner - Wernert.

Saint Werner, patron de Garnier, naît en Allemagne au 13e siècle ; orphelin de père, il est maltraité par le compagnon de sa mère et s'enfuit. Il a quatorze ans. Il trouve du travail, et consacre ses rares loisirs à la prière. Il est attaqué à la sortie de la messe et égorgé par des mécréants.

Gaspard

Fête le 6 janvier.
Prénom d'origine sanscrit.

• **Étymologie** : vient de *gathaspar* : celui qui vient voir.

• **Symbolique** : 3 - rouge - Scorpion - rubis.

• **Caractère** : curieux, vif et diplomate, Gaspard possède toutes les qualités d'un grand communicatif ; il a une belle aisance verbale, une grande finesse psychologique et beaucoup de savoir-faire. Il est l'associé ou le partenaire idéal.

Prénom biblique en vogue depuis 1990.

• **Prénoms français associés** : Caspar - Casper - Gaspar - Gasparin - Gasparine.

• **Prénoms étrangers associés** : Caspara - Gazbar - Gaspare - Gasparo - Jasper - Kapp - Kaspar - Kasper.

Gaspard est, selon la tradition chrétienne, l'un des trois rois mages venus d'Orient pour adorer l'enfant Jésus quelques jours après sa naissance.

Gaston

Fête le 6 février.
Prénom d'origine germanique.

• **Étymologie** : vient de *gast* : hôte.

• **Symbolique** : 4 - vert - Cancer - émeraude.

• **Caractère** : très réfléchi, Gaston ne se lance jamais dans l'action sans en avoir mesuré les risques. Il est tranquille, patient, rationnel et déteste la superficialité et les relations factices. Mais il s'adapte difficilement à l'imprévu qui le déstabilise.

Prénom en vogue au 19e siècle.

• **Prénoms français associés** : Gastoun (provençal) - Vaast - Waast (nordiques).

• **Prénoms étrangers associés** : Gastão - Gastone.

Saint Gaston fut le catéchiste de Clovis, au 6e siècle, et fut nommé évêque d'Arras à la demande du roi. Il meurt en 540 dans son évêché.

Personnages célèbres : le président Gaston Doumergue, l'alpiniste Gaston Rebuffat.

Gaudry

Fête le 16 avril.
Prénom d'origine germanique, dérivé de Gaudéric.

• **Étymologie** : vient de *waldan* : gouverner et rik : puissant.

• **Symbolique** : 4 - Scorpion - rouge - rubis.

• **Caractère** : solitude, étude et rêverie apportent à Gaudry équilibre et sérénité. Il supporte mal d'affronter la vie active et les réalités de l'existence. Il est cependant un travailleur acharné et consciencieux.

• **Prénoms associés** : Gaudéric - Gaudérice - Gaudérique.

Saint Gaudéric, agriculteur en Languedoc au 9e siècle fait le pluie et le beau temps : la sécheresse menace les récoltes ? il se met en prières jusqu'à la première averse. Les orages risquent de gâter les vendanges ? il jeûne jusqu'au retour du soleil.

Gautier

Fête le 9 avril.

Prénom d'origine germanique.

• **Étymologie** : vient de *waldan* : gouverner et *heri* : armée.

• **Symbolique** : 9 - orange - Sagittaire - topaze.

• **Caractère** : énergique, fiable, dévoué, Gautier est l'homme des grandes causes auxquelles il rallie son entourage ; il défend âprement les valeurs morales, exerce un fort ascendant sur les autres, mais est allergique à toute hiérarchie.

Prénom médiéval à l'honneur aujourd'hui.

• **Prénoms français associés** : Authier - Galdric - Galthier - Galtier - Galtière - Gauthière - Gaultier - Gaulthier - Gauthier.

• **Prénoms étrangers associés** : Galterius - Gualtierio - Gualtero - Gwalder - Valtar - Walder - Walter* - Walther - Walthera.

Saint Gautier est un moine fugueur : abbé de Saint-Martin-de-Pontoise au 11e siècle, il préfère vivre en ermite loin de son monastère plutôt que d'en assurer la direction ; ses moines le retrouvent toujours et le ramènent parmi eux, jusqu'au jour où le pape Grégoire VII se fâche et lui intime l'ordre de rejoindre son poste et de n'en plus bouger. Gautier obéit, la mort dans l'âme, et meurt dans son abbaye en 1099.

Gauvain

Fête le 3 juin.

Prénom d'origine celte.

• **Étymologie** : signifie *enraciné*.

• **Symbolique** : 3 - orange - Gémeaux - topaze.

• **Caractère** : actif et dynamique, Gauvain a beaucoup d'aisance, mais traverse souvent des périodes de doute et d'inquiétude. Il défend farouchement son indépendance, et il recherche la facilité.

Prénom médiéval rare.

• **Autre orthographe** : Gauvin.

• **Prénoms associés** : Gavin - Gavina - Gavine - Gawain - Gawen - Gawin.

Saint Coemgen est le patron de Gauvain.

Geoffrey

Fête le 15 janvier.
Prénom d'origine germanique,
dérivé de Godefroy.

• **Étymologie** : vient de *godo* : dieu et *frido* : paix.

• **Symbolique** : 6 - jaune - Cancer - topaze.

• **Caractère** : élégant, courtois, raffiné, Geoffrey possède un magnétisme certain. Orgueilleux, il déteste les échecs, aussi se donne-t-il les moyens de réussir ce qu'il entreprend ; il est indépendant et supporte mal qu'on porte atteinte à sa liberté.

Prénom à l'honneur depuis 1980.

• **Prénoms associés** : Jauffrey - Jefferey - Jeffie - Jeffrey.

Saint Godefroy* est le patron de Geoffrey.

Geoffroy

Fête le 15 janvier.
Prénom d'origine germanique,
dérivé de Godefroy.

• **Étymologie** : vient de *godo* : dieu et *frido* : paix.

• **Symbolique** : 7 - jaune - Vierge - topaze.

• **Caractère** : sensible, dévoué, attentif, diplomate, Geoffroy est le compagnon idéal, même si son émotivité le pousse parfois à être impulsif et coléreux. Épris d'harmonie, il attache une grande importance à ses relations familiales.

Prénom assez peu répandu.

• **Autre orthographe** : Geoffroi.

• **Prénoms étrangers associés** : Gaudafrey - Gerfrid - Godfrid - Godfried - Gofredo - Gottfried.

Saint Godefroy* est le patron de Geoffroy.

Georges

Fête le 23 avril.
Prénom d'origine grecque.

• **Étymologie** : vient de *gê* : terre et *ergon* : travail.

• **Symbolique** : 4 - jaune - Bélier - topaze.

• **Caractère** : sympathique et enjoué, Georges est très sociable, même s'il entend bien préserver son individualité. Son esprit vif, son humour, sa franchise et son optimisme lui attirent de nombreuses amitiés. Curieux, il s'intéresse à tout, au risque de se disperser.

Prénom classique à l'honneur à la fin du 19e et au début du 20e siècle.

• **Prénoms français associés** : Geordie - Georgette* - Georgia - Georgiane - Georgina - Georgine - Gordan - Gordane - Gorde - Gordien - Joris*.

• **Prénoms étrangers associés** : Georas - Georg - George - Georgis - Georgio - Georgui - Ghiorgos - Goran - Gorch - Gordana - Gore - Görgel - Gorgon - Gorgonie - Gorry - György - Iouri - Jordan* - Jordi - Jore - Jorde - Jörg - Jorgi - Jorick - Jörn - Jürg - Jürgen - Juris - Yorick - Youka - Youra - Youri.

Saint Georges est un chevalier romain originaire de Cappadoce. Sa légende raconte qu'au cours d'un voyage, il traverse, en Libye, une ville terrorisée par un dragon ; il propose à la population de terrasser le monstre si elle accepte le baptême ; la condition est acceptée à l'unanimité ! Georges transperce le dragon de sa lance au moment où il s'apprête à dévorer la fille du roi... Mais Georges est arrêté par les autorités romaines et soumis à la torture pendant... sept ans avant d'être décapité.

Personnages célèbres : les écrivains Georges Courte-line, Georges Feydeau, Georges Bernanos, le peintre Georges Braque, les compositeurs Georges Bizet et Georges Gershwin.

Gérald

Fête le 5 décembre.
Prénom d'origine germanique.

• **Étymologie** : vient de *gari* : lance et *wald* : gouvernant.

• **Symbolique** : 2 - bleu - Sagittaire - saphir.

• **Caractère** : volontaire, combatif, Gérald ne craint pas les difficultés qui le stimulent ; il sait s'imposer et faire valoir ses droits. Perfectionniste,il est peu patient.

Prénom rare.

• **Prénoms français associés** : Géraldine* - Géraldy - Géraud* - Guiraud.

• **Prénoms étrangers associés** : Géraldo - Gerrie - Gerrold - Gerwald.

Saint Gérald, moine dans le Quercy au 11e siècle, part à Tolède, à la demande de l'évêque pour organiser et diriger la chorale. Son art est tel que sa réputation s'étend, et il devient archevêque ; il fait construire églises et monastères... sans cesser de faire partager sa passion du chant liturgique. Il meurt en 1109.

Gérard

Fête le 3 octobre.
Prénom d'origine germanique.

• **Étymologie** : vient de *gari* : lance et *hard* : dur.

• **Symbolique** : 2 - bleu - Sagittaire - aigue-marine.

• **Caractère** : réaliste, doté d'un solide esprit pratique, scrupuleux, Gérard est peu influençable. Il mène sa vie avec rigueur. Homme de devoir et de responsabilités, il cache sa sensibilité derrière une attitude sévère, voire autoritaire.

Prénom à la mode de 1930 à 1950.

• **Prénoms français associés** : Garret - Gérarde - Gérardin - Gérardine - Girard - Girarde - Guérard.

• **Prénoms étrangers associés** : Gareth

- Garrit - Gary - Geert - Géra - Gérarda - Gérardo - Gérardus - Gerd - Gerhardt - Gerharda - Gerhardo - Gerhart - Gersten - Gert - Ghérardina - Ghérardino - Gérardo - Gérardus - Ghérardo - Guérarht - Girarda - Girardo - Jerta.

Saint Gérard naît dans une riche famille de Namur au 10e siècle. À la mort de son père, il prend l'habit, se rend à Saint-Denis pour y recevoir une formation religieuse, puis revient chez lui et fonde une abbaye sur le domaine familial.

Personnages célèbres : l'écrivain Gérard de Nerval, l'acteur Gérard Philipe.

Géraud

Fête le 13 octobre.
Prénom d'origine germanique, dérivé de Gérald.

• **Étymologie** : vient de *gari* : lance et *wald* : gouvernant.

• **Symbolique** : 2 - bleu - Scorpion - saphir

• **Caractère** : sensible, intuitif, Géraud est un altruiste. Son dévouement tient de l'esprit de sacrifice. Il aime rassurer, protéger, conduire ceux qu'il prend sous sa coupe, mais son hypersensibilité le rend vulnérable. Il ressent un attachement tout particulier pour sa famille.

Prénom rare.

• **Prénoms français associés** : Giraud - Guérand - Guérande.

Saint Géraud, comte d'Aurillac au 9e siècle gère ses terres avec bonté et justice, affranchit les serfs, fait la charité et passe de nombreuses heures chaque jour en prières et en méditation.

Germain

Fête le 31 juillet.
Prénom d'origine germanique.

• **Étymologie** : vient de *germen* : de même sang.

• **Symbolique** : 4 - jaune - Verseau - topaze.

• **Caractère** : prudent, inquiet, Germain est raisonnable. Il préfère une routine sécurisante aux changements qui le déstabilisent ; consciencieux, travailleur, il a des principes et une moralité très stricte. Il recherche la stabilité dans tous les domaines.

Prénom rare.

• **Prénoms français associés** : Germaine - German.

• **Prénoms étrangers associés** : Garmon - Germano - Germanos - Germanus - Germentsje - Jermen.

Saint Germain l'Auxerrois, né à Auxerre en 378, étudie à Rome, devient avocat, puis gouverneur de sa ville natale. Il part combattre les Angles et les Saxons en Angleterre ; la légende lui prête de nombreux miracles. C'est tout auréolé d'une pieuse réputation qu'il revient chez lui ; les foules se pressent sur son passage pour implorer sa bénédiction. Aussitôt, il est demandé en Italie, à Milan, à Ravenne, où il fait l'aumône, prêche et accomplit quelques miracles. Il meurt d'épuisement en 488.

Personnages célèbres : l'architecte Germain Soufflot, le sculpteur Germain Pilon.

Géry

Fête le 11 août.
Prénom d'origine germanique, dérivé de Géric.

- **Étymologie** : vient de *gari* : lance et *behrt* : illustre.
- **Symbolique** : 1 - Scorpion - vert - émeraude.
- **Caractère** : autoritaire et énergique, Géry en impose. Distant de prime abord, il se montre charmant dès qu'on a su lui plaire. Indépendant, vif, actif, brillant, il est capable du meilleur... s'il est motivé.

Prénom rare.

Saint Géry vit dans les Ardennes au 6e siècle. Chrétien fervent, il apprend la Bible par cœur. Nommé diacre, puis évêque de Cambrai, ville saccagée par les impies, il ne ménage pas sa peine : il reconstruit les églises, encourage les prêtres, réconforte les populations, rachète les serfs, fait l'aumône.

Ghislain

Fête le 10 octobre.
Prénom d'origine germanique.

- **Étymologie** : vient de *ghil* : otage et *lind* : doux.
- **Symbolique** : 7 - bleu - Bélier - saphir.
- **Caractère** : élégant, raffiné, courtois, Ghislain aime séduire, mais il est peu démonstratif, et cultive jalousement son jardin secret. Esthète, il apprécie la beauté, le luxe. C'est aussi un homme actif, volontaire, doté d'une grande intelligence pratique.

Prénom rare.

- **Prénoms français associés** : Geslain - Ghilain - Ghislaine* - Guilain - Guillain - Guislain.

Saint Ghislain fonde un monastère, en Belgique, au 7e siècle, et en devient le premier abbé.

Gilbert

Fête le 7 juin.
Prénom d'origine germanique.

- **Étymologie** : vient de *ghil* : otage et *behrt* : brillant.
- **Symbolique** : 1 - orange - Capricorne - topaze.
- **Caractère** : rapide et dynamique, Gilbert est un homme d'action opportuniste qui sait s'adapter aux circonstances.

Il recherche l'aventure, les conquêtes, refuse farouchement les contraintes et devient agressif si on entrave sa liberté.

Prénom en vogue pendant la première moitié du 20e siècle.

• **Prénoms français associés** : Gilabert - Gilberte* - Ghilabert - Gillebert - Gisbert - Gislebert - Guilbert - Wilbert.

• **Prénoms étrangers associés** : Gielbert - Gilberto - Gilbertus - Gilbrecht - Gisilo.

Saint Gilbert participe à la seconde croisade ; à son retour, en 1149, il fonde deux monastères, l'un féminin, pour sa femme et sa fille, l'autre masculin, où il se retire.

Gildas

Fête le 29 janvier.
Prénom d'origine celte.

• **Étymologie** : vient de *gwelt* : chevelure.

• **Symbolique** : 7 - bleu - Poissons - saphir.

• **Caractère** : charmant, raffiné, Gildas est élégant sans affectation. Il est sociable, émotif, mais garde volontairement ses distances. Intelligent, organisé, méticuleux, il aime la beauté, le luxe et fuit la médiocrité.

Prénom rare.

• **Prénoms français associés** : Gweltaz, Gweltazenn et Gweltazig (bretons).

• **Prénoms étrangers associés** : Gilda - Gildasine - Gildo - Ieltaz - Ieltez - Jildaz - Jildaza - Jildazig - Veltaz - Yeltaz.

Saint Gildas naît en Écosse au 6e siècle ; il fait ses études au pays de Galles, puis s'établit dans un ermitage en Bretagne. Les pèlerins affluent, qui le prient de construire un monastère ; il cède à leur prière, établit les règles de vie... et s'en retourne à sa chère solitude, pour prier, méditer, et rédiger un recueil de notes destinées aux grands de ce monde.

Gilles

Fête le 1er septembre.
Prénom d'origine grecque.

• **Étymologie** : vient de *aegidios* : protection.

• **Symbolique** : 1 - vert - Bélier - émeraude.

• **Caractère** : habile, opportuniste, adroit, Gilles est un homme caméléon qui s'adapte à toutes les situations. Rapide, organisé, curieux, il est très actif et très indépendant. Il manifeste vite son impatience et devient irritable si on lui résiste.

Prénom à la mode au milieu du 20e siècle.

• **Prénoms français associés** : Égide - Gilet et Giloun (provençaux) - Gillone - Gillian - Gilliane - Gillie - Gillis - Gillon.

• **Prénoms étrangers associés** : Aégidia - Aégidius - Egidia - Egidio - Géli - Gil - Gildrina - Gilia - Gill - Gilleske - Gillo - Idzi - Ilian - Jil.

Saint Gilles, né à Athènes, s'établit dans une forêt entre Nîmes et Arles, dans un ermitage. La légende raconte qu'il se nourrissait du lait d'une biche qu'il avait apprivoisée. Des chasseurs qui accompagnaient un roi wisigoth le blessèrent un jour par mégarde : pour se faire pardonner, le roi proposa à Gilles de construire un monastère ; il en devint le premier abbé, et reçut des centaines de pèlerins vers Compostelle.

Godefroy

Fête le 15 janvier.
Prénom d'origine germanique.

• **Étymologie** : vient de *godo* : dieu et *frido* : paix.

• **Symbolique** : 5 - vert - Lion - émeraude.

• **Caractère** : homme d'action ambitieux et passionné, Godefroy a un besoin impétueux de mouvement. Il est solide et responsable, n'aime ni l'indolence ni les flatteries et n'apprécie guère les contraintes. L'affection de ses proches est indispensable à son bonheur.

Prénom médiéval rare.

• **Autres orthographes** : Godefroi - Godefroid - Godfroi.

• **Prénoms français associés** : Geoffrey* - Geoffroi - Geoffroy* - Gofert.

• **Prénoms étrangers associés** : Friedel - Godel - Godfred - Godfrey - Godofredo - Goraith - Gotfridus - Gothfraith - Götschi - Gottfredo - Gottfriede - Götz - Gotzi.

Saint Godefroy, au cours d'un voyage en Belgique, est séduit par le discours de Saint Bernard ; quelques mois plus tard, il le rejoint à Clairvaux avec plusieurs dizaines d'amis. Il est nommé prieur du monastère en 1140.

Personnage célèbre : Godefroi de Bouillon.

Gontran

Fête le 28 mars.
Prénom d'origine germanique.

• **Étymologie** : vient de *gund* : guerre et *hramm* : corbeau.

• **Symbolique** : 8 - bleu - Taureau - aiguemarine.

• **Caractère** : ambitieux, courageux, Gontran aspire à la réussite. Il y consacre sa grande puissance de travail et son opportunisme. Exigeant, il ne supporte ni la médiocrité, ni les échecs. Rapide et efficace, il est souvent impatient, et manque parfois de tolérance.

Prénom rare.

• **Prénoms français associés** : Gontrane - Gountran (provençal).

• **Prénoms étrangers associés** : Gontram - Gontrano.Saint Gontran, roi de Bourgogne et d'Orléans de 561 à 593 est le petit-fils de Clovis et de sainte Clotilde. Pacifiste, généreux et pieux, il gère sagement les affaires de son royaume, tente d'apaiser les conflits, et favorise la diffusion du christianisme dans son royaume.

Gonzague

Fête le 10 janvier.
Prénom d'origine patronymique.

• **Étymologie** : vient du nom de *Louis de Gonzague.*

• **Symbolique** : 6 - violet - Vierge - améthyste.

• **Caractère** : serein et tranquille, Gonzague fuit les complications. Très affectif, il est sociable et communicatif, mais craint les tensions et les conflits. Il est consciencieux et travailleur, mais recherche cependant la facilité.

Prénom rare.

Saint Louis de Gonzague, fils du marquis de Castiglione, mène une vie studieuse à la cour de Florence. Il est promis à un avenir brillant, mais à dix-sept ans, il décide d'entrer chez les jésuites. Sa famille s'oppose à ce souhait. Il brave l'interdit, abdique ses droits en faveur de son jeune frère, et prononce ses vœux. Il se dévoue au service des malades pendant l'épidémie de peste qui ravage Rome en 1590, contracte la maladie et meurt à vingt-trois ans, en 1591.

Goulven

Fête le 1er juillet.
Prénom d'origine celte.

• **Étymologie** : vient de *golvan* : moineau.

• **Symbolique** : 6 - rouge - Vierge - rubis.

• **Caractère** : ouvert et amical, Goulven est sociable, mais il tient à préserver son jardin secret, et affiche une certaine réserve. Il préfère l'étude, la réflexion à l'action, la solitude à des relations superficielles. Très attaché aux valeurs morales, il est solide et responsable.

Prénom rare.

• **Prénoms associés** : Golven - Golvena - Golvin - Goul'chan - Goul'chen - Goul'chennig - Goulien - Goulvena - Goulvenez - Goulwen - Goulwena - Goulwenig.

Saint Goulven reçoit en legs un vaste domaine, dans le Léon, en Bretagne ; il y fonde un monastère dont il devient le premier abbé. Sacré évêque de Rennes en 591, il administre avec sagesse ses diocèses, puis se retire dans un ermitage pour achever sa vie dans la prière.

Gratien

Fête le 22 décembre.
Prénom d'origine latine.

• **Étymologie** : vient de *gratia* : grâce.

• **Symbolique** : 2 - jaune - Verseau - topaze.

• **Caractère** : énergique, volontaire, il exerce sur son entourage un fort ascendant, grâce à sa grande facilité d'expression. Intuitif, diplomate, il est un excellent négociateur, et sait parfaitement s'adapter aux situations.

Prénom rare.

• **Prénoms français associés** : Gatian - Gatiane - Gatien - Gatienne.

Saint Gratien est pêcheur en Italie, au 16e siècle. Il a quelques biens, sa barque, une maisonnette : il les vend, en distribue le produit aux pauvres et prend l'habit chez les augustins pour se consacrer à la prière.

Grégoire

Fête le 3 septembre.
Prénom d'origine grecque.

• **Étymologie** : vient de *egrêgorien* : veiller.

• **Symbolique** : 3 - violet - Lion - améthyste.

• **Caractère** : rapide, curieux, Grégoire a soif de connaisances et s'adapte facilement aux événements. Il est très sociable, bien que farouchement indépendant ; il séduit par son élocution brillante, son humour et son bel appétit de vivre.

Prénom à l'honneur depuis 1970.

• **Prénoms français associés** : Grégorian - Grégoriane - Grégorine - Gringoire.**Prénoms étrangers associés** : Gregor - Gregori - Gregoria - Gregoriana - Grégorio - Gregorius - Grégory* - Greeg - Greger - Gregh - Gregoor - Grels - Grigor - Grigori - Grichka - Griogair - Jeina - Jorina - Joris - Oria - Oriana.

Saint Grégoire est issu d'une famille patricienne de Rome renommée pour sa piété ; d'ailleurs, son arrière-grand-père a été pape sous le nom de Félix III. Il reçoit une excellente éducation et devient préfet à trente ans, comblé d'honneurs et de richesses. Mais lassé des fastes, il se sépare de tous ses biens, fait construire un monastère sur son domaine, et s'y retire. Très vite, il est appelé par le pape Pélage II, en 586, qui le fait diacre et lui confie un poste d'administrateur. Tâche dont il s'acquitte si bien qu'il est nommé évêque. Il préférerait s'en retourner vivre tranquillement dans son ermitage, mais à Rome règnent la violence et la corruption. À la mort du pape, il est désigné d'office pour lui succéder. Lourde tâche pour Grégoire, qui doit aussi faire face à une terrible épidémie de peste, à des inondations, et aux menaces des barbares. Il s'efforce de combattre l'esclavage, réforme la liturgie, tente de négocier avec l'Église byzantine, organise l'évangélisation de la Grande-Bretagne. On lui attribue la création du chant grégorien. Il meurt en 604, et il est nommé docteur de l'Église. P

Personnages célèbres : le chroniqueur Grégoire de Tours, l'aventurier Grigori Iefimovith Raspoutine.

Grégory

Fête le 3 septembre.
Prénom d'origine grecque,
dérivé de Grégoire.

• **Étymologie** : vient de *egrêgorien* : veiler.

• **Caractère** : indépendant, rapide, actif, Grégory est un conquérant qui aime l'aventure. Il séduit grâce à son dynamisme et son enthousiasme et craint la solitude. Curieux, il se lasse vite et a tendance à se disperser s'il n'est pas vraiment motivé.

Prénom en vogue de 1970 à 1990.

Saint Grégoire* est le patron de Grégory.

Personnage célèbre : l'acteur Grégory Peck.

Guénolé

Fête le 3 mars.
Prénom mixte d'origine celte.

• **Étymologie** : vient de *gwenn* : blanc et *uual* : valeureux.

• **Symbolique** : 6 - blan - Vierge - aigue-marine.

• **Caractère** : charme, persuasion, art de la communication, sont les qualités majeures de Guénolé, rapide et doté d'une grande facilité d'expression. Homme ou femme, Guénolé est émotif et altruiste, et se consacre à ses proches avec beaucoup de dévouement.

Prénom breton rare.

• **Prénoms français associés** : Guignolet - Guingalois - Guenola - Gwenolé.

Saint Guénolé nait au 5e siècle dans une famille bretonne pieuse et cultivée ; il fait ses études dans un monastère. La légende raconte qu'arrivé à l'âge adulte, il vit en apparition Saint Patrick qui lui intime l'ordre de fonder un monastère ; Guénolé se fixe d'abord dans une petite île, mais il est délogé par les tempêtes incessantes. Il édifie son monastère dans la rade de Brest, à Landévennec, et le dirige pendant plus de cinquante ans.

Guillaume

Fête le 10 janvier.
Prénom d'origine germanique.

• **Étymologie** : vient de *wil* : volonté et *helm* : protection.

• **Symbolique** : 2 - vert - Lion - topaze.

• **Caractère** : altruiste et très sensible, intelligent et intuitif, Guillaume est dépendant de son environnement. Il est passionné, ambitieux, et ne supporte pas la médiocrité. Son exigence et sa combativité peuvent l'amener à faire preuve d'agressivité.

Prénom médiéval à l'honneur depuis 1970.

• **Prénoms français associés** : Guihaume, Guiheume et Guiheumet (provençaux) - Guillaumette - Guillemet - Guillemette* - Guillemin - Guillerme - Guillot (normand) - Guillou - Guilmot - Villerme - Wilmette.

• **Prénoms étrangers associés** : Bill - Billie - Billy - Elma - Elmo - Guglielmo - Guilhem - Guillem - Guillermo - Mina - Minella - Minnie - Vilma - Vilhelmina - Wilhelm - Wilhelmina - Wilhelmine - Wil - Willa - Willabelle - Willen - William* - Willie - Willis* - Willy - Wilma - Wilson.

Saint Guillaume est prieur du monastère

de Pontigny à la fin du 13e siècle. Il est nommé successivement abbé de Fontaine-Saint-Jean, de Chaalis, de Senlis, puis archevêque de Bourges. Modèle d'humilité, de douceur, de pauvreté, il meurt en 1209 après une vie au service des prisonniers, des pauvres et des ivrognes

Personnages célèbres : Guillaume 1er, dit le Conquérant, Guillaume Tell, héros légendaire helvétique, le poète Guillaume Appollinaire, le président Bill Clinton.

Gustave

Fête le 7 octobre.
Prénom d'origine latine.

• **Étymologie** : vient de *augustus* : vénérable.

• **Symbolique** : 5 - violet - Bélier - améthyste.

• **Caractère** : curieux, dynamique, indépendant, Gustave est un bon vivant ; il aime l'aventure, redoute les contraintes, et n'a pas un sens très aigu de l'effort. S'il n'accepte pas la soumission, il est cependant un habile négociateur.

Prénom en vogue au 19e et au début du 20e siècle.

• **Prénoms français associés** : Gustaphine - Gustavie - Gustaviane - Gustavine.

• **Prénoms étrangers associés** : Gösta - Gus - Gust - Gustaf - Gustav - Gustava - Gustavo - Gustavus - Gustel - Staf.

Saint Gustave est aussi honoré sous le nom de Saint Auguste. Handicapé moteur de naissance, Gustave mendie dès son plus jeune âge, à Bourges, au 6e siècle. Il économise les quelques dons qu'il reçoit pour édifier un oratoire à Saint Martin : il recouvre la santé, et prend l'habit. Il devient abbé d'un monastère, dans son Berry natal, et y meurt en 560.

Personnages célèbres : l'écrivain Gustave Flaubert, l'ingénieur Gustave Eiffel, le compositeur Gustave Mahler, le peintre Gustave Klint.

Guy

Fête le 15 juin.
Prénom d'origine germanique.

• **Étymologie** : vient de *wid* : bois.

• **Symbolique** : 8 - violet - Bélier - améthyste.

• **Caractère** : secret et passionné, Guy est très intuitif ; sa grande nervosité le pousse à s'emporter facilement à la moindre contrariété. Volontaire et ambitieux, il est très actif et impose à son entourage un rythme difficile à suivre.

Prénom à l'honneur pendant la première moitié du 20e siècle.

• **Prénoms français associés** : Gui - Guidon - Guitou - Guyenne - Guyette - Guyonne - Guyot.

• **Prénoms étrangers associés** : Guida - Guido - Guidoni - Gurig - Veit - Vit - Vita - Vitus.

Saint Guy est le fils d'un sénateur sicilien au 3e siècle ; il se convertit très jeune au christianisme et se fait baptiser à l'insu de ses parents. La légende raconte qu'il opère miracles et conversions autour de lui. La famille de Guy cherche à le détourner de sa foi, en vain. Il s'enfuit pour Rome. Il rencontre le fils de l'empereur Dioclétien, épileptique, et parvient à le guérir de son mal. L'empereur l'en remercie chaleureusement, mais lui demande d'adorer les dieux païens avec lui. Guy refuse, il est alors livré aux lions, qui se couchent à ses pieds… Il meurt sur la potence.

Personnage célèbre : l'écrivain Guy de Maupassant.

Gwenaël

Fête le 3 novembre.
Prénom d'origine celte.

- **Étymologie** : vient de *gwenn* : blanc et *haël* : généreux.
- **Symbolique** : 4 - blanc - Cancer - aigue-marine.
- **Caractère** : très sensible et inquiet, Gwenaël recherche la sécurité et déteste l'imprévu. Pour se protéger, il s'entoure d'amis fidèles, et privilégie l'harmonie familiale. Il est travailleur et consciencieux, et sa persévérance lui permet d'atteindre les buts qu'il s'est fixés.

Prénom rare en dehors des familles bretonnes.

- **Prénoms associés** : Gaël* - Gaëlle* - Ganaël - Ganaëlle - Guénaut - Gwellaouen - Gwenaëlle*.

Saint Gwenaël est le successeur de Saint Guénolé à la direction du monastère de Landévennec, en Bretagne au 6e siècle. Il est appelé pour évangéliser l'Irlande ; il y prêche de village en village pendant plus de trente ans et revient dans sa lande bretonne pour y mourir.

H

(garçons)

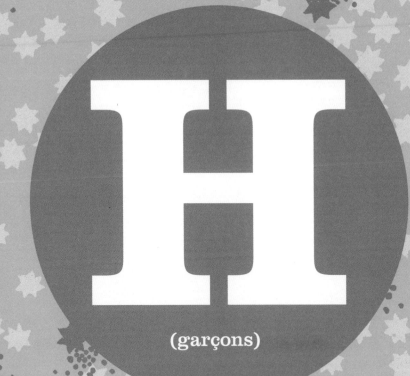

Harold

Fête le 1er novembre.
Prénom d'origine germanique.

• **Étymologie** : vient de *hart* : fort et *hrod* : gloire.

• **Symbolique** : 4 - rouge - Verseau - rubis.

• **Caractère** : flegmatique et observateur, Harold est prudent. Il se donne le temps de réfléchir et de juger. D'une extrême patience, il est déterminé et attend tout simplement son heure. Casanier, il est un ami ouvert et fidèle lorsqu'on a su gagner sa confiance.

Prénom rare.

• **Prénoms français associés** : Harald - Harvald - Hérold - Hervald.

• **Prénoms étrangers associés** : Araldo - Aralt - Aroldo - Hal - Halle - Harailt - Haraldo - Haraldus - Harwald - Haroldo - Heroldo - Herolt - Herwalt.

Saint Harald a quarante ans lorsqu'il se convertit au christianisme. Sacré roi de Danemark deux ans plus tard, en 950, il favorise l'évangélisation de son pays. Il est malheureusement assassiné par des païens en 985.

Personnages célèbres : le roi d'Angleterre Harold II, le roi de Norvège Harald V, l'auteur dramatique Harold Pinter, l'acteur américain Harold Lloyd.

Harrisson

Fête le 13 juillet.
Prénom d'origine germanique,
forme anglo-saxonne de Henri.

• **Étymologie** : vient de *heim* : maison et *rik* : roi.

• **Symbolique** : 3 - violet - Capricorne - améthyste.

• **Caractère** : sérieux, observateur, calme, Harrisson est un homme prudent qui n'accorde pas sa confiance au premier venu. Mais il est de parole et respecte ses engagements. Son opiniâtreté lui permet de franchir tous les obstacles.

Prénom rare en France.

Saint Henri* est son patron.

Personnage célèbre : l'acteur Harrisson Ford.

Harvey

Fête le 17 juin.
Prénom d'origine celte,
forme anglo-saxonne de Hervé.

• **Étymologie** : vient de *haer* : fort et *bev* : ardent.

• **Symbolique** : 9 - Scorpion - rouge - rubis.

• **Caractère** : réfléchi, secret, Harvey est un homme introverti. Stable et sérieux, il aime la rigueur, et la fantaisie, si elle le séduit parfois, l'inquiète. Il apprécie la tranquillité, mais il sait aussi être chaleureux et sociable à l'occasion.

Prénom rare.

Saint Hervé* est le protecteur d'Harvey.

Hector

Fête le 21 juillet.

Prénom d'origine grecque.

• **Étymologie** : vient de *hektôr* : qui détient.

• **Symbolique** : 6 - jaune - Gémeaux - topaze.

• **Caractère** : doux et rassurant, tendre et fidèle, Hector est un homme responsable très attaché aux valeurs familiales. Son apparente tranquillité cache une grande volonté et un farouche désir de réussite. Il est consciencieux, travailleur et discipliné.

Prénom rare.

• **Prénom étranger associé** : Héitor.

Saint Victor* est le patron d'Hector.

Hector est, dans *l'Iliade*, d'Homère, le fils aîné de Priam, roi de Troie ; il est le frère de Cassandre et de Pâris, l'époux d'Andromaque. Chef de guerre, il est tué par Achille.

Personnages célèbres : l'écrivain Hector Malot, le musicien Hector Berlioz.

Hélios

Fête le 24 juin.
Prénom d'origine grecque.

• **Étymologie** : vient de *hélios* : soleil.

• **Symbolique** : 5 - jaune - Gémeaux - topaze.

• **Caractère** : indépendant et curieux, Hélios supporte mal les contraintes. Épris de la vie et de ses plaisirs, il recherche l'aventure, les voyages, et sait s'adapter avec souplesse à toutes les situations.

Hélios peut être fêté avec Jean.

Dans la mythologie grecque, Hélios, fils du Titan Hypérion et frère de Séléné, la déesse-lune, est le dieu soleil. Il traverse le ciel sur un char de feu tiré par quatre chevaux.

Henri

Fête le 13 juillet.
Prénom d'origine germanique, dérivé de Emeric.

• **Étymologie** : vient de *heim* : maison et *rik* : roi.

• **Symbolique** : 9 - violet - Capricorne - améthyste.

• **Caractère** : sociable et entreprenant, Henri a cependant besoin de tranquillité pour cultiver son jardin secret. Réaliste, efficace, il a l'esprit pratique. Bien qu'il soit assez conformiste, il est épris d'aventure et de liberté et n'est pas des plus disciplinés.

Prénom classique à l'honneur à la Renaissance et à la fin du 19e.

• **Prénoms français associés** : Hendrick et Heinz (alsaciens) - Henriette*.

• **Prénoms étrangers associés** : Arri - Arrigo - Arrighi - Drickes - Eanruig - Enri - Enric - Enrico - Enrikos - Enrique - Enzio - Enzo - Guenrick - Hank - Harrisson* - Harry - Heinke - Heinmann - Heinrich - Heinz - Hendricus - Hendrijke - Henikos - Henke - Hennih - Henno - Heno - Henrik - Henry - Henschel - Hinderik - Hinnerk - Hinrich - Hinz - Reiz - Riekie - Ritz.

Saint Henri II de Germanie naît en 972 en Bavière ; il prend la succession de son cousin Otto III sur le trône germanique en 1002 ; attaché à l'évangélisation de son pays, il soutient l'autorité de l'Église, dote les monastères de dons... royaux, bâtit cathédrales, monastères et fondations pour s'occuper des pauvres et des malades.

Personnages célèbres : le roi Henri VIII d'Angleterre, le roi de France Henri IV, Henri Beyle, dit Stendhal, les écrivains Henri de Montherlant et Henri Troyat, le philosophe Henri Bergson, les peintres Henri Matisse et Henri de Toulouse-Lautrec.

Herbert

Fête le 20 mars.
Prénom d'origine germanique, dérivé de Héribert.

• **Étymologie** : vient de *heri* : armée et *behrt* : illustre.

• **Symbolique** : 4 - vert - Cancer - émeraude.

• **Caractère** : sociable mais discret, sympathique mais réservé, Herbert ne se révèle jamais tout à fait, mais il est fiable en amour comme en amitié. Franc, autoritaire, il est volontiers dominateur. Très organisé, réfléchi, il est un grand travailleur.

Prénom médiéval rare.

• **Prénoms français associés** : Aribert - Hébert - Héribert.

• **Prénoms étrangers associés** : Aiberto - Aribrecht - Erberto - Héribertus - Herbrecht.

Saint Herbert est ermite en Angleterre, dans le Cumberland au 7e siècle.

Personnages célèbres : Herbert Hoover, qui fut Président des États-Unis, le chef d'orchestre Herbert von Karajan.

Héribald

Fête le 25 avril.
Prénom d'origine germanique.

• **Étymologie** : vient de *heri* : armée et *bald* : audacieux.

• **Symbolique** : 7 - Sagittaire - vert - émeraude.

• **Caractère** : épris de savoir, amoureux de l'étude, Héribald aspire à la connaissance. C'est dans la domination intellectuelle qu'il place son ambition. Il ne dédaigne pas pour autant les biens matériels et les succès financiers mais s'il y consacre toute son efficacité, c'est dans la spiritualité qu'il s'épanouit.

Prénom rare.

Saint Héribald, évêque d'Auxerre au 9e siècle est un homme savant, lettré, amateur de sciences et d'art ; conseiller des souverains, il a un rôle prépondérant dans les affaires du royaune franc.

Hermann

Fête le 25 septembre.
Prénom d'origine germanique.

• **Étymologie** : vient de *heri* : armée et *man* : homme.

• **Symbolique** : 4 - vert - Cancer - émeraude.

• **Caractère** : calme, sérieux, Hermann est consciencieux et discipliné. Réaliste, il affronte avec sang-froid les difficultés, assume avec rigueur les responsabilités et fait preuve d'une extrême patience et d'une grande opiniâtreté.

Prénom rare.

• **Prénoms étrangers associés** : Armen - Armin - Ermano - Erminio - Harm - Harmen - Harmin - Haro - Hemmo - Herm - Hermake - Herma - Hermana - Hermanis - Hermant - Hermel - Hermen - Herminius - Hermjke - Hetze - Hetzel - Heymann - Manes - Mannus - Meins - Menzel.

Saint Hermann, enfant handicapé de naissance est recueilli par les moines bénédictins, près de Constance, en Allemagne au 11e siècle. Très jeune, il manifeste d'extraordinaires dons pour l'étude. Il devient mathématicien, astronome, poète, historien, invente un astrolabe, une machine à calculer, et compose d'éblouissants cantiques à la Vierge Marie : l'*Ave Maria*, le *Salve Regina*... Papes et empereurs lui rendent visite. Il meurt en 1054.

Hervé

Fête le 17 juin.
Prénom d'origine celte.

• **Étymologie** : vient de *haer* : fort et *bev* : ardent.

• **Symbolique** : 4 - bleu - Scorpion - saphir.

• **Caractère** : réservé, un peu distant même, Hervé observe, teste, juge avant de s'engager ou d'accorder sa confiance. Il est franc, loyal, et se révèle un ami fiable mais peu expansif. Travailleur et organisé, volontaire et ambitieux, il est bien armé pour affronter la vie.

Prénom breton en vogue de 1950 à 1970.

• **Prénoms français associés** : Hervée - Herveig (breton) - Hervieu (normand) - Hervelin - Herveline - Hervie - Houarn, Houarné, Houarneau, Houarneig, Houarnig et Houarniaule (bretons) - Hyvarnion - Véïa, Véïg et Véïlana (bretons).

• **Prénoms étrangers associés** : Harvey* - Hervéa - Hervéva - Hervey.

Saint Hervé, fils de barde, naît en Bretagne en 525. Aveugle de naissance, il est confié à un oncle moine qui l'élève dans l'amour de Dieu. Il se retire dans un ermitage avec un serviteur fidèle, et fonde plusieurs monastères.

Personnages célèbres : l'écrivain Hervé Bazin, le chanteur Hervé Vilard.

Hilaire

Fête le 3 novembre.
Prénom d'origine latine.

- **Étymologie** : vient de *hilaris* : gai.
- **Symbolique** : 8 - vert - Sagittaire - émeraude.
- **Caractère** : ambitieux et combatif, Hilaire est efficace lorsqu'il est motivé. Sa volonté de réussite l'entraîne parfois à être impatient, coléreux, mais il est en réalité très sensible.
- Prénom rare.
- **Prénoms français associés** : Allaire - Hélier - Hilarie - Hilarin - Hilarion.
- **Prénoms étrangers associés** : Hilar - Hilaria - Hilario - Hilaris - Hilary - Hillary - Ilari - Ilaria - Ilariouchka - Ilarka - Lariocha - Larry.

Saint Hilaire est diacre dans le Latium, en Italie au 3e siècle. Arrêté par les hommes de l'empereur Maximien en compagnie de son ami prêtre Valentin, il est sommé d'adorer les dieux païens. Il refuse, il est torturé puis décapité.

Personnage célèbre : le peintre Hilaire de Gas, dit Edgar Degas.

Hippolyte

Fête le 13 août.
Prénom d'origine grecque.

- **Étymologie** : vient de *hippolutos* : qui délie les chevaux.
- **Symbolique** : 9 - vert - Poissons - émeraude.
- **Caractère** : sensible, Hippolyte est un inquiet qui affiche, pour se protéger, froideur ou humour. Il fuit les conflits et préfère la lecture, la méditation à la vie sociale, mais apprécie la vie de famille.

Prénom rare.

- **Prénom français associé** : Hippolyne.
- **Prénoms étrangers associés** : Hippol - Hippolyt - Hippolyta - Hippolyto - Ippolita - Ippolito - Ita - Ito.

Saint Hippolyte est prêtre à Rome au 3e siècle ; théologien et excellent orateur, il s'oppose aux papes Zéphyrin et Calliste. Il fut déporté en Sardaigne où il mourut en 235.

Personnages célèbres : l'historien Hippolyte Taine, le peintre Hippolyte Flandrin.

Honoré

Fête le 16 mai.
Prénom d'origine latine.

- **Étymologie** : vient de *honoris* : honneur.

• **Symbolique** : 3 - orange - Taureau - topaze.

• **Caractère** : vif et doté d'une exceptionnelle aisance verbale, Honoré est doué pour la vie sociale. Persuasif, il communique son enthousiasme avec brio. Il est réaliste, et mène ses affaires avec bon sens. Jaloux, il est cependant volage.

Prénom à l'honneur au 19e siècle.

• **Prénoms français associés** : Honorat - Honorée - Honorin - Honorine* - Ounourat (provençal).

• **Prénoms étrangers associés** : Honor - Honora - Honorata - Honoratus - Honorius - Onorato - Onorio.

Saint Honoré est évêque à Amiens au 6e siècle. La légende raconte qu'au moment de donner la communion, le pieux évêque se trouva sans pain ; Jésus vint alors remplir le ciboire. Elle conte aussi qu'une procession autour des reliques du bon saint mirent fin à une sécheresse exceptionnelle. La confrérie des boulangers-pâtissiers lui consacrèrent une église, à Paris, au 13e siècle, et le quartier environnant prit son nom : le faubourg Saint-Honoré.

Personnages célèbres : l'écrivain Honoré de Balzac, le dessinateur Honoré Daumier.

Horace

Fête le 24 juin.
Prénom d'origine latine.

• **Étymologie** : vient de *Horacius*, patronyme d'une célèbre famille romaine.

• **Symbolique** : 5 - bleu - Verseau - saphir.

• **Caractère** : émotif et artiste, Horace déborde de dynamisme lorsqu'il est motivé, adore les voyages, les changements. Gai, drôle, il enchante son entourage par sa vivacité.

Prénom rare.

• **Prénoms étrangers associés** : Horatio - Horatius - Horats - Horz - Oratio.

Saint Horace ne s'est pas encore révélé... Horace peut prendre pour patron... Jean, ou tout autre saint qui ne lui refusera certainement pas sa protection !

Horace, fils d'esclaves affranchis, naît en 65 avant J.-C., et reçoit une bonne éducation. Épicurien et solitaire, il est poète de l'amour et de la joie de vivre. Sa devise carpe diem (profite du jour présent) résume sa philosophie. Il est avec Virgile le plus grand nom de la poésie latine.

Personnage célèbre : le peintre Horace Vernet.

Hubert

Fête le 3 novembre.
Prénom d'origine germanique.

• **Étymologie** : vient de *hug* : intelligence et *behrt* : brillant.

• **Symbolique** : 2 - bleu - Cancer - saphir.

• **Caractère** : calme et viril, Hubert affiche une force de caractère sereine. Sa générosité, son esprit franc et ouvert lui attirent beaucoup d'amitiés sincères, même s'il se montre parfois très directif, pour ne pas dire tyrannique.

Prénom à la mode de 1930 à 1950.

• **Prénoms français associés** : Bertie - Hibert - Hibertin - Huberdine - Huberte - Hubertie - Hubertin - Hubertine - Hugibert - Humbert - Ibert - Ibertin.

• **Prénoms étrangers associés** : Bertus - Breggie - Hobard - Huberta - Hubertina - Huberto - Hubertus - Hukko - Huppel - Huprecht - Obert - Oberto - Ubert - Uberta - Ubertina - Uberto - Ubertino.

Saint Hubert était, au 8e siècle, un homme passionné de chasse. La légende conte qu'un Vendredi saint, il courut un cerf qui avait entre les bois une croix scintillante. L'animal lui recommanda de se rendre auprès de Lambert, évêque de Maastricht. Hubert se retira du monde, se mit au service de l'évêque et le remplaça lorsqu'il mourut assassiné.

Personnage célèbre : Hubert Reeves, astrophysicien.

Hugo

Fête le 1er avril.
Prénom d'origine germanique, dérivé de Hugues.

• **Étymologie** : vient de *hug* : intelligence.

• **Symbolique** : 6 - violet - Gémeaux - améthyste.

• **Caractère** : affectueux, sensible et perfectionniste, Hugo est très exigeant dans sa vie privée comme dans sa vie professionnelle. Il déteste les conflits et devant l'hostilité, se renferme jusqu'au mutisme.

Prénom à la mode depuis 1990.

Saint Hugues* est le patron de Hugo.

Hugues

Fête le 1er avril
Prénom d'origine germanique.

• **Étymologie** : vient de *hug* : intelligence.

• **Symbolique** : 9 - violet - Verseau - améthyste.

• **Caractère** : sensible et intuitif, Hugues est fin psychologue. Réservé, il observe son entourage et recherche les contacts. Ouvert et diplomate, il est excellent négociateur, fait preuve d'altruisme, mais se livre peu. Idéaliste, il est exigeant.

Prénom médiéval et traditionnel, rare aujourd'hui.

• **Prénoms français associés** : Hughes - Hugo* - Hugon - Hugolin - Huguette* - Huon.

• **Prénoms étrangers associés** : Haugh - Hoege - Hugh - Huglie - Hugly - Ughetta - Ugolina - Ugolino - Ugona - Ugone - Ugue - Ugues - Uguccio.

Saint Hugues devient évêque à vingt-sept ans ; il ne cherche pas les honneurs et hésite à prendre cette charge, mais la pape Grégoire insiste. Il découvre un clergé en pleine décadence, des prêtres licencieux... Hugues donne l'exemple du jeûne, de la prière ; il vend ses biens, fait l'aumône... en vain ; il envisage de quitter l'évêché, de se retirer, mais le pape le rappelle à son devoir. Il revient à Grenoble, fonde un hôpital, construit un pont ; il joue le rôle de médiateur dans les conflits entre les princes, et réussit enfin à rétablir l'ordre dans son évêché. Il meurt à près de quatre-vingts ans, après cinquante-deux années d'épiscopat.

Personnages célèbres : le fondateur de la dynastie des Capétiens, Hugues Capet, le chanteur-compositeur Hugues Aufray, l'acteur Hugh Grant.

Humbert

Fête le 25 mars.

Prénom d'origine germanique.

- **Étymologie** : vient de *hun* : géant et *behrt* : brillant.
- **Symbolique** : 6 - vert - Verseau - émeraude.
- **Caractère** : ambitieux, Humbert se mobilise pour arriver à ses fins ; il en a les moyens : courageux, réfléchi, il travaille dur. Sensible et timide, il n'accorde pas facilement sa confiance et exige beaucoup de ses amis.

Prénom rare.

- **Prénom français associé** : Umbert.
- **Prénoms étrangers associés** : Humberto - Humbertus - Umberto.

Saint Humbert, fils du comte de Savoie, naît en 1136. Veuf en secondes noces, il se retire à l'abbaye de Haute-Combe, mais devant assurer la dynastie des comtes de Savoie, il se résout à se remarier. Il meurt en 1189.

Humphrey

Fête le 4 mai.

Prénom d'origine germanique.

- **Étymologie** : vient de *hun* : géant et *frido* : paix.
- **Symbolique** : 6 - rouge - Poissons - rubis.
- **Caractère** : épicurien, tranquille, Humphrey n'aime guère les complications. Généreux et sécurisant, il attire l'affection et adore plaire. Sa volonté n'est pas toujours très affirmée, surtout s'il n'est pas très motivé.

Prénom rare.

- **Prénoms français associés** : Humfroi - Humfroy - Onfroy.

Saint Humphrey, domestique au Pays de Galles au 16e siècle, meurt en martyr en 1589.

Hyacinthe

Fête le 17 août.
Prénom d'origine grecque.

• **Étymologie** : vient de *hualinthos* : pierre précieuse, sorte de zircon.

• **Symbolique** : 3 - blanc - Vierge - aigue-marine.

• **Caractère** : charmant, enjoué, expressif, Hyacinthe est un communicatif né. Amusant en société, mais réaliste en affaires, il se révèle persuasif et excellent négociateur. Feu follet dans la vie privée, il s'autodiscipline si le jeu en vaut la chandelle.

Prénom rare.

• **Prénoms français associés** :Jacinthe.

• **Prénoms étrangers associés** : Cynthia* - Gelsomina - Gelsomino - Giacinta - Giacinto - Jacintho - Jacinthus - Jacynth.

Saint Hyacinthe, d'origine polonaise, entre dans les ordres à Rome en 1217. Il revient dans son pays pour y fonder plusieurs couvents dominicains.

I

(garçons)

Ignace

Fête le 31 juillet.
Prénom d'origine latine.

- **Étymologie** : vient de *ignis* : feu.
- **Symbolique** : 3 - jaune - Gémeaux - topaze.
- **Caractère** : responsable, communicatif, Ignace a une aura incontestable. Il sécurise par son équilibre et sa capacité d'écoute ; intellectuellement brillant, il se passionne pour les études et, excellent orateur, il adore les joutes oratoires.

Prénom rare.

- **Prénoms étrangers associés** : Gnacie - Gnazi - Ignacio - Ignatia - Ignatus - Ignatz - Ignaz - Ignazio - Inigo - Natz - Nazerl.

Saint Ignace de Loyola naît dans le pays basque espagnol en 1491, onzième enfant d'une famille de la grande noblesse. Il s'engage dans l'armée, est blessé à la jambe, et passe une longue convalescence à lire ; on lui remet une *Vie du Christ* et la *Vie des saints*. Ignace se passionne pour cette lecture et décide de mener une vie de pénitence. Après un voyage en Terre sainte, il revient en Espagne pour étudier la physique, la théologie, la grammaire latine. Il prêche, convertit, enseigne le catéchisme aux enfants, mendiant sa subsistance. Il vient en France pour étudier la philosophie. Il fonde avec six amis la Compagnie de Jésus en 1540. Nommé supérieur général, Ignace organise l'ordre, en rédige les règles. Il meurt en 1556 à Rome.

Igor

Fête le 5 juin.
Prénom d'origine slave.

- **Étymologie** : signifie *gardien de la jeunesse*.
- **Symbolique** : 4 - jaune - Capricorne - topaze.
- **Caractère** : inquiet et prudent, Igor est vulnérable et cherche en priorité la sécurité. Le cocon familial, la routine professionnelle, l'étude le rassurent. Il préfère la solitude à la vie sociale, car il craint les blessures affectives.

Prénom rare en dehors des familles slaves.

Saint Igor, prince de Moscovie, chassé du palais, trouve refuge dans un monastère où il prend l'habit. Il est assassiné en pleine prière en 1147.

Personnage célèbre : le compositeur Igor Stravinsky.

Innocent

Fête le 17 avril.
Prénom d'origine latine.

- **Étymologie** : vient de *innocens* : inoffensif.

• **Symbolique** : 4 - orange - Capricorne - topaze.

• **Caractère** : intuitif et émotif, Innocent maîtrise bien son affectivité ; il affiche un flegme déconcertant teinté d'humour caustique. Social, il apprécie les activités de groupe, les associations, à condition que ses partenaires ménagent sa grande susceptibilité.

Prénom rare.

• **Prénoms étrangers associés** : Enzo - Innocente - Innocenzo - Nocenzio.

Saint Innocent vit en Italie au 3e siècle. Chrétien, il est arrêté sur l'ordre de l'empereur Dioclétien, et torturé. Il survit, et il est libéré. Il se rend à Rome, rencontre le pape qui l'ordonne diacre, puis évêque. Sa légende conte qu'il fit de nombreux miracles en faveur des pauvres et des malades.

Irénée

Fête le 28 juin.
Prénom d'origine grecque.

• **Étymologie** : vient de *eirênê* : paix.

• **Symbolique** : 2 - vert - Capricorne - émeraude.

• **Caractère** : actif et travailleur, Irénée est diplomate ; il sait s'adapter aux circonstances avec tact, tout en affirmant avec conviction ses idées. Perfectionniste, il est exigeant envers ses amis comme avec ses partenaires.

Prénom rare.

Saint Irénée naît en Asie Mineure au début du 2e siècle. Il s'établit en Gaule à Lyon alors qu'éclatent les persécutions contre les chrétiens; ordonné prêtre, il est le messager des prisonniers. L'évêque Pothin meurt martyrisé ; il prend sa succession, lutte contre l'hérésie malgré le danger, et rédige plusieurs ouvrages de théologie. Il meurt en 202, en martyr lui aussi. Il est nommé docteur de l'Église.

Isaac

Fête le 20 décembre.
Prénom d'origine hébraïque.

• **Étymologie** : signifie *Dieu a ri.*

• **Symbolique** : 7 - rouge - Poissons - rubis.

• **Caractère** : tranquille, sérieux, responsable, consciencieux, Isaac est un homme sur lequel on peut compter. Son perfectionnisme le pousse même à être un peu maniaque parfois. Stable et réfléchi, il est un ami fidèle, un compagnon tendre, un partenaire loyal.

Prénom biblique peu répandu.

• **Prénoms associés** : Isacco - Isach - Isaak - Iskak - Izaak - Ixaka - Irsak - Ishaq - Itzaq - Ike - Ikey - Ikie - Yitzhak.

Isaac est, selon la Bible, le fils inespéré d'Abraham et de Sarah qui le met au monde alors qu'elle est très âgée. Pour éprouver sa foi, Yahvé demande à Abraham de lui sacrifier cet enfant tant espéré. Abraham n'hésite pas. Yavhé substitue à Isaac un bélier. Il est le père de Jacob et d'Esaü

Personnages célèbres : le mathématicien Isaac Newton, le compositeur Isaac Albeniz.

Isaïe

Fête le 6 juillet.
Prénom d'origine hébraïque.

• **Étymologie** : signifie *Dieu est délivrance.*

• **Symbolique** : 7 - vert - Verseau - émeraude.

• **Caractère** : indépendant et autonome très jeune, Isaïe recherche cependant un environnement affectif stable. Ambitieux, il aime la réussite, brigue le pouvoir et fait preuve d'opiniâtreté si on ne met pas en péril sa chère liberté.

Prénom biblique rare.

• **Prénoms étrangers associés** : Esaïa - Esaïas - Isaïa.

Isaïe est un des grands prophètes de la Bible. Il exerce son ministère au royaume de Juda de 740 à 700 avant J.-C. Il annonca l'arrivée des Assyriens.

Isidore

Fête le 4 avril ou le 15 avril.
Prénom d'origine grecque.

• **Étymologie** : vient de *Isis* : déesse égyptienne et *doron* : don.

• **Symbolique** : 7 - vert - Scorpion - émeraude.

• **Caractère** : actif, entreprenant, Isidore déborde de vitalité. Timide, il est distant de prime abord, mais révèle un caractère enjoué et ouvert si on gagne sa confiance. Selon les circonstances, il est sérieux et réfléchi ou joyeux et insouciant.

Prénom assez répandu au 19e siècle.

• **Prénoms étrangers associés** : Dora - Isadora - Isidor - Isidora - Isour - Izidra - Izidro - Zidore.

Saint Isidore de Séville naît en Espagne au 7e siècle. Son père meurt alors qu'il est tout jeune. C'est son frère aîné qui l'élève ; la tâche est ardue, car Isidore est têtu, fait l'école buissonnière, se révolte... À la suite de cuisants coups de fouets, il fugue, court la campagne... et réfléchit. Il revient chez lui, et décide de s'amender. Il reprend le chemin de l'école, et devient un des plus grands savants de son siècle : théologien, historien, philosophe, géographe... Il rédige un Traité des Étymologies qui sera pendant tout le Moyen Âge un ouvrage de références. En 600, il est nommé évêque de Séville ; il le reste près de quarante ans, combattant les hérésies, réformant la liturgie, fondant collèges et monastères... Il meurt en 636. Il est nommé docteur de l'Église.

Personnages célèbres : l'écrivain Isidore Ducasse, comte de Lautréamont, la danseuse Isadora Duncan.

Ivan

Fête le 24 juin.
Prénom d'origine hébraïque, forme slave de Jean.

• **Étymologie** : vient de *Yohanan* : Dieu a fait grâce.

• **Symbolique** : 1 - rouge - Gémeaux - rubis.

• **Caractère** : tendre, émotif, généreux, Ivan arbore cependant une apparence virile un peu bourrue. Il est organisé, autoritaire, et fait preuve de rigueur dans sa vie professionnelle. Exigeant, il est attaché aux valeurs traditionnelles.

Prénom rare.

• **Prénom associé** : Ivana.

Saint Jean* est le patron d'Ivan.

Personnages célèbres : le tsar Ivan IV le Terrible, l'écrivain Ivan Tourguenies.

J

(garçons)

Jacob

Fête le 20 décembre.

Prénom d'origine hébraïque.

- **Étymologie** : signifie *Dieu a soutenu.*

- **Symbolique** : 4 - rouge - Cancer - rubis.

- **Caractère** : prudent et observateur, Jacob se livre peu, au risque de paraître fier. Opiniâtre, il est patient et poursuit sans fléchir les objectifs qu'il s'est fixés. Il est très attaché aux valeurs morales, et se montre fiable, fidèle et dévoué.

Prénom répandu dans les familles israélites.

- **Prénoms français associés** : Jacobin - Jacobine - Jacqueline* - Jacques*.

- **Prénoms étrangers associés** : Cob - Cobb - Cobbie - Giaccobe - Giacoba - Giacobo - Giacomo - Giacomina - Giacomino - Hamish - Iacoba - Iacobo - Iago - Iakov - Jacek - Jachimo - Jaco - Jacoba - Jacomus - Jacopo - Jacopone - Jago - Jakob - Jakoba - Jakobea - Jakoos - Kob - Köbes - Koeeb - Santiago - Schech - Seamus - Tiago - Tjakob - Yacob - Yacoub - Yacha - Zjak.

Jacob est, dans la Bible, le fils d'Isaac et de Rebecca, le frère d'Esaü à qui il rachète son droit d'aînesse. Époux de Léa et de Rachel, il aura douze fils, qui deviendront les patriarches des douze tribus d'Israël.

Jacques

Fête le 3 mai.

Prénom d'origine hébraïque.

- **Étymologie** : signifie *Dieu a soutenu.*

- **Symbolique** : 4 - rouge - Gémeaux - rubis.

- **Caractère** : courageux et opiniâtre, Jacques est un homme de caractère qui ne baisse pas les bras ; il est sociable, tout en privilégiant son indépendance et son sens de l'honneur et des responsablités à toute épreuve.

Prénom courant aux 16e, 17e et 18e siècles et pendant la première moitié du 20e.

- **Prénoms français associés** : Jaclyn - Jacolyn - Jacot - Jacquelin - Jacquemin - Jacquot - Jacquou - Jakez (breton) - Jakou - Jalm et Kou (bretons).

- **Prénoms étrangers associés** : Diego - Jack - Jacmé - Jacquelino - Jaime - Jaimie - James - Jaume - Jayme - Jem - Jeppe - Jim - Jimi - Jimmy - Joakje - Joggi.

Saint Jacques le Majeur est le frère de Saint Jean l'Évangéliste. Il devient apôtre de Jésus, qui le surnomme fils du tonnerre, à cause de son caractère ombrageux : il avait menacé d'exterminer un village dont le chef avait refusé d'héberger le Christ ! La légende conte qu'il vint prêcher en Espagne après la Pentecôte. Il fut enterré dans un village qui porte aujourd'hui le nom de Saint-Jacques-de-Compostelle, lorsqu'il fut décapité en 44.

Saint Jacques le Mineur est le frère de Simon et Jude, apôtres. À la Pentecôte, il devient le chef de la communauté judéo-chrétienne de Jérusalem. Il fut lapidé et bastonné en 66 alors qu'il prêchait l'Évangile dans la cour du Temple.

Personnages célèbres : le prédicateur Jacques Bénigne Bossuet, le financier Jacques Necker, le composisteur Jacques Offenbach, le navigateur Jacques Cartier.

Jason

Fête le 12 juillet.
Prénom d'origine hébraïque.

• **Étymologie** : vient de *yehosua* : Dieu sauve.

• **Symbolique** : 5 - rouge - Gémeaux - rubis.

• **Caractère** : aventureux mais réfléchi, rationnel et intuitif à la fois, sage mais impulsif à ses heures, Jason est un homme paradoxal. Sa rapidité d'esprit, son intelligence lui permettent de saisir les opportunités et de se remettre en question en permanence.

Prénom mythologique courant aux États-Unis.

Saint Jason vit à Thessalonique en Grèce au 3e siècle ; juif chrétien, il reçoit chez lui les disciples du Christ, Paul et Silas ; il est aussitôt dénoncé et arrêté ; il est heureusement libéré sur caution.

Jason est dans la mythologie grecque un héros qui dût conquérir la Toison d'Or d'un bélier fabuleux, avec ses compagnons, les Argonautes, pour obtenir le trône de Ialcos. De retour avec son trophée, il épouse Médée, mais les amoureux sont chassés et se réfugient à Corinthe, chez le roi Créon. Après dix années de bonheur, Jason répudie Médée pour épouser la fille de son hôte. Médée, folle de jalousie, tue Jason, sa jeune épouse et le roi !

Jean

Fête le 24 juin.
Prénom d'origine hébraïque.

• **Étymologie** : vient de *Yohanân* : Dieu a fait grâce.

• **Symbolique** : 3 - jaune - Gémeaux - topaze.

• **Caractère** : insatiable curieux, Jean est intéressé par tout. Éclectique, sa culture n'a pour limite que sa mémoire. Brillant en société, ouvert, communicatif, il est aussi exigeant car il déteste la médiocrité.

Prénom classique, intemporel dans sa simplicité comme dans ses formes composées.

• **Prénoms français associés** : Janet (provençal) - Janot - Jeannequin - Jeannot - Jehan - Johan* - Yann* et Yannick* (bretons) - Yoann.

• **Prénoms étrangers associés** : Evan - Ewan - Gian - Gianni - Gion - Giovanni - Hampe - Hampus - Hanko - Hannele - Hannes - Hans - Hänsel - Hanselo - Hansi - Hanso - Haske - Henne - Henneke - Henschel - Ian - Ioannes - Ivan* - Ivassik - Ivano

- Janning - Janos - Jantinus - Jan - Jens - Johannes - Jeng - Jengen - Jens - Jent - Johannus - Joao - Jack - Joen - Joes - John - Johnny - Jöns - Joop - Juan - Juhans - Seain - Sean - Seonaio - Shone - Shang - Shani - Sheenagh - Sjang - Vania - Vangelis - Yvan.

De très nombreux saints figurent au calendrier sous ce prénom. Les plus célèbres :

Saint Jean est l'un des compagnons préférés de Jésus ; c'est à lui qu'Il confia sa mère avant sa mort. Il est l'auteur présumé du quatrième Évangile, de trois épitres et de l'Apocalypse. La tradition veut qu'il ait évangélisé l'Asie Mineure, puis qu'il ait été exilé sous le règne de Dioclétien.

Saint Jean Chrysostome, évêque de Constantinople au 4e siècle se distingua par son exceptionnelle éloquence ; nommé patriarche de Constantinople en 398, il réforma le clergé, dénonca le luxe de la cour, s'attirant la disgrâce de l'impératrice Eudoxie qui l'envoya en exil où il mourut. Il fut nommé docteur de l'Église.

Saint Jean le Bosco, né dans le Piémont au 19e siècle, eut la vocation dès l'enfance ; devenu prêtre, il se consacra à l'éducation des enfants pauvres, fonda plusieurs instituts pour leur dispenser un enseignement professionnel, bâtit des églises. Il mourut en 1888. Il est le patron des apprentis.

Personnages célèbres : Jean de la Fontaine, Jean Racine, Jean de la Bruyère, poètes et moralistes du 17e siècle, Jean Anouilh, Jean Cocteau, Jean Genêt, Jean Giraudoux, Jean Giono, auteurs français du 20e siècle, les acteurs Jean Gabin, Jean Marais, Jean Piat.

Jérôme

Fête le 30 septembre.
Prénom d'origine grecque.

- **Étymologie** : vient de *hieros* : sacré et *onoma* : nom.
- **Symbolique** : 3 - rouge - Verseau - rubis.
- **Caractère** : sociable et expressif, Jérôme est un ami charmant ; il s'adapte aux circonstances, est enjoué, tout en sachant garder une certaine réserve, car il tient à son indépendance. Épicurien et optimiste, il aime la fantaisie, curieux, il est éclectique.

Prénom à la mode de 1960 à 1980.

- **Prénoms français associés** : Géronime - Jéromin - Jéromine.
- **Prénoms étrangers associés** : Géronima - Géronimo - Girolamo - Girometta - Hiéronimo - Hiéronimus - Jéromia - Jéronimo - Jéronimus - Olmes - Onimus - Ronimus.

Saint Jérôme, né en Dalmatie au 4e siècle, fait de brillantes études classiques à Rome et se fait baptiser à 20 ans. Il devient le secrétaire du pape Damase en 382, puis se retire dans le désert pour se consacrer à la traduction en latin de l'Ancien et du Nouveau Testament ; cette œuvre, "la Vulgate", lui prit 22 ans. Il meurt en 420. Il est nommé docteur de l'Église.

Personnages célèbres : le peintre flamand Jérôme Bosch, Jérôme Bonaparte, frère de Napoléon, roi de Westphalie.

Joachim

Fête le 26 juillet.
Prénom d'origine hébraïque.

- **Étymologie** : signifie *Yahvé s'est levé.*
- **Symbolique** : 5 - bleu - Vierge - saphir.
- **Caractère** : indépendant et curieux, Joachim refuse les contraintes qui pourraient entraver son besoin d'aventure et de nouveauté. Même s'il est parfois impulsif et passionné, il sait prendre du recul, réfléchir sagement et se remettre en question.

Prénom rare.

- **Prénoms étrangers associés** : Achim - Chim - Giacchina - Giocchina - Giocchino - Joakino - Joaquina - Joaquino - Joaquim - Jochen - Jochem - Jochim - Juchem.

Saint Joachim est l'époux d'Anne et le père de la Vierge Marie.

Personnages célèbres : le poète Joachim du Bellay, Joachim Murat, maréchal de France, roi de Naples.

Joël

Fête le 13 juillet.
Prénom d'origine hébraïque.

- **Étymologie** : signifie *Yahvé est Dieu.*
- **Symbolique** : 6 - bleu - Cancer - saphir.
- **Caractère** : tranquille, sérieux, Joël a un sens aigu des responsabilités. On peut compter sur sa fidélité et sa loyauté, en amitié, en amour, comme en affaires. Très consciencieux, il est perfectionniste jusqu'à la maniaquerie. Tendre mais pudique, il extériorise peu ses sentiments.

Prénom assez répandu de 1940 à 1960.

- **Prénoms français associés** : Jaël - Jodel - Jodelle - Jodi - Jodie - Joëlle* - Joëly - Jonelle* - Yaël - Yaëlle - Yoël - Yoëlle.
- **Prénom étranger associé** : Joe.

Saint Joël est prophète en Israël, au 6e siècle avant J.-C., et auteur du livre qui porte son nom.

Johan

Fête le 24 juin.
Prénom d'origine hébraïque, dérivé de Jean.

- **Étymologie** : vient de *Yohanân* : Dieu a fait grâce.
- **Symbolique** : 3 - jaune - Gémeaux - topaze.
- **Caractère** : sociable, optimiste, épicurien, Johan possède le don de la communication ; disert, bavard même, il attire la sympathie, mais garde une prudente réserve pour ménager son intimité.

Prénom assez répandu depuis 1980.

- **Prénoms associés** : Joanna - Joanne - Joanie - Joannie - Johann - Johanna - Johanne - Yohan - Yohann.

Saint Jean* est son patron.

Jonathan

Fête le 29 décembre.
Prénom d'origine hébraïque.

• **Étymologie** : signifie *Yahvé a donné*.

• **Symbolique** : 8 - rouge - Poissons - rubis.

• **Caractère** : courageux, volontaire, curieux et travailleur, Jonathan a le goût du pouvoir et possède toutes les qualités pour réussir. Il est aussi un ami fidèle et généreux, malgré son impatience, son intolérance et ses excès d'autorité.

Prénom à l'honneur de 1970 à 1990.

• **Prénoms associés** : Jonathas - Jonathès - Yonathan.

Saint Jonathan est le fils de Saul, premier roi des Israélites au 11e siècle avant J.-C., et un grand ami de David.

Personnage célèbre : le romancier irlandais Jonathan Swift.

Jordan

Fête le 23 avril.
Prénom d'origine araméenne.

• **Étymologie** : vient de *yordan* : qui répand la vie.

• **Symbolique** : 8 - bleu - Poissons - saphir.

• **Caractère** : rapide, impatient, entreprenant, Jordan n'a qu'un but : réussir. Il déteste la médiocrité et les échecs le rendent très amers. Peu tolérant, il est irascible si on s'oppose à ses projets.

• **Prénoms français associés** : Jordane - Jourdain - Jourdaine.

• **Prénoms étrangers associés** : Giordana - Giordano - Jordana - Jordi.

Saint Georges* est le patron de Jordan.

Joris

Fête le 23 avril.
Prénom d'origine grecque, dérivé de Georges.

• **Étymologie** : vient de *gê* : terre et *ergon* : travail.

• **Symbolique** : 8 - Scorpion - bleu - saphir.

• **Caractère** : ambitieux, Joris a le sens des affaires. Sans être franchement matérialiste, il apprécie l'aisance, les biens matériels et le confort. Il se donne les moyens de réussir : travailleur et imaginatif, il est courageux. Mais il aime la tranquillité et privilégie son indépendance

Prénom rare.

Saint Georges* est le patron de Joris.

José

Fête le 9 juin.
Prénom hébraïque, dérivé de Joseph.

• **Étymologie** : signifie *Dieu ajoute.*

• **Symbolique** : 4 - rouge - Bélier - rubis.

• **Caractère** : sensible mais timide, José paraît froid et hautain. Prudent et inquiet, il se méfie de l'inconnu. Il se réfugie dans le travail pour se sécuriser et, très attaché aux valeurs traditionnelles, privilégie sa vie de famille.

Prénom peu courant.

Saint José, né en Espagne en 1534, entre dans les ordres et part évangéliser les Indiens en Amérique du Sud ; ces indigènes ont la réputation d'être particulièrement dangereux, mais sa bonté, sa charité lui valent l'estime et l'affection de tous, même ceux qui sont réfractaires à ses prédications. À sa mort, il est pleuré par toute la population.

Personnages célèbres : le poète José Maria de Hérédia, le romancier José Cabanis.

Joseph

Fête le 19 mars.
Prénom d'origine hébraïque.

• **Étymologie** : signifie *Dieu ajoute.*

• **Symbolique** : 1 - rouge - Taureau - rubis.

• **Caractère** : courageux et combatif, Joseph mène sa vie avec détermination. Parfois autoritaire et impatient, il fait preuve d'une impulsivité excessive qui l'expose à de spectaculaires colères. Il apprécie le travail en équipe, à condition d'avoir des partenaires dociles ! Prénom classique très répandu au 19e siècle.

• **Prénoms français associés** : Job, Jobig et Jos (bretons) - José* - Josée* - Josèphe - Joséphin - Joséphine* - Joset - Josette* - Josie - Josiane - Josy - Jousé et Jouséto (provençaux).

• **Prénoms étrangers associés** : Fiena - Fina - Fineke - Giuseppa - Giuseppe - Giuseppina - Iossif - Iossip - Jef - Jeke -Jese - Jeto - Jigello - Jigen - Jo - Joap - Joe - Joey - Joap - Joos - Josef - Josefina - Josefino - Joselita - Joselito - Josépha - Joséphina - Josephus - Josip - Jossie - Joszef - Josetta - Jozie - Jozina - Jup - Ossif - Pépita - Pépito - Peppa - Peppo - Peppone - Youssef - Youssouf - Zepa - Zepo.

Saint Joseph, descendant de David, est charpentier en Galilée au 1er siècle. Fiancé à la douce Marie, il aurait pu avoir une vie sans histoire...

Lorsque Marie lui révèle le message de l'archange, il doute, et projette d'annuler le mariage ; un ange vient l'en dissuader dans son sommeil. Père nourricier de Jésus, protecteur de la Sainte Famille, il a pendant l'enfance et l'adolescence du Christ une présence discrète mais efficace. Il meurt probablement avant la Passion.

Personnages célèbres : Joseph Bonaparte, frère de Napoléon, roi de Naples et roi d'Espagne, Joseph Djougachvili, dit Staline, Joseph Kessel, romancier.

Josselin

Fête le 13 décembre.
Prénom d'origine germanique, dérivé de Josse.

• **Étymologie** : vient de *Gauz*, divinité.

• **Symbolique** : 4 - bleu - Taureau - saphir.

• **Caractère** : calme, flegmatique, Josselin séduit par l'impression de sérénité qui se dégage de lui. Il est très émotif, intuitif, et recherche la compagnie d'amis qui lui prodiguent des encouragements et le poussent à l'action.
Prénom rare.

• **Prénoms français associés** : Jocelin - Joceline - Jocelyn - Jocelyne - Josseline - Josserand*.

• **Prénoms étrangers associés** : Joos - Joscelina.

Saint Josse est le frère de Judicaël, roi des Bretons au 7e siècle. Il quitte la cour pour vivre dans un ermitage en Picardie.

Josserand

Fête le 13 décembre.
Prénom d'origine germanique.

• **Étymologie** : vient de *Gauz*, nom d'une divinité.

• **Symbolique** : 6 - Scorpion - rouge - rubis.

• **Caractère** : méticuleux, consciencieux, maniaque, même, Josserand s'attache à être irréprochable. Il aime avant tout la tranquillité. Directif, ambitieux, il brigue les premières places et a un tempérament de meneur.
Prénom rare.

• **Prénoms associés** : Josse - Josselin* - Jossic.

Saint Josse, patron de Josserand, est le frère de Judicaël, roi des Bretons au 7e siècle. Il quitte la cour pour se retirer dans un ermitage en Picardie.

Jules

Fête le 12 avril.
Prénom d'origine latine.

• **Étymologie** : vient de *Iulius* : de la famille de Iule, descendant d'Énée, prince légendaire de Troie.

• **Symbolique** : 4 - rouge - Poissons - rubis.

• **Caractère** : ambitieux et opiniâtre, Jules s'affirme dans le travail et la réussite. Il cherche toujours à se dépasser. Sa franchise surprend parfois, son autorité et son exigence impressionnent souvent. Mais il sait être charmant et conquiert par son magnétisme.
Prénom en vogue au 19e siècle.

• **Prénoms français associés** : Giulette - Julian (occitan) - Julie* - Julien* - Julienne - Juliette* - Juline - Youliane.

• **Prénoms étrangers associés** : Giulia - Giulio - Jul - Julia - Juliana - Julietta - Julina - Julio - Julius - Lia - Lio - Ouliacha - Youli - Youliana - Yul - Yula.

Saint Jules est élu pape en 337 ; il fait établir la primauté de Rome sur les autres Églises.

Personnages célèbres : Jules César, Jules Mazarin, l'architecte Jules Mansart, l'écrivain Jules Verne, l'acteur américain Yul Brynner.

Julien

Fête le 27 janvier.
Prénom d'origine latine.

- **Étymologie** : vient de *Iulius* : de la famille de Iule, descendant d'Énée, prince légendaire de Troie.
- **Symbolique** : 8 - rouge - Cancer - rubis.
- **Caractère** : énergique, combatif et courageux, Julien est un homme d'action. Il est ombrageux, coléreux même parfois, mais s'il est peu diplomate et susceptible, il se fait pardonner en se montrant généreux et loyal.

Prénom à l'honneur depuis 1980.

Saint Julien, prêtre romain à la fin du 1er siècle, se rend en Gaule pour évangéliser les païens ; la légende conte qu'il arriva en pleine sécheresse, et qu'il fit jaillir une source en plantant son bâton dans le sol. Le notable du village lui offrit sa propre maison pour y consacrer une église. C'est là que fut édifiée la première cathédrale du Mans.

Saint Julien l'Hospitalier est, d'après la légende, un chasseur qui traquait le cerf au fond des bois. L'animal lui prédit qu'il tuerait un jour son père et sa mère. Julien affolé par cet augure, fuit son pays avec sa femme, mais ses parents partent à sa recherche et le retrouvent. Julien, pensant qu'il est poursuivi par des bandits de grand chemin, les tue. Horrifié par sa méprise, il s'établit sur le bord du fleuve pour faire pénitence, devient passeur et s'occupe des pauvres. Un soir, il secourt un moribond envoyé par Dieu pour lui annoncer son pardon et sa fin prochaine.

Personnages célèbres : l'empereur romain Julien l'Apostat, l'écrivain Julien Green.

Justin

Fête le 1er juin.
Prénom d'origine latine.

- **Etymologie:** de *justus* : juste.
- **Symbolique** : 3 - vert - Taureau - émeraude.
- **Caractère** : agréable et ouvert, Justin est à l'aise partout ; il aime la société, il est curieux, vif, et adore la vie. Optimiste, il ne se laisse pas facilement atteindre par les difficultés qu'il contourne ou résout très adroitement.

Prénom rare.

- **Prénoms français associés** : Just - Juste - Justienne - Justine* - Justinian - Justinien.
- **Prénoms étrangers associés** : Justina - Justino - Justinus -Justis - Justo - Justus - Giustina - Giustino - Giusta - Giusto.

K

(garçons)

Kévin

Fête le 3 juin.
Prénom d'origine celte,
dérivé de Coemgen.

• **Étymologie** : vient de *coemgen* : de race noble.

• **Symbolique** : 7 - violet - Cancer - améthyste.

• **Caractère** : distant, Kevin cache sa grande timidité derrière une apparence détachée et un air énigmatique. Intelligent et intuitif, très sensible, il doute souvent de lui et préfère la solitude et les rêves à la vie en société.

Prénom à la mode depuis 1990.

• **Prénoms associés** : Gavin - Kelvin - Kelvine - Kervin - Kéven.

Saint Coemgen est le patron de Kévin.

Killian

Fête le 13 novembre.
Prénom d'origine celte.

• **Étymologie** : vient de *ki* : guerrier et *wan* : assaut.

• **Symbolique** : 2 - vert - Lion - émeraude.

• **Caractère** : énergique et volontaire, Killian est passionné, mais il a beaucoup de charisme et sait déployer des trésors de diplomatie. Il est néammoins ennemi du mensonge et des flatteries. Susceptible et querelleur, il accepte mal qu'on remette en cause son autorité.

Prénom rare.

• **Prénoms associés** : Cilian - Kilian - Kilien - Killiane - Killie - Killien - Quillian - Quillien.

Saint Killian, moine irlandais part avec quelques compagnons évangéliser la Bavière, au 7e siècle. Reçus par le duc, ils le convertisssent et le persuadent de se séparer de sa concubine. Le prétexte est idéal : le duc était justement lassé de cette femme acariâtre... Celle-ci décide tout simplement d'assassiner Killian et ses compagnons.

L

(garçons)

Ladislas

Fête le 27 juin.
Prénom d'origine slave, dérivé de Vladislas.

• **Étymologie** : vient de *vladislava* : qui possède la gloire.

• **Symbolique** : 5 - bleu - Verseau - saphir.

• **Caractère** : ambitieux et impatient, Ladislas est un travailleur acharné ; opportuniste et diplomate, il s'adapte à toutes les situations et obtient de nombreux succès grâce à son sens aigu de la communication.

Prénom rare.

• **Prénoms associés** : Ladislao - Ladislaus - Ladislaw - Laszlo - Vladislas - Vladislaw - Vladislav - Wladislas.

Saint Ladislas 1er est roi de Hongrie au 11e siècle, et défend hardiment son royaume contre les invasions des Turcs. Il meurt en organisant la première croisade.

Lambert

Fête le 17 septembre.
Prénom d'origine germanique.

• **Étymologie** : vient de *land* : terre et *berht* : illustre.

• **Symbolique** : 8 - jaune - Verseau - topaze.

• **Caractère** : combatif, passionné, ambitieux et responsable, Lambert a l'esprit pratique et se révèle très efficace lorsqu'il veut parvenir à ses fins. Son impatience le rend parfois irritable, mais il sait aussi être tendre, et même timide.

Prénom en vogue au Moyen Âge qui réapparait dans les années 1980.

• **Prénoms français associés** : Labérian - Labériane - Lacmé.

• **Prénoms étrangers associés** : Lamberta - Lamberto - Lambertus - Lambrecht - Lamé - Lamia - Lamie - Lamme - Lamprecht - Landbert - Lanz - Lanza - Lanzo.

Saint Lambert est évêque de Maastricht au 7e siècle ; il prône les vertus du christianisme dans un monde de luttes fratricides, osant même reprocher au maire du palais, Pépin de Herstal, son adultère. Mal lui en prit, celui-ci le fit assassiner en 705.

Personnage célèbre : l'acteur Lambert Wilson.

Lancelot

Fête le 21 avril.
Prénom d'origine celte.

• **Étymologie** : vient de *ancel* : celui qui sert.

• **Symbolique** : 1 - violet - Sagittaire - améthyste.

• **Caractère** : énergique et autoritaire, Lancelot est un travailleur acharné. Il est curieux du monde qui l'entoure, et très sélectif, capable de passion ou d'indifférence, de chaleur ou de froideur selon la personnalité de ses interlocuteurs.

Prénom médiéval qui réapparaît depuis 1990.

• **Prénoms associés** : Lance - Lancelin - Lanzelot - Lancelote.

Saint Anselme* est le patron de Lancelot.

Lancelot est le héros de plusieurs romans en prose écrits par Chrétien de Troyes, vers 1170. Il représente le modèle idéal du chevalier breton, vaillant guerrier et amant parfait. Élevé par la fée Viviane, il arrive à la cour du roi Arthur, et tombe éperdument amoureux de la reine Guenièvre ; son amour, coupable et inavouable, sert sa vaillance : en servant fidèlement le roi, il conquiert sa belle par ses exploits. Il termine sa vie en ermite, repentant, détaché des biens matériels et des tourments sensuels.

Landry

Fête le 10 juin.
Prénom d'origine germanique.

• **Étymologie** : vient de *land* : pays et *rik* : puissant.

• **Symbolique** : 9 - vert - Verseau - émeraude.

• **Caractère** : ouvert, communicatif, Landry cache sa grande sensibilité derrière une attitude souvent bourrue ; sa franchise et sa générosité font oublier son ambition et ses quelques excès d'intolérance.

Prénom rare.

Saint Landry est évêque de Paris ; en 651, lors de la famine qui ravage la ville, sa bonté et sa générosité sont légendaires ; il fonde l'Hôtel-Dieu pour secourir les malades et les infirmes.

Laurent

Fête le 10 août.
Prénom d'origine latine.

• **Étymologie** : vient de *laurus* : laurier.

• **Symbolique** : 1 - vert - Poissons - émeraude.

• **Caractère** : ambitieux, discipliné, Laurent a le sens des responsabilités tant dans les affaires que dans sa vie de famille ; il manifeste un grand intérêt pour son entourage et aime plaire et sa délicatesse, son goût du raffinement en font souvent un esthète.

Prénom classique en faveur à la Renaissance et depuis les années 1950.

• **Prénoms français associés** : Laorans (breton) - Laure* - Laurence* - Laurens (provençal) - Laurentien - Laurentin - Laurentine - Lorenz (alsacien) - Loris*.

• **Prénoms étrangers associés** : Larrance - Larry - Lars - Laur - Laurano - Laurel - Laurenti - Laurentian - Laurentius - Laurenz - Laurenzino - Laurenzio - Laurenzo - Lauridas - Lauritz - Lawrence - Löhr - Lorans - Lorentz - Lortz - Rengo - Renzo - Renzino.

Saint Laurent est diacre à Rome en 280 ; l'empereur Valérien, qui avait interdit aux chrétiens la pratique de leur religion, lui demande de fournir un état détaillé des biens de l'Église. Laurent, se présente devant le préfet, accompagné d'une troupe de mendiants : "Voici les trésors de l'Église" provoque-t-il. Il est condamné à être grillé vif avant d'être décapité.

Personnages célèbres : Laurent de Médicis, dit le Magnifique, Laurent Gouvion Saint Cyr, maréchal de France.

Lazare

Fête le 29 juillet.
Prénom d'origine hébraïque.

- **Étymologie** : vient de *héléazar* : Dieu a secouru.
- **Symbolique** : 9 - rouge - Sagittaire - rubis.
- **Caractère** : réservé et calme voire distant, Lazare recherche la tranquillité pour travailler et réfléchir, car il est rationnel et objectif ; mais il ne déteste pas communiquer et collaborer en dépit d'un esprit critique assez exacerbé.

Prénom rare.

- **Prénoms français associés** : Éléazar - Éliezer.
- **Prénoms étrangers associés** : Lazaro - Lazarus - Lazzari.

Saint Lazare, frère de Marthe et de Madeleine, est un ami de Jésus ; il vit à Béthanie au 1er siècle avec sa famille. Il meurt, mais Jésus le ressuscite. La légende en fait le premier évêque de Marseille.

Personnages célèbres : Lazare Hoche, Lazare Carnot.

Léandre

Fête le 27 février.
Prénom d'origine grecque.

- **Étymologie** : vient de *andros* : homme.
- **Symbolique** : 5 - vert - Capricorne - émeraude.
- **Caractère** : charmeur, curieux, vif-argent, Léandre aime la vie et tous ses plaisirs. Il aime séduire, mais se lasse vite, ne supporte pas la routine, et repart le cœur léger vers d'autres aventures.

Prénom rare.

Saint Léandre est le fils d'un notable espagnol ; nommé évêque de Séville, il se dévoue à la conversion des peuples wisigoths et ariens qui peuplent l'Espagne ; sous son influence, le catholiscisme est proclamé religion d'État en 587.

Personnage célèbre : le peintre italien Léandre Bassano.

Léo

Fête le 10 novembre.
Prénom d'origine latine,
dérivé de Léon.

- **Étymologie** : vient de *léo* : lion.
- **Symbolique** : 5 - vert - Cancer - émeraude.
- **Caractère** : ardent et charmant, communicatif et intrépide, Léo a un sens inné du contact et de la négociation. Il aime plaire, persuader, conquérir, mais fuit la routine et les contraintes.

Prénom répandu au 19e siècle qui réapparaît depuis les années 1990.

Saint Léon* est le patron de Léo.

Personnage célèbre : le compositeur Léo Delibes.

Léon

Fête le 10 novembre.
Prénom d'origine latine.

- **Étymologie** : vient de *leo* : lion.
- **Symbolique** : 1 - vert - Vierge - émeraude.
- **Caractère** : émotif et intuitif, Léon est un impatient qui se lance dans la vie avec témérité, quelquefois même sans réfléchir. Son apparence virile un peu rude fait parfois oublier sa grande sensibilité.

Prénom courant au 19e siècle.

- **Prénoms français associés** : Léo* - Léonce* - Léontin - Léonard* - Lionel*.
- **Prénoms étrangers associés** : Lee - Leonz - Léonzio - Léons - Léos - Lev - Lentios - Léonaldo - Léonello - Léonid - Léonidas - Léonides - Léoncius.

Saint Léon 1er le Grand est diacre auprès des papes Célestin 1er et Sixte III ; intelligent, érudit, il entretient une correspondance suivie avec les intellectuels de son temps, rédige une centaine de sermons dont les théologiens reconnaissent la grande valeur. Élu pape en 440, il se fixe pour mission de lutter contre le paganisme et d'imposer Rome comme capitale de la chrétienté ; il défend la ville contre les attaques d'Attila, et évite, par de subtiles négociations, que les Huns ne l'incendient. La légende raconte que la Vierge a rendu au bon pape la main qu'il s'était coupée pour se punir d'avoir ressenti un violent désir charnel pour une belle dame à qui il donnait la communion. Saint Léon est docteur de l'Église.

Personnages célèbres : Léon Blum, Léon Gambetta, Léon Tolstoï.

Léonard

Fête le 26 novembre.
Prénom d'origine latine et germanique.

- **Étymologie** : vient de *léo* : lion et *hard* : fort.
- **Symbolique** : 6 - vert - Poissons - émeraude.
- **Caractère** : nerveux et impatient, Léonard a besoin d'action pour canaliser sa fougue ; il aime le pouvoir, la réussite, le bien-être matériel et se donne les moyens d'y parvenir ; le moindre contretemps l'inquiète et le rend irritable.

Prénom rare.

• **Prénom français associé** : Liénard.

• **Prénoms étrangers associés** : Léonaldo - Léonardo.

Saint Léonard Casanova est père franciscain au 18e siècle en Italie ; il prêche l'Évangile dans toute la Toscane et fonde un ermitage où il impose une vie d'ascèse très stricte ; ses sermons attirent les foules. Il tente en vain de rétablir l'ordre et la paix en Corse, mais échoue. Âgé, malade, il revient en Italie et meurt peu après cette difficile mission.

Personnages célèbres : Léonard de Vinci, et Léonard Bernstein, compositeur américain.

Léonce

Fête le 18 juin.
Prénom d'origine latine, dérivé de Léon.

• **Étymologie** : vient de *léo* : lion.

• **Symbolique** : 9 - vert - Vierge - émeraude.

• **Caractère** : sous une apparence de flegme et de calme, Léonce est un grand nerveux ; mais, bien qu'intuitif, il est très rationnel et possède un esprit critique qui lui évite bien des erreurs. Très sensible à l'environnement affectif, il apprécie la compagnie et l'estime des siens.

Prénom rare.

• **Prénoms étrangers associés** : Léoncio - Léonzio.

Saint Léonce est soldat à Tripoli au 3e siècle ; il est chrétien et s'emploie à essayer de convertir tous ceux qui l'approchent ; l'empereur Dioclétien l'accuse de prosélytisme, le somme d'adjurer sa foi ; Léonce refuse : il est décapité.

Léopold

Fête le 15 novembre.
Prénom d'origine germanique.

• **Étymologie** : vient de *liut* : peuple et *bold* : courageux.

• **Symbolique** : 7 - vert - Capricorne - émeraude.

• **Caractère** : Léopold n'a qu'un désir dans la vie, la réussite ; il investit toute sa vitalité et sa personnalité explosive dans la quête du pouvoir et du succès ; il peut être très agressif s'il est blessé.

Prénom assez répandu dans le Nord de la France et la Belgique.

• **Prénoms français associés** : Léopoldine* - Liébaud.

• **Prénoms étrangers associés** : Léopolda - Léopoldina - Léopoldino - Léopoldo - Léopoldos - Léopoldus - Leibold - Leodebald - Leppe - Luitbald - Lupold - Lutbald - Polde.

Saint Léopold est prince souverain d'Autriche au 12e siècle ; il consacre sa vie à la création de monastères dans son pays et à l'éducation de ses dix-huit enfants. Sa générosité envers les déshérités fut si grande qu'on le surnomma "Léopold le Bon" ou le "Père des pauvres". Il meurt en 1136.

Personnages célèbres : le roi des Belges Léopold III, le Président Léopold Sédar Senghor.

Lionel

Fête le 10 novembre.
Prénom d'origine latine, dérivé de Léon.

- **Étymologie** : vient de *léo* : lion.
- **Symbolique** : 4 - jaune - Balance - topaze.
- **Caractère** : très sensible, Lionel cache son émotivité derrière une grande réserve, mais il recherche cependant l'amitié et même l'altruisme. Lorsqu'il accorde sa confiance, il ne supporte pas d'être déçu.

Prénom en vogue au milieu du 20e siècle.

- **Prénom français associé** : Léonel.
- **Prénoms étrangers associés** : Léonella - Léonello - Léonila - Léonilo - Linnel - Lionella - Lionello - Lionnella - Lionnello.

Saint Léon* est le patron de Lionel.

Personnage célèbre : Lionel Jospin.

Loïc

Fête le 25 août.
Prénom d'origine germanique, forme bretonne de Louis.

- **Étymologie** : vient de *chlodwig* : glorieux vainqueur.
- **Symbolique** : 3 - rouge - Lion - rubis.
- **Caractère** : extraverti et communicatif, Loïc apprécie les contacts ; son calme et son assurance le font respecter de son entourage ; épris d'harmonie, il fait régner autour de lui une paix sécurisante.

Prénom répandu dans les familles bretonnes.

- **Prénoms associés** : Loïg - Loïs - Loïez.

Saint Louis* est le patron de Loïc.

Loris

Fête le 10 août.

Prénom d'origine latine

dérivéde Laurent.

- **Étymologie** : vient de *laurus* : laurier.
- **Symbolique** : 1 - vert - Lion - émeraude.
- **Caractère** : sociable et communicatif, Loris s'épanouit dans les relations mondaines où il peut donner la pleine mesure de ses talents d'orateur, mais loin d'être superficiel, il a un sens profond de l'amitié. Imaginatif, il aime la fantaisie.

Prénom en vogue depuis 1990.

Saint Laurent* est le patron de Loris.

Lothaire

Fête le 7 avril.
Prénom d'origine germanique.

• **Étymologie** : vient de *hlod* : gloire et *hart* : fort.

• **Symbolique** : 7 - vert - Bélier - émeraude.

• **Caractère** : calme et réfléchi, Lothaire est curieux, travailleur et ambitieux ; il a un esprit critique exacerbé et se montre souvent perfectionniste dans son travail. Il a la même exigeance envers ses proches.

Prénom rare.

• **Prénoms étrangers associés** : Lotharia - Lottaria.

Saint Clotaire* est le patron de Lothaire.

Personnage célèbre : le roi franc Lothaire.

Louis

Fête le 25 août.
Prénom d'origine germanique, dérivé de Clovis.

• **Étymologie** : vient de *chlodwig* : glorieux combattant.

• **Symbolique** : 4 - rouge - Taureau - rubis.

• **Caractère** : déterminé, méthodique, opiniâtre et travailleur, Louis est épris de pouvoir et de réussite. Discret, pudique, il exprime peu ses sentiments, mais fait preuve d'une grande fidélité envers ceux qu'il aime.

Prénom classique en faveur aux 17e, 18e, 19e siècles jusqu'aux années 1920, puis depuis 1980.

• **Prénoms français associés** : Clovis* - Loïc*, Loïez et Loïg (bretons) - Louise* - Louiset (occitan) - Louison - Ludovic* - Ludwig (alsacien).

• **Prénoms étrangers associés** : Aloïsius - Aloïsus - Aloys - Aluise - Clodwig - Lew - Lewie - Lewis - Lodevijk - Loii - Lotz - Lou - Lowik - Ludel - Lugaidh - Luigi - Luis - Luisito - Luiz - Luthais - Luwisi - Visen - Wickel - Wigg - Wiggl - Zaïg.

Saint Louis, roi de France sous le nom de Louis IX de 1226 à 1270, inaugure une ère de paix dans son royaume grâce à d'habiles négociations avec ses rivaux. La sécurité des frontières étant assurée, il consacre sa vie à l'amélioration du sort de ses sujets en créant hospices et monastères. Pieux, juste et magnanime, il est aimé et respecté de tous. Il meurt de la peste devant Tunis lors de la quatrième croisade.

Personnages célèbres : les rois de France, de Louis 1er le Pieux à Louis XVIII, Louis Pasteur, Louis Aragon, Louis Leprince-Ringuet.

Loup

Fête le 25 octobre.
Prénom d'origine latine.

• **Étymologie** : vient de *lupus* : loup.

• **Symbolique** : 1 - jaune - Balance - topaze.

• **Caractère** : ambitieux et opportuniste, Loup recherche le contact et séduit souvent par son tact et sa belle éloquence. Il est esthète, idéaliste, et se montre parfois d'un extrême perfectionnisme.

Prénom rare, plus fréquent sous la forme composée Jean-Loup.

• **Prénoms étrangers associés** : Ellula - Leu - Lobo - Lope - Louve - Lovell - Lowell - Loba - Luba - Lupo - Lua - Uffe - Ulf - Wilf - Wolf - Wölfel - Wölfilo.

Saint Loup naît en 383 ; il épouse la sœur de saint Hilaire d'Arles. Après six années de vie conjugale, il se sépare de sa femme et, avec son accord, distribue tous ses biens aux pauvres et se retire à l'abbaye de Lérins. Il devient évêque de Troyes en 426, défend sa ville contre Attila à qui il se livre en otage pour qu'il épargne les habitants de la cité. Attila, qui n'est pourtant pas un tendre, se laisse toucher par la foi de l'évêque, accepte de le libérer et lui recommande de prier pour lui. Loup meurt à 95 ans.

Luc

Fête le 18 octobre.
Prénom d'origine latine.

• **Étymologie** : vient de *lux* : lumière.

• **Symbolique** : 9 - orange - Taureau - topaze.

• **Caractère** : sociable, positif, sensible, Luc apprécie les plaisirs de la vie ; il a besoin de se sentir aimé, et y parvient grâce à sa séduction naturelle.

Prénom classique, souvent composé avec Jean.

• **Prénoms français associés** : Lucas* - Luce - Lucette - Luciane - Lucie* - Lucien* - Lucienne* - Lucile* - Lucille - Lucilliane - Lucinde - Luciole - Lucillien - Lucine - Lucinie - Lucinien.

• **Prénoms étrangers associés** : Louka - Louki - Loukia - Loukina - Loutsi - Loutsian - Luca - Luchesio - Luchino - Lucia - Luciana - Luciano - Lucida - Lucide - Lucija - Lucilia - Lucilla - Lucinda - Lucio - Lucius - Luck - Lucke - Lucy - Lucyna - Lukas - Luke - Lützel - Lützele - Lu - Luzia - Luzian.

Saint Luc est grec ; il vit à Antioche, en Syrie où il est médecin. Nous sommes au 1er siècle. Un soir, il rencontre saint Paul qui le convertit ; il abandonne ses biens et le suit dans ses voyages. Il est le rédacteur des Actes des Apôtres et du 3e Évangile qui porte son nom. Son symbole est le bœuf. La légende enseigne qu'il fut le premier portraitiste de Marie.

Personnages célèbres : l'écrivain Luc Clapiers, duc de Vauvenargues, le philosophe Luc Ferry.

Lucas

Fête le 18 octobre.
Prénom d'origine latine,
dérivé de Luc.

• **Étymologie** : vient de *lux* : lumière.

• **Symbolique** : 2 - orange - Poissons - topaze.

• **Caractère** : sensible, affectueux mais réservé, Lucas aime l'ordre, l'organisation et recherche avant tout la sécurité. Il n'accorde pas facilement sa confiance, mais se révèle un ami, un compagnon fiable. Il préfère l'étude solitaire aux réunions.

Prénom en faveur depuis les années 1980, qui a pris le relais de Luc.

Saint Lucas, missionnaire dominicain, s'établit au Japon en 1633. Il meurt martyrisé avec 14 autres prêtres quatre ans plus tard.

Lucien

Fête le 7 janvier.
Prénom d'origine latine,
dérivé de Luc.

• **Étymologie** : vient de *lux* : lumière.

• **Symbolique** : 1 - orange - Lion - topaze.

• **Caractère** : timide et sensible, Lucien est cependant volontaire et se fixe des ambitions qu'il atteint grâce à son intelligence et sa ténacité ; il aime être apprécié, admiré et, susceptible, se vexe facilement.

Prénom répandu au début du 20e siècle, rare aujourd'hui.

• **Prénoms français associés** : Lucian (occitan) - Lucienne*.

Saint Lucien est prêtre à Antioche au 3e siècle. Il consacre sa vie à la traduction de la Bible de l'hébreu en grec, et subit les persécutions de l'empereur Dioclétien. Il meurt en 312 à Nicomèdie.

Personnages célèbres : Lucien Bonaparte, frère de Napoléon 1er, l'écrivain Lucien Bodard, le sociologue Lucien Lévy-Bruhl, l'acteur Lucien Guitry.

Ludovic

Fête le 25 août.
Prénom d'origine germanique,
dérivé de Louis.

• **Étymologie** : vient de *chlodwig* : glorieux vainqueur.

• **Symbolique** : 5 - bleu - Lion - saphir.

• **Caractère** : indépendant et curieux, Ludovic satisfait dans l'aventure sa joie de vivre et son goût pour les plaisirs de l'existence. Il redoute les contraintes, ne suporte pas la soumission mais accepte cependant la discussion et la négociation.

Prénom à la mode dans les années 1980.

• **Prénoms étrangers associés** : Lodovico - Ludovica - Ludovico - Ludovicus.

Saint Louis* est le patron de Ludovic.

M

(garçons)

Maël

Fête le 13 mai.
Prénom d'origine celte.

- **Étymologie** : vient de *maël* : prince.
- **Symbolique** : 4 - bleu - Gémeaux - saphir.
- **Caractère** : indépendant, Maël est, malgré son grand besoin de liberté, très attaché à sa famille. Un environnement affectif stable lui est indispensable pour être heureux et donner sa pleine mesure. Ambitieux, il a le goût du pouvoir et de la réussite.

Prénom breton rare.

- **Prénoms associés** : Amaël - Amaëlle - Eumaël - Maé - Maëla - Maëlann - Maëlannig - Maëlez - Maëlezig - Maelig - Maëlis - Maëlla - Maëlle* - Maylis*.

Saint Maël est moine au pays de Galles au 5e siècle ; chassé par les Saxons, il s'établit en Bretagne et parcourt la lande pour évangéliser les villages.

Maixent

Fête le 26 juin.
Prénom d'origine latine,
dérivé de Maxime.

- **Étymologie** : vient de *maximus* : le plus grand.
- **Symbolique** : 5 - violet - Balance - améthyste.
- **Caractère** : courageux, passionné mais adaptable, Maixent sait s'imposer en douceur. Il aime la difficulté qui stimule ses facultés intellectuelles et se montre souvent perfectionniste. Il a besoin de la sécurité familiale pour s'épanouir.

Prénom rare.

Saint Maxime* est le patron de Maixent.

Mallaury

Fête le 15 novembre.
Prénom mixte d'origine celte,
dérivé de Malo.

- **Étymologie** : vient de *mach* : gage et *lou* : lumineux.
- **Symbolique** : 4 - vert - Verseau - émeraude.
- **Caractère** : sociable et aimable, Mallaury est de bonne compagnie, mais garde toujours une prudente réserve. Sa détermination et son goût du travail bien fait lui donnent de grandes chances de réussir dans ses projets.

Prénom rare.

- **Autres orthographes** : Mallory (masculin) - Malaurie et Malorie (féminins).

Saint Malo* est le patron de Mallaury.

Malo

Fête le 15 novembre.
Prénom d'origine celte.

• **Étymologie** : vient de *mach* : gage et *lou* : lumineux.

• **Symbolique** : 5 - bleu - Lion - saphir.

• **Caractère** : hypersensible, Malo est un inquiet qui se réfugie volontiers dans la solitude pour se protéger. L'étude et la réflexion le rassurent, et l'humour lui sert très souvent de bouclier lorsque la vie le contraint à se défendre.

Prénom breton rare.

• **Prénoms associés** : Maclou - Macout - Mahou - Malcolm - Maleaume - Maleu - Mallaury* - Mallien - Malou.

Saint Malo est moine au pays de Galles au 6e siècle. Il s'établit en Bretagne, y fonde des monastères, devient évêque et prêche par les campagnes. Il meurt à 103 ans. Il est l'un des saints fondateurs de la Bretagne.

Manfred

Fête le 15 août.
Prénom d'origine germanique.

• **Étymologie** : vient de *man* : homme et *frido* : paix.

• **Symbolique** : 7 - Bélier - orange - topaze.

• **Caractère** : rationnel, réfléchi, réservé, Manfred est un calme qui ne laisse rien au hasard. Son sens de l'organisaton, son souci de l'ordre et de la rigueur lui confèrent une grande efficacité. La routine le rassure, les changements l'inquiètent.

• **Prénoms associés** : Manfréda - Manfrédie - Manfroi.

Saint Alfred* est le patron de Manfred.

Marc

Fête le 25 avril.
Prénom d'origine latine.

• **Étymologie** : vient de *marcus* : marteau.

• **Symbolique** : 8 - rouge - Sagittaire - rubis.

• **Caractère** : autonome, indépendant, travailleur, Marc brigue la première place. Il met en pratique ses principes stricts sans concession, et cache sous un grand calme une farouche détermination. Peu tolérant, il méconnaît la diplomatie.

Prénom classique en vogue depuis 1950.

• **Prénoms français associés** : Marceau* - Marcel* - Marcelle - Marcelin - Marceline - Marcellin* - Marcie - Marcien - Marcienne - Marcion - Marcionille - Marcolin - Marsile* - Marsilie.

• **Prénoms étrangers associés** : Marcantonio - Marcaurélio - Marceli - Marcellino - Marcelo - Marcello - Marcelus - Marchetta - Marchetto - Marchitta - Marchitto - Marcia - Marciana - Marciano - Marcio - Marco - Marcos - Marcus - Marec - Marek - Mark - Marke - Markei - Markel - Markell - Markian - Marko - Markoussia - Markos - Markus - Marks - Marquita - Marquito - Marsha - Marx - Marzel - Marzela - Marzell - Marzella - Mircéa.

Saint Marc rencontre Jésus lors des réunions organisées par les disciples chez sa mère ; il se convertit et écrit le second Évangile, probablement sous la dictée de Pierre. Il fonde la première communauté chrétienne d'Alexandrie, mais peu après son arrivée, il est soupçonné de magie et meurt sur le bûcher.

Personnages célèbres : l'écrivain Mark Twain, le peintre Marc Chagall, l'écrivain Marc Lambron.

Marceau

Fête le 25 avril.
Prénom d'origine latine,
dérivé de Marc.

- **Étymologie** : vient de *marcus* : marteau.
- **Symbolique** : 8 - orange - Capricorne - topaze.
- **Caractère** : ambitieux et travailleur, Marceau veut être le premier partout mais n'accepte pas les concessions. Sa moralité un peu sévère, sa franchise un peu brutale, sa farouche indépendance ne le rendent pas très sociable.

Prénom rare.

Saint Marc* est le patron de Marceau.

Personnage célèbre : Marceau Long, homme politique.

Marcel

Fête le 16 janvier.
Prénom d'origine latine,
dérivé de Marc.

- **Étymologie** : vient de *marcus* : marteau.
- **Symbolique** : 7 - orange - Capricorne - topaze.
- **Caractère** : courtois, diplomate, Marcel est un homme de contact, mais très sensible, il s'irrite facilement et réagit parfois violemment, à moins qu'il ne se renferme dans un silence glacé. Il fait beaucoup d'efforts pour être agréable et efficace.

Prénom en vogue au début du 20e siècle.

Saint Marcel est élu pape en 308. L'Église est bien malmenée : la plupart des lieux de culte ont été pillés, incendiés sur ordre de l'empereur Maxence. Marcel tente de réorganiser l'Église, et dit la messe où il peut. L'empereur l'arrête, transforme son église en écurie et l'oblige à y travailler avant de le condamner à l'exil. Les conditions de détention sont si cruelles qu'il meurt l'année suivante.

Personnages célèbres : Marcel Proust, Marcel Aimé, Marcel Pagnol, Marcel Carné.

Marcellin

Fête le 6 avril.
Prénom d'origine latine.

• **Étymologie** : vient de *marcellus* : petit marteau.

• **Symbolique** : 6 - orange - Bélier - topaze.

• **Caractère** : calme et serein, Marcellin recherche avant tout la tranquillité. Il fuit les complications et, très sensible aux ambiances, tente de faire régner l'harmonie autour de lui. Esthète, sensuel, il aime le beau, le luxe, les plaisirs, mais il est cependant sérieux et travailleur.

Prénom rare.

• **Prénom étranger associé** : Marcellino.

Saint Marcellin est disciple de Saint Augustin, en Tunisie, au 4e siècle, qui le charge d'apaiser les querelles entre catholiques et partisans de l'évêque Donat, qui prône le shisme. Ses adversaires lui reprochent son zèle et le font assassiner.

Personnage célèbre : le chimiste Marcellin Berthelot.

Marin

Fête le 3 mars.
Prénom d'origine latine.

• **Étymologie** : vient de *mare* : mer.

• **Symbolique** : 1 - bleu - Verseau - aigue-marine.

• **Caractère** : tendre, émotif, Marin préfère se donner une apparence bourrue en affichant autorité et sévérité. Son arrogance cache une timidité qui ne l'empêche pas de chercher à dominer son entourage, en amour comme en affaires.

Prénom rare.

• **Prénom français associé** : Marine*.

Saint Marin est soldat romain en Palestine au 3e siècle. Il ne se cache pas d'être chrétien. Il espère une promotion à un poste envié : un concurrent le dénonce. Il est décapité.

Personnage célèbre : le compositeur Marin Marais.

Marius

Fête le 19 janvier.
Prénom d'origine latine.

• **Étymologie** : vient de *Marius*, nom d'un général romain.

• **Symbolique** : 9 - bleu - Balance - saphir.

• **Caractère** : sympathique, enjoué, Marius est très sociable. Actif, mobile, pressé, il bouge, cherche les aventures, les expériences, apprécie la fantaisie, mais revient au foyer dont il attend la sécurité affective.

Prénom méditerranéen assez répandu au 19e et au début du 20e siècle.

• **Prénom français associé** : Maire.

Saint Marius vit à Rome au 2e siècle ; chrétien comme sa femme est ses enfants, il visite les prisonniers arrêtés pour leur foi, ensevelit les martyrs… Il est lui aussi condamné au supplice.

Personnage célèbre : le général romain Marius, oncle de Jules César.

Marsile

Fête le 13 avril.
Prénom d'origine latine,
dérivé de Mars.

• **Étymologie** : vient de *Mars*, nom du dieu de la guerre dans la mythologie.

• **Symbolique** : 5 - Scorpion - vert - émeraude.

• **Caractère** : intelligent et rapide, Marsile s'adapte facilement à toutes les situations ; il est extraverti, sociable, et adore l'aventure. Mais il est aussi travailleur, posé et capable de rigueur et de stabilité si elles ne lui sont pas imposées.

• **Prénoms associés** : Marsia - Marsiane - Marsie - Marsilie.

Saint Mars, ermite au 5e siècle en Auvergne, reçoit de si nombreux pèlerins qu'il se résout à construire un monastère.

Dans la mythologie latine, Mars est le dieu de la guerre, être redoutable, invincible, resplendissant dans une armure étincelante.

Martial

Fête le 30 juin.
Prénom d'origine latine.

• **Étymologie** : vient de *martius* : guerrier.

• **Symbolique** : 2 - bleu - Verseau - saphir.

• **Caractère** : sensible et intuitif, Martial est un grand altruiste. Il se dévoue sans compter aux causes qu'il estime nobles, écoute, rassure, conseille avec patience. Son esprit de sacrifice confine parfois à l'abnégation, et son idéalisme l'entraine à la rêverie.

Prénom rare.

• **Prénom français associé** : Martianne.

• Prénoms étrangers associés : Mars - Mart - Martialus - Marziale.

Saint Martial, prêtre à Rome au 9e siècle, s'établit en Gaule à Limoges dont il devient l'évêque. Il prêche, convertit, baptise, et s'attire ainsi la haine d'une partie de la population ; il est emprisonné, lapidé, mais, libéré, il continue à propager sa foi sans crainte de représailles. Il meurt dans son évêché.

Personnage célèbre : le poète latin Martial.

Martin

Fête le 11 novembre.
Prénom d'origine latine.

• **Étymologie** : vient de *martius* : guerrier.

• **Symbolique** : 3 - jaune - Poissons - topaze.

• **Caractère** : communicatif, Martin est sociable mais discret. Adroit et diplomate, il est persuasif et sait faire partager son enthousiasme et son bel appétit de vivre. Exigeant en amour comme en amitié, il supporte mal les déceptions.

Prénom à l'honneur depuis 1990.

• **Prénoms associés** : Martel - Martine* - Martinian - Martinien.

• **Prénoms étrangers associés** : Marcin - Martel - Marteen - Marti - Martiniano - Martino - Martinus - Martl - Marton - Martsen - Marty - Martyn - Matten - Merteus - Mirtel.

Saint Martin est enrôlé dans l'armée romaine à 15 ans. C'est à 18 ans qu'il se fait baptiser à Amiens. La légende reconte qu'à la sortie de l'église, il partagea son manteau avec un mendiant dénudé. Ordonné prêtre, il se retire dans un monastère avant d'être élu évêque de Tours en 370. Il parcourt villages et campagnes de son évêché pour faire l'aumône, organiser des paroisses rurales et fonder des monastères. Il meurt en 397. Son tombeau deviendra un lieu de pèlerinage.

Personnages célèbres : le philosophe allemand Martin Heidegger, le réateur de l'église luthérienne Martin Luther, le pasteur baptiste américain Martin Luther King.

Mathurin

Fête le 9 novembre.
Prénom d'origine latine.

• **Étymologie** : vient de *maturus* : mûr.

• **Symbolique** : 7 - jaune - Capricorne - topaze.

• **Caractère** : réfléchi, intuitif, passionné mais réservé, austère ou enjoué selon les jours, Mathurin est un personnage à plusieurs facettes. Mais il est toujours cérébral, intelligent, volontaire et doté d'une grande puissance de travail.

Prénom rare.

• **Prénom français associé** : Mathurine.

• **Prénom étranger associé** : Maturus.

Saint Mathurin vit en Gaule au 3e siècle. Sa nourrice lui enseigne les Évangiles, il se fait baptiser, puis convertit ses parents. Ordonné prêtre, il vit en ermite, mais d'après la légende, il est enlevé par les hommes de l'empereur Maximien qui l'emmènent à Rome pour qu'il guérisse sa fille. Le bon saint s'exécute et meurt le lendemain.

Personnage célèbre : le poète Mathurin Régnier.

Matthias

Fête le 14 mai.
Prénom d'origine hébraïque, dérivé de Matthieu.

• **Étymologie** : vient de *matith* : don.

• **Symbolique** : 8 - jaune - Taureau - topaze.

• **Caractère** : viril, même bourru parfois, Matthias est un hypersensible. Cela ne l'empêche pas d'être courageux, volontaire, habile. Il tient à son indépendance, mais apprécie les associations car il apprécie la camaraderie.

Prénom à la mode depuis 1980.

Saint Matthias, apôtre du Christ qui remplaca Judas Iscariot, partit après la Pentecôte évangéliser la Judée, puis la Macédoine. Il est mort en martyr à son retour à Jérusalem.

Matthieu

Fête le 21 septembre.
Prénom d'origine hébraïque.

- **Étymologie** : vient de *matith* : don.
- **Symbolique** : 7 - jaune - Lion - topaze.
- **Caractère** : extrêmement gentil et attentif à son entourage, Matthieu adopte volontiers une attitude distante qui lui permet de se protéger des blessures affectives ; il apprécie la solitude qui lui apporte la tranquillité nécessaire à la méditation.

Prénom à la mode depuis 1980.

- **Prénoms français associés** : Matéo (provençal) - Mathias - Mathivet (provençal) - Matthias* - Mathieu - Mazé - Mazhé - Mazhev - Mazheva - Mazhevenn (breton).
- **Prénoms étrangers associés** : Maciej - Mades - Mat - Mata - Matei - Matenz - Mateo - Matfrei - Mathij - Mathis - Matiaz - Matt - Mattalus - Matteo - Matthaeus - Matthaüs - Matthew - Matti - Matvei - Matyas - Tewis - Thiess.

Saint Matthieu, appelé aussi Lévi, travaillait au bureau de la douane à Capharnaüm ; sur l'appel de Jésus, il quitte son métier et sa famille pour devenir apôtre et évangéliste. Après la Pentecôte, il exerce son apostolat en Palestine, en Égypte puis en Éthiopie où il serait mort martyr.

Personnage célèbre : le peintre Matthieu Le Nain.

Maurice

Fête le 22 septembre.
Prénom d'origine latine.

- **Étymologie** : vient de *maurus* : maure.
- **Symbolique** : 5 - violet - Capricorne - améthyste.
- **Caractère** : réservé, secret, Maurice se révèle peu ; il préfère la solitude aux dialogues, l'étude à l'action, et se montre affable et attentif, il est extrêmement prudent dans le choix de ses relations, car il redoute les blessures affectives.

Prénom en faveur au début du 20e siècle.

- **Prénoms français associés** : Amaury* - Maur - Mauran - Maurane - Maure - Maurette - Maurie - Mauricette - Meurisse - Moïra - Moravan (breton).
- **Prénoms étrangers associés** : Maura - Maurélius - Maurella - Mauri - Mauricia - Mauricio - Mauricius - Maurilia - Maurita - Mauritius - Mauritz - Maurius - Mauriz - Maurizia - Maurizio - Mauro - Maury - Meurig - More - Moric - Moritz - Morrell - Morris - Seymour.

Saint Maurice est officier romain au 3e siècle, dans une légion composée de chrétiens comme lui. Les hommes de la légion, envoyés dans les Alpes refusent de se prosterner devant les dieux païens. Maurice est abattu avec ses compagnons.

Personnages célèbres : les peintres Maurice Quentin La Tour, et Maurice de Vlaminck, le romancier Maurice Druon, le chanteur Maurice Chevalier.

Maxence

Fête le 20 novembre.
Prénom mixte d'origine latine, dérivé de Maxime.

- **Étymologie** : vient de *maximus* : le plus grand.
- **Symbolique** : 2 - rouge - Balance - rubis.
- **Caractère** : idéaliste et généreux(se), Maxence est très altruiste. Il (elle) se fait souvent l'avocat(e) de causes qu'il (elle) épouse avec passion et défend âprement. Son écoute bienveillante, ses conseils avisés et désintéressés lui attirent beaucoup d'amis.

Prénom rare.

Sainte Maxence, disciple de Saint Patrick, au 3e siècle, en Irlande, s'établit en Ile-de-France, où elle vit en ermite. Elle meurt décapitée par les païens de son village qu'elle tente de convertir.

Personnages célèbres : l'empereur romain Maxence, l'écrivain Maxence van der Meersch.

Maxime

Fête le 14 avril.
Prénom d'origine latine.

- **Étymologie** : vient de *maximus* : le plus grand.
- **Symbolique** : 2 - orange - Vierge - topaze.
- **Caractère** : actif et travailleur, Maxime est décidé ; il affirme ses idées avec conviction, possède des talents de négociateur et s'adapte facilement aux événements. Esthète, il a un sens aigu de la perfection et se montre exigeant.

Prénom à l'honneur depuis 1990.

- **Prénoms français associés** : Max - Maxence* - Maximien - Maximienne - Maximilian - Maximilien* - Maximilienne - Maximin - Maxine.
- **Prénoms étrangers associés** : Maime - Maksini - Maksis - Massima - Massimian - Massimiane - Massimo - Maxie - Maxim - Maximo - Maximus - Simian - Simiane.

Saint Maxime de Chrysopolis dit le Confesseur vit à Constantinople en l'an 600 ; il est secrétaire particulier de l'empereur, qu'il quitte pour entrer au monastère. Ordonné prêtre, il se fait le défenseur de l'orthodoxie, prêchant en Afrique du Nord et à Rome. Il est arrêté, ramené à Constantinople, torturé et exécuté. Il est l'un des mystiques les plus influents d'Orient.

Saint Maxime est nommé abbé de Lérins par Saint Honorat en 427 ; son érudition, son humanisme et sa profonde piété sont reconnus de tous. Sacré évêque de Riez en 433, il entretient une correspondance suivie avec les papes, fait bâtir des monastères, et participe activement au rayonnement de l'Église de Provence. Il meurt en 462.

Personnages célèbres : le philosophe grec Maxime de Tyr, l'écrivain russe Maxime Gorki, le chanteur Maxime Leforestier.

Maximilien

Fête le 12 mars.
Prénom d'origine latine,
dérivé de Maxime.

• **Étymologie** : vient de *maximus* : le plus grand.

• **Symbolique** : 1 - orange - Sagittaire - topaze.

• **Caractère** : exigeant, discipliné, intègre, Maximilien est un homme de principes. Très organisé, il se fixe des objectifs, très scrupuleux, il les atteint. Il a tendance à imposer ses idées, et sa rigueur morale le conduit parfois à l'intolérance.

Prénom assez répandu depuis 1990.

• **Prénoms français associés** : Maximilian et Maximiliane (occitans) - Maximilienne - Maximille.

• **Prénoms étrangers associés** : Massimiliana - Massimiliano - Maximilia - Maximiliana - Maximiliano - Maximilio - Maximiniana - Maximiniano.

Saint Maximilien, fils d'un militaire romain, vit à Carthage en Tunisie. Converti au christianisme, il refuse d'effectuer son service militaire. La loi punit de mort les objecteurs de conscience : il meurt décapité en 295.

Maximilien-Marie est le prénom qu'adopte Robert Kolbe, polonais, lorsqu'il entre chez les franciscains en 1910. Journaliste, éditeur, il met sa plume au service de sa foi ; il lutte contre la montée de l'athéisme en multipliant les publications et fait école jusqu'au Japon. Les nazis, inquiets de son rayonnement, l'arrêtent en 1941 et le déportent à Auschwitz. En représailles à l'évasion d'un prisonnier, dix hommes sont choisis au hasard et condamnés à mourir de faim et de soif. Parmi eux, un père de famille. Maximilien-Marie prend sa place. Les dix hommes subissent leur agonie en chantant des psaumes.

Personnages célèbres : Maximilien Robespierre, Maximilien Littré.

Mayeul

Fête le 11 mai.
Prénom d'origine latine.

• **Étymologie** : vient de *maius* : mai.

• **Symbolique** : 5 - bleu - Cancer - saphir.

• **Caractère** : réservé et réfléchi, Mayeul lutte en permanence pour dompter sa nature profonde, impulsive, passionnée et rebelle. Il est curieux, aime les voyages, les changements. Opportuniste, il s'adapte facilement.

Prénom rare.

- **Autre orthographe** : Maïeul.
- **Prénom associé** : Mayol.

Saint Mayeul est chassé de sa maison en Provence par les barbares. Il se réfugie chez un de ses parents près de Macon, et étudie la théologie à Lyon. Ensuite, il l'enseigne, et postule pour entrer à l'abbaye de Cluny. Il en est aussitôt nommé abbé. Sa sagesse, sa science sont vite renommés, et rois et notables requièrent souvent son conseil ou son arbitrage. Il meurt en 994.

Médéric

Fête le 29 août.
Prénom d'origine germanique.

- **Étymologie** : vient de *mod* : courage et *rik* : roi.
- **Symbolique** : 3 - violet - Capricorne - améthyste.
- **Caractère** : sociable et communicatif, Médéric aime la compagnie et le travail en équipe. Sa diplomatie, sa persuasion lui permettent de rallier les autres à sa cause, mais il exige beaucoup de ses amis et supporte mal les déceptions.

Prénom rare.

- **Prénoms français associés** : Mède - Merri* - Merry.

Saint Merri* est le patron de Médéric.

Melchior

Fête le 6 janvier.
Prénom d'origine hébraïque.

- **Étymologie** : vient de *melek* : roi.
- **Symbolique** : 2 - rouge - Bélier - rubis.
- **Caractère** : sensible, délicat et émotif, Melchior est un tendre. Sa disponibilité, sa générosité le font apprécier de ses amis, mais il est conscient de sa vulnérabilité et évite les tensions et les conflits. Il s'échappe volontiers dans ses rêves lorsqu'il se sent angoissé.

Prénom rare.

- **Prénom français associé** : Melchiade.
- **Prénoms étrangers associés** : Melchiore - Melchor.

Melchior est, selon la tradition chrétienne, l'un des rois mages venus d'Orient guidés par une étoile. C'est lui qui offre l'or à l'enfant Jésus.

Melvyn

Fête le 6 février.
Prénom d'origine celte.

- **Étymologie** : vient de *maël* : prince.
- **Symbolique** : 1 - Lion - rouge - rubis.
- **Caractère** : rationnel et organisé, énergique et rigoureux, travailleur et stable, Melvyn a toutes les qualités d'un meneur. Il a confiance en lui et possède une infa-

tigable vigueur. Fier, il accepte mal les échecs et n'a qu'un but : la réussite.

• **Autre orthographe** : Melvin.

• **Prénoms associés** : Mel - Melvina.

Saint Mel, patron de Melvyn est un disciple de Saint Patrick en Irlande au 5e siècle ; il prit sa succession à la tête de son évêché.

Mériadec

Fête le 7 juin.
Prénom d'origine celte.

• **Étymologie** : vient de *Mer* : Marie et *iad* : le front.

• **Symbolique** : 4 - Bélier - vert - émeraude.

• **Caractère** : consciencieux et persévérant, Mériadec a un sens aigu de ses responsabilités. Il aime l'effort, le travail bien fait : perfectionniste, raffiné, il est très efficace, mais n'apprécie pas l'imprévu et l'urgence.
Prénom rare.

Saint Mériadec, gallois, débarque en Armorique et se fixe près de Vannes au 7e siècle ; il devient évêque peu avant sa mort.

Merri

Fête le 29 août.
Prénom d'origine germanique.

• **Étymologie** : vient de *mod* : courage et *rik* : roi.

• **Symbolique** : 9 - orange - Cancer - topaze.

• **Caractère** : sociable et dynamique, Merri est un homme actif et réaliste. Ouvert, curieux, il s'intéresse à tout, mais il se ménage des instants de solitude pour prendre du recul et se remettre en cause.
Prénom rare.

• **Prénoms français associés** : Médéric* - Méric - Merryl - Merry - Méryl.

Saint Merri est un aristocrate, en Bourgogne au 8e siècle. Il entre dans les ordres, est élu abbé de son monastère, mais se sent indigne des tâches de cette charge. Il part pour Paris, où il libère les prisonniers, soigne les malades, secourt les pauvres, mendie sa pitance, et prie ou médite l'Évangile.

Michaël

Fête le 29 septembre.
Prénom hébraïque,
forme originelle de Michel.

• **Étymologie** : vient de *mika El* : comme Dieu.

• **Symbolique** : 6 - rouge - Cancer - rubis.

• **Caractère** : tranquille, serein, Michaël est l'ennemi des complications. Affectif et sensible, il recherche l'harmonie dans tous les aspects de sa vie. Il se rend disponible pour ses proches, se montre généreux et accueillant avec ses amis, et très adroit dans son métier.

Prénom assez répandu de 1970 à 1990.

• **Prénoms associés** : Micaela - Michaela - Michaelina - Michaella - Michaelis - Mikaela.

Saint Michel* est le patron de Michaël.

Personnages célèbres : le physicien Michael Faraday, le chanteur Michael Jackson.

Michel

Fête le 29 septembre.
Prénom d'origine hébraïque.

• **Étymologie** : vient de *mika El* : comme Dieu.

• **Symbolique** : 5 - rouge - Cancer - rubis.

• **Caractère** : intelligent, rapide, conquérant, Michel est un homme d'action. Il a toujours mille projets, travaille vite, et supporte mal qu'on ne suive pas son rythme ou qu'on porte atteinte à sa liberté. La routine l'ennuie, la lenteur l'exaspère.

Prénom classique grand favori de 1930 à 1960.

• **Prénoms français associés** : Michèle* - Micheu (provençal) - Michou - Mihiel - Miqueu (provençal).

• **Prénoms étrangers associés** : Micha - Michal - Michelangelo - Michele - Michoulia - Mickey - Micky - Miguel - Mika - Mike - Mikel - Mikela - Mikelis - Mikelos - Mikhaïl - Mikkiel - Mikko - Miklos - Mikosch - Mikus - Mischa - Mitchell.

Saint Michel archange est le chef de la milice céleste. Il conduit les défunts et pèse les âmes le jour du Jugement dernier

Personnages célèbres : Michel Eyquem de Montaigne, Michelangelo Buonarroti, dit Michel-Ange, Michel Ney, maréchal d'Empire, Michel Debré, les écrivains Michel Déon et Michel Mohrt.

Moïse

Fête le 4 septembre.
Prénom d'origine égyptienne.

• **Étymologie** : signifie *sauvé des eaux*.

• **Symbolique** : 7 - violet - Gémeaux - améthyste.

• **Caractère** : réservé, indépendant, Moïse mène sa vie tranquillement. Il recherche cependant la compagnie. Il est sociable, conciliant et privilégie la vie de famille. Curieux et rapide, il s'adapte aux événements avec aisance.

Prénom peu répandu.

• **Prénoms associés** : Moises - Mose - Moses - Moshé - Mosie - Moss - Mozes - Moussa.

Le prophète Moïse, né en Égypte, mena la résistance des Hébreux à l'oppression qu'ils subissaient, les fit sortir d'Egypte, créa les fondations de la Torah et fut le fondateur de la nation d'Israël au 13e siècle avant J.-C.

N

(garçons)

Narcisse

Fête le 29 octobre.
Prénom d'origine grecque.

• **Étymologie** : vient de *narkê* : torpeur.

• **Symbolique** : 8 - vert - Vierge - émeraude.

• **Caractère** : idéaliste, Narcisse a besoin d'une âme-sœur, mère protectrice ou amante complice qui l'épaule et le rassure. La chaleur d'un foyer stable et accueillant est indispensable à son bonheur, mais dans sa vie professionnelle, il est d'une incorrigible indépendance.
Prénom rare.

Prénom français associé : Arcisse.

Saint Narcisse est élu évêque de Jérusalem au 2e siècle. Il vit et meurt saintement dans son évêché.

Narcisse, dans la mythologie grecque, est un jeune homme d'une grande beauté. Séduit par sa propre image, qu'il contemple dans l'eau d'une fontaine, il est pris d'une passion telle pour sa propre personne qu'il en meurt.

Nathan

Fête le 24 août.
Prénom d'origine hébraïque.

• **Étymologie** : signifie *Dieu a donné.*

• **Symbolique** : 4 - bleu - Lion - aigue-marine.

• **Caractère** : sensible et timide, Nathan adopte une attitude distante pour se protéger, car il se méfie de l'inconnu. Il s'inquiète facilement, et recherche la sécurité dans la vie de famille, les valeurs traditionnelles, et des activités routinières.
Prénom rare.

• **Prénoms associés** : Natan - Nathanaël*- Nathanaëlle - Nathanial - Nathaniel - Nathy.

Saint Nathanaël* est le patron de Nathan.

Nathan est prophète à la cour de David au 10e siècle avant J.-C. Yahvé le charge de réprimander le roi à propos de sa liaison avec Bethsabée.

Nathanaël

Fête le 24 août.
Prénom d'origine hébraïque, dérivé de Nathan.

• **Étymologie** : signifie *Dieu a donné.*

• **Symbolique** : 4 - bleu - Balance - saphir.

• **Caractère** : énergique et déterminé, Nathanaël a une volonté inébranlable. Mais cette force de caractère s'accompagne d'une puissante autorité, et même d'un esprit de contradiction qui lui nuit parfois. Conquérant, il aime le pouvoir.
Prénom rare.

Saint Nathanaël est l'un des apôtres de Jésus. Après la Pentecôte, il part évangéliser l'Arménie, et y meurt en martyr.

Natoli

Fête le 2 juillet.
Prénom d'origine grecque, dérivé de Anatole.

• **Étymologie** : vient de *anatolê* : aurore.

• **Symbolique** : 8 - Balance - vert - émeraude.

• **Caractère** : intelligent, rapide et adaptable, Natoli a l'âme d'un aventurier. Curieux, il se sent sollicité de toutes parts ; aussi est-il parfois changeant, instable. Séducteur, il est charmant, convaincant, mais léger. Opportuniste, il est attaché aux biens matériels.
Prénom rare.

• **Prénoms associés** : Anatole - Natolia - Tola - Tolia.

Saint Anatole* est le patron de Natoli.

Nestor

Fête le 26 février.
Prénom d'origine grecque.

• **Étymologie** : vient de *Nestor*, prénom d'un héros de la mythologie.

• **Symbolique** : 1 - bleu - Verseau - saphir.

• **Caractère** : courageux, combatif et volontaire, Nestor a un carractère d'une trempe peu commune, mais révèle un cœur d'or et une extrême sensiblité. Bien qu'il tienne beaucoup à son indépendance, il apprécie le travail d'équipe.
Prénom rare.

• **Prénoms français associés** : Nestorie - Nestorien - Nestorienne - Nestorin - Nestorine.

• **Prénoms étrangers associés** : Nestora - Nestore - Stora.

Saint Nestor, évêque en Asie Mineure au 3e siècle, encourage les chrétiens menacés par les persécutions à se cacher plutôt qu'à renier leur foi. Arrêté par les hommes du gouverneur, il est crucifié.

Personnage célèbre : Nestor, roi légendaire de la mythologie grecque.

Nicéphore

Fête le 13 mars.
Prénom d'origine grecque.

• **Étymologie** : vient de *nikê* : victoire et *phoros* : porteur.

• **Symbolique** : 3 - Gémeaux - orange - topaze.

• **Caractère** : optimiste, joyeux, Nicéphore est débordant de vitalité. Il a d'incontestables talents oratoires, sait convaincre son entourage avec brio, et, très communicatif, rallie tous les suffrages. Mais il est parfois hésitant et instable.

Prénom rare.

Saint Nicéphore, patriarche de Constantinople au 9e siècle est déposé par le pape parce qu'il s'oppose à ses idées ; il se retire dans un monastère où il meurt peu après.

Personnage célèbre : le physicien Nicéphore Niepce.

Nicolas

Fête le 6 décembre.
Prénom d'origine grecque.

- **Étymologie** : vient de *nikê* : victoire et *laos* : peuple.
- **Symbolique** : 1 - rouge - Lion - rubis.
- **Caractère** : charmant et communicatif, Nicolas préfère la solitude et la méditation à une compagnie frivole, car il est très élitiste. Doté d'une grande puissance de travail, il aime commander et n'apprécie guère la coopération. Son goût de la perfection le rend parfois anxieux.

Prénom classique à l'honneur depuis 1970.

- **Prénoms français associés** : Colas - Colette - Cosette - Colin - Nicolazig (breton) - Nicole* - Nicolin - Nicoline - Nicoulo et Nicoulau (provençaux).
- **Prénoms étrangers associés** : Claus - Klaas - Klas - Klasie - Klaus - Kleiske - Kolaig - Niccolo - Nichol - Nicholas - Nick - Nicklas - Nicky - Niclaus - Nicola - Nicolaz - Nicolo - Nikita - Nikki - Niklas - Niklaus - Niko - Nikolaï - Nikolaj - Nikolajs - Nikolaus - Nikolia - Nikos - Nikoucha.

Saint Nicolas naît en Asie Mineure vers 270. La légende raconte qu'il se tint debout le jour de sa naissance, et qu'il ne tétait sa nourrice que deux fois par semaine... Sacré évêque de Myra en Anatolie, il résiste aux persécutions de Dioclétien et poursuit son combat contre le paganisme. La légende lui prête aussi de multiples miracles : la résurrection de trois enfants égorgés par un aubergiste et la conversion d'un criminel en sont des exemples.

Personnages célèbres : le philosophe Nicolas Machiavel, l'homme de lettres Nicolas Boileau, l'astronome Nicolas Copernic, le peintre Nicolas Poussin.

Niels

Fête le 5 décembre.
Prénom d'origine hébraïque, forme nordique de Daniel.

- **Étymologie** : vient de *dan* : juge et *El* : Dieu.
- **Symbolique** : 5 - vert - Capricorne - émeraude.
- **Caractère** : rapide, intelligent, conquérant, Niels est un homme d'action. Il a mille projets, travaille vite et supporte mal qu'on ne suive pas son rythme. La routine l'ennuie, la lenteur l'exaspère, et il réagit violemment si on porte atteinte à sa liberté.

Prénom courant dans les pays nordiques.

• **Prénoms associés** : Niel - Nils.

Saint Niels, géologue au Danemark au 17e siècle, est luthérien. Il se convertit, abandonne ses travaux et devient évêque en Allemagne.

Noé

Fête le 10 novembre.
Prénom d'origine hébraïque.

• **Étymologie** : vient de *naham* : consoler.

• **Symbolique** : 7 - violet - Lion - améthyste.

• **Caractère** : entreprenant, actif, Noé est curieux et imaginatif. Il est réservé, de prime abord, timide même, puis devient ouvert, enjoué, s'il se sent en confiance. Il exprime peu ses sentiments, bien qu'il soit tendre et affectueux.

Prénom rare.

Noé est, dans la Bible, le héros du Déluge. Dieu va envoyer des pluies diluviennes sur la terre pour noyer les hommes pervertis, et ordonne à Noé, homme juste et bon, de construire une arche, d'y placer un couple de chaque espèce animale, et de s'y réfugier avec sa famille. L'arche navigue sur les eaux déchainées pendant des semaines. Lorsque la tempête est calmée, l'arche échoue sur le mont Ararat. Noé libère les espèces qui peupleront le monde, et plante la vigne. Il est le premier vigneron de l'humanité.

Noël

Fête le 25 décembre.
Prénom d'origine hébraïque.

• **Étymologie** : vient de *immanouel* : Dieu avec nous.

• **Symbolique** : 1 - rouge - Vierge - rubis.

• **Caractère** : foncièrement indépendant, Noël recherche cependant la compagnie. Les associations l'attirent, car il a besoin d'être stimulé, mais pour réussir, il doit faire taire son autorité et son arrogance naturelles.

• **Prénoms français associés** : Nadalet et Nadau (provencaux) - Nedelec (breton) - Nella - Nello - Noëlle*.

Saint Noël Chabanel, missionnaire jésuite au Canada au 17e siècle est assassiné par un Huron.

Nolwenn

Fête le 6 juillet.
Prénom mixte d'origine celte.

• **Étymologie** : vient de *an ouarn* : agneau et *gwenn* : blanc.

• **Symbolique** : 7 - blanc - Sagittaire - aigue-marine.

• **Caractère** : sensible, intuitif(ve), Nolwenn se dévoue sans compter aux causes qu'il (elle) juge nobles, écoute, rassure, conseille avec bienveillance, quitte à s'oublier un peu trop lui-même. Peu réaliste, il (elle) à tendance à s'échapper dans le rêve pour ne pas affronter les contingences matérielles.

Prénom breton rare.

• **Prénoms associés** : Gwennoal - Gwennig - Noalig - Noluen - Nolwenna - Nolwennig - Noyale.

Saint Nolwenn est fille de prince en Cornouailles au 6e siècle. Elle quitte son pays pour la Bretagne, s'établit dans un ermitage, mais doit repousser les avances d'un païen des environs. Furieux d'être éconduit, il la fait décapiter.

Norbert

Fête le 6 juin.
Prénom d'origine germanique.

• **Étymologie** : vient de *north* : nord et *berht* : brillant.

• **Symbolique**: 5 - rouge - Balance - rubis.

• **Caractère** : très extraverti, Norbert est un homme de communication. Son altruisme le pousse même parfois à l'esprit de sacrifice. Il épouse volontiers des causes humanitaires, et son idéalisme l'entraîne à vivre parfois en marge de la réalité.

Prénom rare.

• **Prénoms français associés** : Nalbert - Nolbert.

• **Prénoms étrangers associés** : Nolberta - Nolberto - Norberta - Norberto.

Saint Norbert, né en 1080 en Allemagne, mène une vie de débauche ; il devient néammoins chapelain du roi Henri V qui n'est guère plus sage que lui. Il est frappé par la foudre lors d'un voyage. Il aurait pu mourir, il est sauf. Il voit là une intervention divine et décide de s'amender ; il vend ses biens, distribue le produit de la vente aux pauvres, mendie et prêche. Il est nommé évêque de Magdebourg et tente de réformer le clergé, s'attirant bien des ennemis. Il échappe à plusieurs attentats, et meurt dans son évêché en 1134.

Norman

Fête le 6 juin.
Prénom d'origine germanique.

• **Étymologie** : vient de *north* : nord et *man* : homme.

• **Symbolique** : 3 - orange - Cancer - topaze.

• **Caractère** : charmeur, ouvert, brillant, Norman est un ami agréable ; curieux, indépendant, fantaisiste, il n'a peur de rien et surtout pas de l'aventure. En revanche, il est parfois instable et hésite à s'engager.

Prénom rare.

Saint Norbert* est le patron de Norman.

Numa

Fête le 9 août.
Prénom d'origine latine,
dérivé de Numidic.

• **Étymologie** : vient de *numidiae* : originaire de Numidie.

• **Symbolique** : 4 - Cancer - bleu - aiguemarine.

• **Caractère** : tantôt patient tantôt instable, parfois routinier parfois aventurier, un jour déterminé un jour hésitant, Numa est un homme complexe. Mais son intelligence, sa vivacité d'esprit, sa gentillesse lui attirent toujours bien des amitiés.

Prénom rare.

Saint Numidic est le patron de Numa. Il vit à Carthage en Tunisie au 3e siècle ; dénoncé comme chrétien par des voisins, il est arrêté, lapidé, puis condamné au bûcher. Sa fille parvient à le libérer au moment où les flammes s'élèvent. Pour témoigner à Dieu sa reconnaissance, il devient prêtre ; il est ensuite nommé évêque de Carthage.

O

(garçons)

Octave

Fête le 20 novembre.
Prénom d'origine latine.

• **Étymologie** : vient de *octavus* : huitième.

• **Symbolique** : 3 - bleu - Lion - saphir.

• **Caractère** : très ouvert et sympathique, Octave est la communication faite homme. Intuitif et observateur, fin psychologue, il perçoit très vite le caractère de ses interlocuteurs. Sa souplesse et sa rapidité d'esprit lui permettent de s'adapter très facilement à toutes les circonstances.

Prénom en vogue au 19e siècle.

• **Prénoms français associés** : Octavian (occitan) - Octavie* - Octavien - Octavienne - Outavian (provençal).

• **Prénoms étrangers associés** : Octoaf - Octavio - Octavius - Oktav - Oktavi - Ottavian - Ottaviano - Ottavio.

Saint Octave fait partir de la légion romaine commandée par saint Maurice en garnison dans le Valais au début du 4e siècle. Comme lui, il refuse d'adorer les dieux païens ; menacé, il fuit, est rattrapé à Turin et massacré.

Personnages célèbres : le triumvir Octave, petit-neveu et héritier de Jules César, l'écrivain Octave Mirbeau.

Ogier

Fête le 8 juillet.
Prénom d'origine germanique, dérivé de Edgar.

• **Étymologie** : vient de *od* : richesse et *gari* : lance.

• **Symbolique** : 9 - Capricorne - rouge - rubis.

• **Caractère** : sensible, affectueux, Ogier est avant tout attaché à sa vie de famille ; gardien des traditions, il a le respect des valeurs morales. Dévoué, il soutient, conseille avec attention et patience. Équilibré et calme, il recherche l'harmonie.

Prénoms associés : Edgar - Oger.

Saint Edgar* est le protecteur d'Ogier.

Ogier de Danemark est un personnage de différentes chansons de geste du Moyen Âge ; la Chanson de Roland, écrite au 12e siècle, le mentionne à plusieurs reprises. Il représente l'archétype du chevalier d'une extraordinaire bravoure dont l'honneur est bafoué, et qui n'aura de cesse que de le venger.

Olivier

Fête le 12 juillet.
Prénom d'origine latine.

• **Étymologie** : vient de *oliva* : olive.

• **Symbolique** : 9 - jaune - Poissons - topaze.

• **Caractère** : conciliant, coopératif, Olivier est un homme diplomate ouvert et sensible. Il recherche l'harmonie et excelle dans la négociation. Profondément altruiste, il se sent responsable au point d'oublier ses propres intérêts.

Prénom en vogue de 1950 à 1970.

• **Prénoms français associés** : Olier et Ollier (bretons) - Olive - Olivia* - Oulevié et Oulivié (provençaux).

• **Prénoms étrangers associés** : Livio - Oliver - Oliveiros - Olivero - Olivio.

Saint Olivier est un prêtre d'origine irlandaise, à Rome au 17e siècle ; il y passe quinze ans, et revient dans son pays natal pour être nommé évêque. Le pays est déchiré par une guerre de religion. Il est victime de calomnies et meurt pendu.

Personnage célèbre : l'écrivain Olivier Todd.

Oscar

Fête le 3 février.
Prénom d'origine germanique.

• **Étymologie** : vient de *Ans* : nom d'un dieu germanique et *gari* : lance.

• **Symbolique** : 2 - jaune - Scorpion - topaze.

• **Caractère** : discret et réservé, Oscar est un homme tranquille, qui vit à son rythme, et supporte mal les contraintes. Il travaille beaucoup et son opiniâtreté lui permet d'atteindre ses objectifs. Il est sentimental, mais s'exprime peu.

Prénom en vogue au 19e siècle.

• **Prénoms français associés** : Anschaire - Ansgaine.

• **Prénoms étrangers associés** : Ansgar - Ocky - Osgar - Oskar - Ossy.

Personnage célèbre : l'écrivain Oscar Wilde.

Osvald

Fête le 5 août.
Prénom d'origine germanique.

• **Étymologie** : vient de *oster* : est et *waldo* : gouverneur.

• **Symbolique** : 2 - Taureau - jaune - topaze.

• **Caractère** : sensible, dévoué, épris d'harmonie et de calme, Oswald est un parfait médiateur ; il déteste les conflits, et cherche toujours la conciliation. On le consulte pour sa sagesse, on l'écoute pour son bon sens, on l'apprécie pour sa loyauté.

Prénom rare.

• **Autre orthographe** : Oswald.

Saint Osvald, roi en Angleterre au 7e siècle, est un modèle de piété et de charité ; il construit un monastère, fait appel à des moines pour évangéliser son pays, et les aide au mieux dans leur tâche en les accompagnant à travers les campagnes.

P

(garçons)

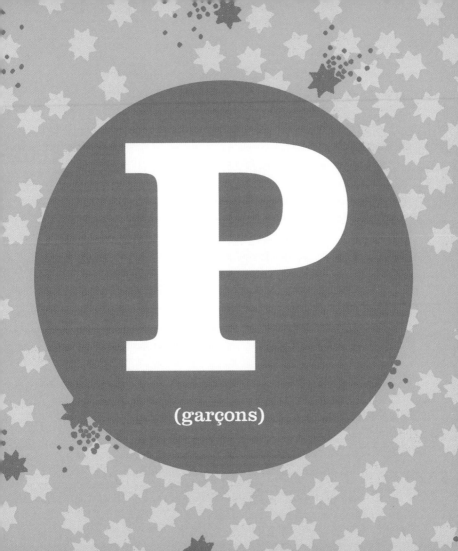

Pacifique

Fête le 18 août.
Prénom d'origine latine.

• **Étymologie** : vient de *pacificus* : pacifiste.

• **Symbolique** : 6 - vert - Capricorne - émeraude.

• **Caractère** : flegmatique en apparence, Pacifique est un hyperactif débrouillard. Habile, persuasif et charmeur à ses heures, il sait fort bien mener ses affaires. Il travaille... quand c'est vraiment nécessaire, mais n'est pas des plus rigoureux.

Prénom rare.

• **Prénom associé** : Pacifica.

Saint Pacifique vit une adolescence heureuse à Rome au 2e siècle. Mais il est chrétien ; dénoncé par un voisin, il est décapité.

Pamphile

Fête le 16 février.
Prénom d'origine grecque.

• **Étymologie** : vient de *pan* : tout et *philos* : ami.

• **Symbolique** : 8 - orange - Sagittaire - topaze.

• **Caractère** : stable, solide, fiable, Pamphile est un homme de responsabilités. Directif et autoritaire, il ne se laisse pas influencer, mais exerce un grand ascendant sur son entourage. Très influencé par sa famille, il fait preuve d'une tendresse bourrue envers les siens.

Prénom rare.

Saint Pamphile est un voyageur ; né au Liban, il fait ses études en Égypte, et s'établit en Palestine où il devient prêtre au 3e siècle. Arrêté par les hommes de l'empereur Maximin hostile aux chrétiens, il est emprisonné pendant plusieurs mois avant de mourir sous la torture.

Pascal

Fête le 17 mai.
Prénom d'origine hébraïque.

• **Étymologie** : vient de *pesah* : passage.

• **Symbolique** : 7 - orange - Gémeaux - topaze.

• **Caractère** : réservé, indépendant, Pascal mène sa vie tranquillement sans se soucier du "qu'en-dira-t-on". Il recherche cependant la compagnie et montre un réel attachement aux valeurs familiales. Curieux et sociable, il s'adapte avec souplesse.

Prénom à la mode de 1950 à 1970.

• **Prénoms français associés** : Pascale* - Pascalet - Pascalin - Pascaloun et Pascau (provençaux) - Pascual (occitan) - Paskal (breton) - Pasquier.

• **Prénoms étrangers associés** : Pascalis - Paco - Pascasio - Paschase - Paschasius - Pascoal - Pascoe - Pascolino - Pascual - Paskal - Pasquale - Pasqualino.

Saint Pascal est berger en Aragon au 16e siècle. Il tente à plusieurs reprises de se présenter au monastère pour y prononcer ses vœux, mais l'habit faisant le moine... il est rejeté à cause de son allure peu engageante... et de son troupeau, qu'il ne veut pas abandonner. Sa persévérance est recompensée cependant. Les frères finissent par l'admettre ; il effectue les besognes les plus dures, et consacre ses rares instants de loisirs à l'adoration du Saint Tabernacle. Il meurt à 52 ans.

Patrice

Fête le 19 mai.
Prénom d'origine latine.

• **Étymologie** : vient de *patricius* : patricien.

• **Symbolique** : 9 - orange - Poissons - topaze.

• **Caractère** : sensible et émotif, Patrice est un homme plein de tact et de délicatesse. Charmant, diplomate et persuasif, il possède l'art de tourner les situations à son avantage. Profon-dément affectueux, il privilégie ses relations familiales.

Prénom à l'honneur au milieu du 20e siècle.

• **Prénoms français associés** : Patricia* - Patrician - Patricien - Patrick*.

• **Prénoms étrangers associés** : Patricio - Patricius - Patrizio - Patty.

Saint Patrice, évêque en Asie Mineure au 4e siècle, est décapité par les soldats de l'empereur Julien l'Apostat pour avoir refusé d'adorer les dieux païens.

Patrick

Fête le 17 mars.
Prénom d'origine latine,
dérivé de Patrice.

• **Étymologie** : vient de *patricius* : patricien.

• **Symbolique** : 6 - orange - Bélier - topaze.

• **Caractère** : calme, discret, souriant et affable, Patrick rayonne de sérénité. Raffiné et perfectionniste, il est exigeant, et se sent investi de responsabilités qui ne lui laissent pas de droit à l'erreur. L'affection des siens est indispensable à son bonheur.

Prénom classique très en vogue au milieu du 20e siècle.

• **Prénoms français associés** : Padrig et Padriga (bretons).

• **Prénoms étrangers associés** : Paddy - Padraig - Padrieg - Patriki - Patriz - Patsy.

Saint Patrick est le fils d'un officier de la légion anglo-romaine et d'une esclave gauloise. Il arrive en Irlande en 404 ; le camp de son père est attaqué, il est capturé et vendu comme esclave à un éleveur de moutons. Patrick garde les troupeaux pendant six ans, puis s'échappe, s'embarque pour la Gaule et se rend auprès de Saint Germain qui le recueille, le forme et le persuade de repartir en Irlande comme évêque pour évangéliser son pays. Patrick obéit. Les conversions se multiplient. Il s'installe dans un monastère et entreprend l'organisation de l'Église d'Irlande.

Personnages élèbres : les écrivains Patrick Grainville et Patrick Modiano.

Paul

Fête le 29 juin.
Prénom d'origine latine.

- **Étymologie** : vient de *paulus* : faible.
- **Symbolique** : 6 - orange - Cancer - topaze.
- **Caractère** : réfléchi et intuitif, passionné et réservé, austère et épicurien, selon les jours ou selon les heures, Paul est l'eau et le feu. Cérébral, intelligent, et volontaire, il a de grandes ambitions et une forte puissance de travail.

Prénom classique au 19e siècle, à l'honneur depuis 1990.

- **Prénoms français associés** : Paol et Paolig (bretons) - Paule - Paulien - Paulin - Pauline* - Pol et Polig (bretons).
- **Prénoms étrangers associés** : Pablito - Pablo - Paol - Paoli - Paolino - Paolo - Paulik - Paulino - Paulinus - Paullus - Pauls - Paulus - Pauwels - Pavel - Pawel - Pawl.

Saint Paul, de son prénom Saül, est juif et pharisien. Il ne cache pas son aversion pour le christianisme. Mais le Christ lui apparaît, et il se convertit. Doté d'une très forte personnalité, il devient l'un des plus grands parmi les apôtres. Il entreprend trois voyages en Asie Mineure, en Macédoine et en Grèce pour prêcher la parole de Dieu, et construire des églises. Il est arrêté à Jérusalem, condamné et exécuté en 64 ou 67, laissant à la chrétienté quatorze épîtres.

Personnages célèbres : les présidents Paul Deschanel et Paul Doumer, Paul Verlaine, Paul Cézanne et Paul Gauguin.

Perceval

Fête le 29 juin.
Prénom d'origine littéraire,
d'après le nom du héros romanesque.

- **Symbolique** : 1 - vert - Poissons - émeraude.
- **Caractère** : sensible et émotif, Perceval s'abrite derrière une apparence froide, cynique même parfois. Peu expansif, il se replie sur lui-même face aux tensions et aux conflits. Il est sérieux, stable, et prudent. Grand travailleur, il apprécie la réussite qui le valorise.

Prénom rare.

- **Prénoms associés** : Parcifal - Percival - Percy.

Saint Pierre* est le patron de Perceval.

Perceval est le héros du roman de Chrétien de Troyes Perceval ou le conte du Graal, chevalier courageux et fidèle au service du roi Arthur, amoureux de Blancheflor.

Philéas

Fête le 4 février.
Prénom d'origine grecque.

• **Étymologie** : vient de *philein* : aimer.

• **Symbolique** : 6 - Gémeaux - orange - topaze.

• **Caractère** : secret, timide, Philéas peut paraître distant ; il recherche avant tout la tranquillité. Épanoui avec ceux dont il a éprouvé l'affection, il se renferme avec les inconnus, car il a besoin de se sentir en sécurité.

Prénom rare.

Saint Philéas est évêque à Alexandrie en Égypte au 4e siècle. Il est martyrisé avec les chrétiens de son évêché.

Philémon

Fête le 22 novembre.
Prénom d'origine grecque.

• **Étymologie** : vient de *philos* : ami et *monos* : seul.

• **Symbolique** : 2 - jaune - Capricorne - topaze.

• **Caractère** : sensible et idéaliste, Philémon préfère parfois rêver sa vie que de se heurter aux réalités. Timide, il aime pourtant les contacts, et possède un réel sens de l'amitié : il est serviable, attentif et affectueux avec ceux qui ont conquis sa confiance.

Prénom rare.

• **Prénom associé** : Philémone.

Saint Philémon est un homme qui a une position sociale bien établie à Colosses en Asie Mineure, au 1er siècle ; sa fortune lui permet de mener une vie agréable. Sa rencontre avec Saint Paul change son destin ; converti, il demande le baptême, et répand à son tour la parole divine. Élu évêque de sa ville, il meurt en martyr.

Philémon et Baucis sont des personnages de la mythologie grecque, couple de pauvres paysans phrygiens symbole de l'amour conjugal. Les dieux les métamorphosèrent, lorsqu'ils furent âgés, en deux arbres aux branches mêlées. Ils sont les héros de l'œuvre d'Ovide *Les Métamorphoses*.

Philibert

Fête le 20 août.
Prénom d'origine germanique.

• **Étymologie** : vient de *fili* : beaucoup et *behrt* : illustre.

• **Symbolique** : 9 - vert - Bélier - émeraude.

• **Caractère** : très sensible, Philibert est un homme dont les états d'âme sont liés à l'ambiance affective. Il a besoin d'un climat harmonieux pour s'épanouir alors que les tensions le déstabilisent. Généreux et attentif, il est un ami recherché.

Prénom peu répandu.

• **Prénoms français associés** : Philbert - Philberte - Philiberte.

• **Prénoms étrangers associés** : Filiberta - Filiberto.

Saint Philibert est moine dans une abbaye près de Meaux ; élu abbé, il applique des principes si sévères que ses moines le chassent. Il s'en va fonder une abbaye à Jumièges, mais il en est chassé à nouveau, par Ebroïn, maire du Palais à qui il reproche sa barbarie. Il s'établit à Noirmoutier, y fonde un monastère où il meurt en 685.

Personnage célèbre : l'architecte Philibert Delorme.

Philippe

Fête le 3 mai.
Prénom d'origine grecque.

• **Étymologie** : vient de *philein* : aimer et *hippos* : chevaux.

• **Symbolique** : 1 - vert - Verseau - émeraude.

• **Caractère** : dynamique et rapide, Philippe n'a peur de rien ; il saisit les occasions, surmonte les obstacles, brave les interdits avec une indomptable énergie. Impatient et irritable, il supporte mal qu'on lui résiste.

Prénom classique très répandu de 1950 à 1970.

• **Prénoms français associés** : Philippa - Philippine* - Philis - Phyllis.

• **Prénoms étrangers** : Felip - Félipa - Felipe - Felipo - Felippo - Filip - Filipka - Filipo - Filipp - Filippa - Filippo - Fippe - Fliep - Flippie - Fulp - Lipperle - Lippus - Lips - Phil - Philip - Philipe - Philipides - Philippus - Philipp - Pippa - Pippo.

Saint Philippe vit à Bethsaïde, sur le lac de Tibériade en Palestine au début du 1er siècle. Il quitte les siens et devient apôtre de Jésus. Après la Pentecôte, la légende conte qu'il partit évangéliser la Grèce et qu'il y mourut en martyr.

Personnages célèbres : le roi de France Philippe IV le Bel, l'écrivain Philippe Hériat.

Pierre

Fête le 29 juin.
Prénom d'origine latine.

• **Étymologie** : vient de *petros* : pierre.

• **Symbolique** : 8 - jaune - Lion - topaze.

• **Caractère** : passionné et nerveux, colérique et secret, Pierre n'est pas un homme facile ; il est très actif, mais son énergie est fluctuante, et ses collaborateurs comme ses proches éprouvent souvent des difficultés à suivre son rythme.

Prénom classique intemporel.**Prénoms français associés** : Pèire et Pèiroun (provençaux) - Per et Pereg (bretons) - Perrin - Perrine* - Pétronille* - Pierrette* - Pierrick et Pierrig (bretons) - Pierrot - Pieyre (occitan).

• **Prénoms étrangers associés** : Paitje - Pär - Peadair - Pedrinka - Pedro - Peeter - Peer - Peire - Peran - Pere - Peren - Perez - Perico - Perig - Pete - Peter - Peterus - Petia - Petro - Petrouchka - Petroussia - Petru - Pier - Pierino - Piero - Pierius - Piet - Pieter - Pietro - Piotr.

Saint Pierre est le chef des douze apôtres et le premier pape de la chrétienté. Pêcheur sur le lac de Tibériade avec son frère André, il se nomme Simon. Jésus l'appelle : "Tu es Pierre et sur cette pierre, je bâtirai mon église". Simon quitte les siens pour suivre le Christ qu'il reniera trois fois au moment de la Passion. Jésus lui remet les clefs du royaume des Cieux et lui attribue une mission évangélique. Après la Pentecôte, il prêche en Palestine, puis en Grèce et enfin à Rome. Il aurait été crucifié en 64 sous Néron.

Personnages célèbres : le tsar de Russie Pierre le Grand, l'écrivain Pierre Corneille.

Placide

Fête le 5 octobre.
Prénom d'origine latine.

- **Étymologie** : vient de *placidus* : plaisant.
- **Symbolique** : 5 - bleu - Lion - saphir.
- **Caractère** : ambitieux et hyperactif, Placide ne tient pas en place, contrairement à ce que son prénom laisse supposer. Franc, il déteste les mensonges, rapide, il s'impatiente au moindre retard, curieux, il aime l'aventure. Responsable et sérieux, il est digne de confiance.

Prénom rare.

- **Prénom français associé** : Placidie.
- **Prénom étranger associé** : Placido.

Saint Placide, fils de sénateur romain, est élevé par Saint Benoit. Devenu moine très jeune, il fonde un monastère en Sicile ; il subit le martyre avec ses compagnons lors de l'invasion de l'île par les Sarrasins, au 6e siècle.

Personnage célèbre : le ténor Placido Domingo.

Prosper

Fête le 25 juin.
Prénom d'origine latine.

- **Étymologie** : vient de *prosperus* : prospère.
- **Symbolique** : 8 - vert - Scorpion - émeraude.
- **Caractère** : affable, solide et sérieux, Prosper a une présence sécurisante. Mais il est aussi dominateur, et autoritaire. Grand travailleur, il supporte mal la médiocrité, et se montre très exigeant avec ses proches, collaborateurs ou familiers.

Prénom assez courant au 19e siècle.

Saint Prosper vit près de Marseille au 4e siècle. Il est laïc, mais fréquente les moines, étudie la théologie et rédige essais et ouvrages sur la vie des saints.

Personnage célèbre : l'écrivain Prosper Mérimée.

Prudence

Fête le 1er avril.
Prénom d'origine latine.

• **Étymologie** : vient de *prudentia* : sagesse.

• **Symbolique** : 5 - bleu - Bélier - saphir.

• **Caractère** : sensible et nerveux, Prudence ne tient pas en place. Il est rapide et impatient. Mais son sérieux, son sens des responsabilités et son attachement aux valeurs traditionnelles lui donnent une grande rigueur morale.

Prénom rare.

Saint Prudence est évêque en Italie au 3e siècle. Il tente d'évangéliser sa région, et un jour de dépit, il renverse une statue païenne. Il est aussitôt arrêté et décapité.

Q

(garçons)

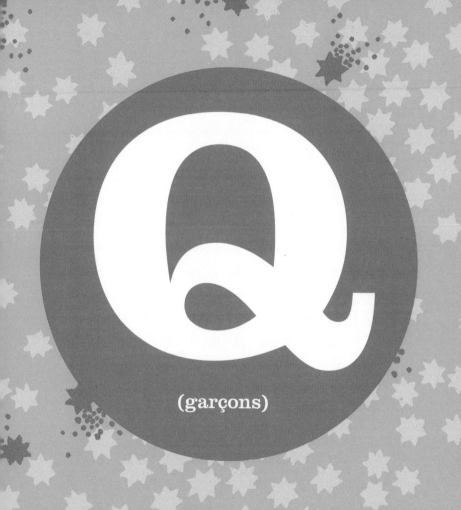

Quentin

Fête le 31 octobre.
Prénom d'origine latine.

• **Étymologie** : vient de *quintinius* : cinquième.

• **Symbolique** : 1 - bleu - Sagittaire - saphir.

• **Caractère** : sensible et timide, Quentin cherche à s'affirmer, mais il redoute souvent le jugement des autres. Vif et curieux, il a mille projets en tête et en poursuit quelques-uns avec obstination, même s'il n'est pas un adepte du travail acharné.

Prénom en vogue depuis 1990.

• **Prénoms français associés** : Quanton - Quentien - Quentilien - Quintard - Quintiane - Quintie - Quintin.

• **Prénoms étrangers associés** : Quinta - Quintia - Quintilia - Quintiliana - Quintiliano - Quintilius - Quintilla - Quintina - Quintinia.

Saint Quentin vit à Rome au 3e siècle. Il est le cinquième enfant d'un sénateur. Il se convertit au christianisme, devient prêtre, puis il quitte son pays avec d'autres missionnaires pour évangéliser la Gaule et s'établit en Picardie. Il est arrêté sur l'ordre de l'empereur Maximien et emprisonné. La légende raconte que, délivré par un ange, il repartit prêcher à travers la ville. Repris et condamné à mort, il est décapité à Vermand, ville qui porte aujourd'hui le nom de Saint-Quentin.

R

(garçons)

Raoul

Fête le 7 juillet.
Prénom d'origine germanique.

• **Étymologie** : vient de *ragin* : conseil et *wulf* : loup.

• **Symbolique** : 4 - orange - Verseau - topaze.

• **Caractère** : aimable et attentif, Raoul est un séducteur ; il aime amuser. Mais loin d'être futile, il est très efficace et déterminé quand il s'agit de définir des objectifs. Il plaît, même si sa grande confiance en lui peut le rendre arrogant.

Prénom rare.

• **Prénoms étrangers associés** : Radeke - Radlof - Radola - Radolphe - Radulf - Ralf - Ralph - Rauf - Raül - Reel - Rowl.

Saint Raoul, père de famille nombreuse, en Angleterre, au 16e siècle, décide d'embrasser la religion catholique. Le jour de sa conversion, il est arrêté par les hommes de la reine Élizabeth 1re, et pendu.

Personnages célèbres : Raoul de Bourgogne, roi de France, le peintre, graveur, styliste Raoul Dufy.

Raphaël

Fête le 29 septembre.
Prénom d'origine hébraïque.
Étymologie : vient de *rephaël* : Dieu a guéri.

• **Symbolique** : 7 - jaune - Verseau - topaze.

• **Caractère** : émotif et intraverti, Raphaël cache sa sensibilité sous une apparence détachée. Il a grand besoin de calme et de sécurité affective pour s'épanouir, et se réfugie volontiers dans l'étude et la réflexion s'il se sent menacé.

Prénom en faveur depuis 1980.

• **Prénoms français associés** : Rafeioun (provençal) - Raphaëlle*.

• **Prénoms étrangers associés** : Rainer - Rainero - Rainiero - Ranieri.

Saint Raphaël est archange, comme Michel et Gabriel. Messager de Dieu, d'après la Bible, il accompagne le jeune Tobie dans son voyage, et guérit la cécité de son père.

Personnage célèbre : le peintre italien de la Renaissance Raphaël, né Raffaello Sanzio.

Rayan

Fête le 18 décembre.
Prénom d'origine celte,
dérivé de Briac.

• **Étymologie** : vient de *bri* : estime.

• **Symbolique** : 5 - vert - Sagittaire - émeraude.

• **Caractère** : responsable et très strict, Rayan est attaché aux principes. Il tient beaucoup à sa famille dont il attend protection et soutien. Loin d'être casanier et routinier, il apprécie le changement, les voyages, l'action, et ne craint pas les risques.

Prénoms en vogue depuis 1990.

• **Autre orthographe** : Ryan.

Saint Briac* est le patron de Rayan.

Raymond

Fête le 7 janvier.
Prénom d'origine germanique.

• **Étymologie** : vient de *ragin* : conseil et *mundo* : monde.

• **Symbolique** : 8 - bleu - Taureau - saphir.

• **Caractère** : courageux et volontaire, Raymond est un grand travailleur. Timide, il est réservé, pudique et exprime peu ses sentiments. Assez lent, mais tenace, il ne supporte pas qu'on lui impose un rythme, mais stimulé par les difficultés, il arrive à ses fins en prenant son temps.

Prénom à la mode au début du 20e siècle.

• **Prénoms français associés** : Aimon - Aymon - Aymone - Raimond - Ramon (occitan) - Ramoun (provençal) - Raymonde.

• **Prénoms étrangers associés** : Radmond - Raimo - Raimondino - Raimondo - Raimund - Ramuncho - Reamoun - Redmond - Reim - Reime - Reimund - Reinmund - Remus.

Saint Raymond, d'origine espagnole, entre chez les frères en 1222 ; il est rapidement nommé maître des dominicains, puis conseiller du pape, et rédige plusieurs ouvrages de théologie. Il fonde l'ordre de Notre-Dame-de-la-Merci, pour le rachat des chrétiens captifs aux musulmans. Il meurt à 100 ans.

Personnages célèbres : Raymond, comte de Toulouse, le Président Raymond Poincaré, les écrivains Raymond Radiguet et Raymond Queneau, le philosophe Raymond Aron.

Réginald

Fête le 21 février.
Prénom d'origine germanique.

• **Étymologie** : vient de *rad* : conseil et *waldo* : gouverneur.

• **Symbolique** : 7 - Verseau - vert - émeraude.

• **Caractère** : généreux et sociable, Réginald est un altruiste. Il est attiré par l'étude, la spiritualité, et s'il affiche en public une attitude bourrue, il est extrêmement sensible. Son idéalisme entraîne parfois des déceptions.

Prénom peu courant.

Saint Réginald est prêtre à Orléans au 13e siècle ; par reconnaissance envers Saint Dominique qui le guérit d'une maladie incurable, il entre dans l'ordre des dominicains et prêche à travers l'Europe.

Rémi

Fête le 15 janvier.
Prénom d'origine latine.

- **Étymologie** : vient de *remedius* : remède.
- **Symbolique** : 9 - orange - Sagittaire.
- **Caractère** : sensible et intuitif, Rémi est très réceptif aux amabiances dans lesquelles il évolue ; il s'adapte très vite. Pourtant réfractaire à toute discipline, il préserve son indépendance, apprécie les fantaisies, l'évasion, qu'il trouve dans ses voyages... ou dans ses rêves.

Prénom médiéval à l'honneur depuis 1990.

- **Autre orthographe** : Rémy.
- **Prénom français associé** : Rémiot.
- **Prénoms étrangers associés** : Mieg - Miek - Rehm - Remesi - Remey - Remies - Remigio - Remigius - Rimma.

Saint Rémi, natif de Laon, est sacré évêque de Reims en 466. Il a 22 ans. Par l'intermédiaire de sainte Clotilde dont il est le conseiller, il exerce une forte influence sur Clovis et le baptise avec trois mille hommes de son armée le 25 décembre 496. Rémi est un homme instruit et habile gestionnaire. Mais il est surtout dévoué à la cause des pauvres et des opprimés. Il meurt en 533 dans son évêché.

Personnages célèbres : le poète de la Pléiade Rémi Belleau, le maréchal de France Rémi Exelmans.

Renaud

Fête le 17 septembre.
Prénom d'origine germanique.

- **Étymologie** : vient de *rad* : conseil et *wald* : gouverneur.
- **Symbolique** : 9 - bleu - Sagittaire - saphir.
- **Caractère** : passionné et infiniment communicatif, Renaud a beaucoup d'ambition. Il est très idéaliste, et a une immense confiance en sa puissante volonté. Son charisme lui permet de séduire et d'impressionner, et il a besoin d'être reconnu et apprécié.

Prénom médiéval peu courant.

- **Prénoms français associés** : Raynal - Réginald - Regnaud - Regnault - Rénald - Rénaldine - Renaude - Renilde - Reynaud.
- **Prénoms étrangers associés** : Naldo - Rael - Rainald - Rainalda - Rainolde - Ravel - Raynaldo - Reg - Regg - Reggie - Reginaldus - Reinald - Reinelda - Reinhard - Reinharda - Reinhardt - Reinhilde - Reinhold - Reinold - Reinwald - Renalda - Renold - Renou - Reynalda - Reynaldo - Reynold - Reynolds - Rinald - Rinaldo - Ron - Ronald - Ronnie - Ronny.

Saint Renaud est moine dans une abbaye de Soissons ; il la quitte pour vivre en ermite et meurt en 1104.

René

Fête le 19 octobre.
Prénom d'origine latine.

• **Étymologie** : vient de *renatus* : né à une nouvelle vie.

• **Symbolique** : 6 - bleu - Sagittaire - saphir.

• **Caractère** : discret, calme, René arbore une amabilité tranquille et rassurante. Il est ouvert et souriant, mais son sens du devoir, la conscience de ses responsabilités et son perfectionnisme le rendent parfois un peu strict.

Prénom en faveur au début du 20e siècle.

• **Prénoms français associés** : Renat (occitan) - Reinie (provençal) - Renée*.

• Prénom étranger associé : Renato.

Saint René est jésuite missionnaire au Canada au 17e siècle ; il est massacré par les Iroquois en 1642.

Personnages célèbres : le "bon roi René" Ier, duc de Bar, duc de Lorraine, duc d'Anjou, comte de Provence et roi de Naples, le philosophe René Descartes, le médecin René Laennec, le verrier et joaillier René Lalique, le peintre René Magritte.

Richard

Fête le 3 avril.
Prénom d'origine germanique.

• **Étymologie** : vient de *rik* : roi et *hard* : dur.

• **Symbolique** : 7 - rouge - Gémeaux - rubis.

• **Caractère** : raffiné, élégant, charmeur, Richard est séduisant. Mais il cache sa grande sensibilité derrière une réserve prudente et exprime peu ses sentiments. Esthète, il aime la beauté, le luxe, les arts et supporte mal la médiocrité.

Prénom à la mode de 1950 à 1970.

• **Prénoms français associés** : Ricard - Richarde - Richardin - Richilde.

• **Prénoms étrangers associés** : Dick - Dickie - Dicky - Reich - Reichart - Rica - Ricahrda - Riccarda - Riccarda - Riccardo - Ricciardo - Ricco - Richardt - Richenza - Richerd - Richie - Rick - Rickaerdt - Rickert - Ricky - Ricordino - Ridsart - Ridsert - Rikhard - Rikitza.

Saint Richard est, au 13e siècle, l'intendant de l'archevêque de Cantorbéry qu'il suit en France lorsqu'il est exilé. À la mort du prélat, il entre chez les dominicains. Il est rappelé à Cantorbéry pour prendre en charge l'évêché de Chichester, sur ordre du pape, en dépit de l'opposition du roi Henri III qui confisque les biens de l'évêché et réduit l'évêque à la misère qui vend ses biens personnels pour secourir les pauvres et construire un hospice. Il meurt en 1253.

Personnages célèbres : le roi d'Angleterre Richard Ier Cœur de Lion, les compositeurs allemands Richard Strauss et Richard Wagner, le chanteur Richard Anthony, les acteurs Richard Berry, Richard Bohringer.

Robert

Fête le 17 septembre.
Prénom d'origine germanique.

• **Étymologie** : vient de *hrod* : gloire et *behrt* : illustre.

• **Symbolique** : 6 - rouge - Vierge - rubis.

• **Caractère** : serein et enjoué, Robert est cependant très déterminé. Il cache derrière son apparente bonhommie une farouche volonté. Il est indiscipliné, organisé et se fixe des objectifs qu'il atteint grâce à sa grande puissance de travail.

Prénom en vogue au Moyen Âge et pendant la première moitié du 20e siècle.

• **Prénoms français associés** : Ober - Oberon - Rigobert - Roberte - Robertine - Robin* - Robine - Robinson - Ropars, Roparz et Roparzh (bretons) - Roubert (provençal).

• **Prénoms étrangers associés** : Bob - Bobbie - Bobby - Riovart - Rob - Robb - Robbie - Robby - Robel - Röbeli - Roberta - Robertina - Roberto - Roberts - Robertson - Robertus - Robina - Robinia - Roby - Roppel - Ruberta - Rupert - Ruperta - Ruperto - Rüpli - Ruppert - Rupprecht - Ruprecht.

Saint Robert Bellarmin, né en Toscane dans une famille d'aristocrates, se révèle précocement brillant et pieux. Il entre chez les jésuistes en 1560. Professeur de théologie, il devient légat du pape Clément VIII, puis cardinal en 1599 et archevêque en 1602. Farouche adversaire des protestants, il démissionne de ses fonctions pour se livrer à la rédaction de travaux de controverse qui lui vaudront le titre de docteur de l'Église.

Personnages célèbres : le corsaire malouin Robert Surcouf, l'écrivain écossais Robert Stevenson, l'écrivain français Robert Sabatier.

Robin

Fête le 17 septembre.
Prénom d'origine germanique, dérivé de Robert.

• **Étymologie** : vient de *hrod* : gloire et *behrt* : illustre.

• **Symbolique** : 4 - rouge - Poisson - rubis.

• **Caractère** : inquiet de nature, Robin se rassure par un excès de prudence. Son intuition est très développée, mais en homme lucide, il préfère le rationnel. Il a besoin de stabilité et de tranquillité pour être heureux et ne déteste pas la routine.

Prénom médiéval en faveur depuis 1990.

Saint Robert* est le patron de Robin.

Robin des Bois, héros de légende anglais du Moyen Âge symbolise la résistance des Saxons aux envahisseurs normands.

Roch

Fête le 16 août.
Prénom d'origine francaise.

- **Étymologie** : vient du nom d'une tunique portée au Moyen Âge.
- **Symbolique** : 8 - vert - Capricorne - émeraude.
- **Caractère** : courageux et combatif, Roch est un passionné capable cependant de douceur et de tact. Son efficacité, son goût de la perfection et son sens des responsabilités lui permettent d'atteindre ses objectifs.

Prénom rare.

- **Prénom français associé** : Rochelle.
- **Prénoms étrangers associés** : Rockie - Rocky.

Saint Roch, né à Montpellier au 14e siècle perd ses parents très jeune. Il part en pèlerinage pour Rome, alors que la peste sévit en Italie. Il s'arrête dans tous les villages qu'il traverse pour soigner les malades ; parfois, il les guérit en apposant sur leur front le signe de la croix. Il attrape la maladie, et se retire dans les bois. La légende conte qu'un chien vient chaque jour lui apporter une miche de pain. Guéri, il revient à Montpellier, mais il a tant changé que les siens ne le reconnaissent pas et il est incarcéré pour vagabondage. Il meurt en prison en 1327.

Rodolphe

Fête le 17 avril.
Prénom d'origine germanique.

- **Étymologie** : vient de *hrod* : gloire et *wulf* : loup.
- **Symbolique** : 6 - rouge - Bélier - rubis.
- **Caractère** : vif et enjoué, Rodolphe est un homme de terrain qui a les pieds sur terre. Réaliste et ambitieux, il ne doute pas de ses capacités et sait surmonter assez facilement les difficultés, mais sa susceptibilité le pousse souvent à se fâcher avec son entourage.

Prénom peu répandu.

- **Prénoms français associés** : Roddin - Rodolphine - Rollon.
- **Prénoms étrangers associés** : Dolf - Dolfi - Dulf - Radulph - Ralf - Ralph - Ridel - Rilke - Rod - Rode - Rodekin - Rodolf - Rodolfa - Rodolfo - Rodulf - Roelf - Roelof - Röhle - Rolef - Roleke - Rolf - Rolle - Rolo - Rolof - Rüdel - Rudi - Rudolf - Rudolfo - Rudy - Ruedolf - Ruef - Rulle - Ruodi - Ruolf.

Saint Rodolphe est un tout jeune enfant lorsqu'il est arrêté avec ses parents, et massacré avec eux par un groupe de juifs intégristes en Suisse, en 1287.

Personnages célèbres : Rodolphe de Habsbourg, l'acteur Rudolf Valentino.

Rodrigue

Fête le 13 mars.
Prénom d'origine germanique.

• **Étymologie** : vient de *hrod* : gloire et *rik* : roi.

• **Symbolique** : 7 - rouge - Lion - rubis.

• **Caractère** : timide et sensible à l'extrême, Rodrigue arbore un air détaché, énigmatique. Il est intellectuel, intuitif mais il doute cependant de lui et préfère parfois la solitude à la vie en société, pour se réfugier dans l'étude ou la rêverie.

Prénom rare.

• **Prénom français associé** : Rodéric.

• **Prénoms étrangers associés** : Ric - Rod - Roddie - Roddy - Roderich - Roderick - Rodrick - Rodrigo - Rodriguez - Rorich - Rörig - Rurich - Rurik.

Saint Rodrigue se fait ordonner prêtre à Cordoue, en Andalousie alors que sévissent les persécutions contre les chrétiens. Il est dénoncé par son frère, musulman, et subit le martyre en 857.

Roger

Fête le 30 décembre.
Prénom d'origine germanique.

• **Étymologie** : vient de *hrod* : gloire et *gari* : lance.

• **Symbolique** : 9 - orange - Cancer - topaze.

• **Caractère** : observateur, intuitif mais secret, Roger cache derrière sa réserve des trésors de bonté. Tendre et émotif, il fait preuve de générosité, d'altruisme jusqu'à l'oubli de soi, mais ne se laisse pas abuser par les flatteries.

Prénom à l'honneur au début du 20e siècle.

• **Prénom français associé** : Rodeger.

• **Prénoms étrangers associés** : Dodge - Regelio - Roar - Rodge - Rofger - Rogelic - Rogeric -Roggie - Rogier - Röle - Rosser - Rotkar - Rüdeger - Rüdiger - Ruggero - Ruggiero - Rutger - Rutje - Rüttger.

Saint Roger, évêque en Italie au 12e siècle, fut un modèle de bonté et de charité.

Personnages célèbres : les rois de Sicile Roger 1er et Roger II, les écrivains français Roger Martin du Gard, Roger Peyreffitte, Roger Vailland, l'acteur américain Roger Moore.

Roland

Fête le 15 septembre.
Prénom d'origine germanique.

• **Étymologie** : vient de *hrod* : gloire et *land* : terre.

• **Symbolique** : 1 - vert - Poissons - émeraude.

• **Caractère** : communicatif, dynamique, enthousiaste, Roland est cependant secret. S'il est très sociable, il ne se confie jamais tout à fait, et apprécie beaucoup la solitude. Persuasif, rapide et intelligent, il aime commander et se révèle exigeant. Prénom en faveur au début du 20e siècle.

• **Prénoms français associés** : Rolande - Roldan - Rollin - Rouland (provençal).

• **Prénoms étrangers associés** : Orlanda - Orlando - Rodlana - Rodlanda - Roeland - Roelandja - Rolanda - Rolando - Roldan - Roldane - Roldo - Rolinda - Rolle - Rollins - Rowland - Rulaut.

Roland, neveu de Charlemagne, combat à ses côtés et résiste vaillamment aux Sarrasins dans les Pyrénées, à Roncevaux, en 778. Trahi par Ganelon, il est mortellement blessé et sonne de l'olifant pour prévenir l'armée. Il est le héros de la Chanson de Roland, écrite au 11e siècle, par Turold.

Romain

Fête le 28 février.
Prénom d'origine latine.

• **Étymologie** : vient de *romanus* : romain.

• **Symbolique** : 7 - rouge - Bélier - rubis.

• **Caractère** : hypersensible et inquiet, Romain se réfugie volontiers dans la solitude, l'introspection et l'étude pour se protéger. L'humour lui sert très souvent de bouclier lorsque la vie le contraint à se défendre.

Prénom en vogue depuis 1980.

• **Prénoms français associés** : Roman* - Romane* - Romaine.

• **Prénoms étrangers associés** : Mania - Manius - Romana - Romania - Romanha - Romano - Romanos - Romanus.

Saint Romain se retire du monde à 35 ans pour vivre dans un ermitage dans le Jura, au 5e siècle. Son frère vient le rejoindre, et ils fondent ensemble plusieurs monastères, parmi lesquels l'abbaye de Condat.

Personnages célèbres : les écrivains Romain Rolland et Romain Gary.

Roman

Fête le 28 février.
Prénom d'origine latine,
dérivé de Romain.

• **Étymologie** : vient de *romanus* : romain.

• **Symbolique** : 7 - vert - Bélier - émeraude.

• **Caractère** : sensible et secret, Roman craint les blessures affectives ; il affiche une apparence flegmatique, indifférente même parfois, mais recherche avant tout la sécurité ; il apprécie le calme, la solitude, bien qu'il soit un ami charmant et fidèle.

Prénom peu répandu.

Saint Romain* est le patron de Roman.

Personnage célèbre : le réalisateur Roman Polanski.

Romaric

Fête le 10 décembre.
Prénom d'origine germanique.

• **Étymologie** : vient de *hrod* : gloire, *maht* : force et *rik* : roi.

• **Symbolique** : 5 - violet - Balance - améthyste.

• **Caractère** : audacieux et indiscipliné, Romaric aime l'aventure, et refuse les contraintes. Il lui arrive souvent de prendre des risques, mais grâce à sa grande intuition et son esprit d'analyse aiguisé, il se tire toujours à son avantage de toutes les situations.

Prénom peu répandu.

Saint Romaric s'apprête à entrer dans un monastère de Provence lorsqu'il rencontre un moine voyageur ; ils décident de fonder eux-mêmes un monastère dans les Vosges, où hommes et femmes se relaient pour prier jour et nuit. Saint Romaric meurt en 653 ; il laisse son nom au village qui entoure le monastère, qui devient Romarici Mons, ou Remiremont.

Roméo

Fête le 25 février.
Prénom d'origine latine.

• **Étymologie** : vient du nom de la ville de Rome.

• **Symbolique** : 2 - jaune - Bélier - topaze.

• **Caractère** : dynamique et rapide, Roméo est un réaliste qui a le sens des affaires. Il est ambitieux, il a confiance en lui, mais, très susceptible, il supporte mal les échecs et admet difficilement les critiques.

Prénom rare.

• **Prénoms associés** : Roméa - Romée.

Saint Roméo, moine à Limoges, part en pèlerinage pour Rome ; il attrape la peste en chemin et meurt en Toscane en 1380.

Romuald

Fête le 19 juin.
Prénom d'origine germanique.

• **Étymologie** : vient de *hrod* : gloire et *wald* : gouverneur.

• **Symbolique** : 3 - rouge - Poissons - rubis.

• **Caractère** : sociable mais discret, communicatif mais réservé, Romuald est un homme agréable. Adroit, persuasif et diplomate, il s'entend avec tout le monde et fait partager enthousiasme et joie de vivre. Exigeant, il attend beaucoup de ses amis.

Prénom peu répandu.

• **Prénoms français associés** : Romualdie - Romualdine.

• **Prénoms étrangers associés** : Roald - Romaldo - Rommelt - Romualda - Romualdo - Rumald.

Saint Romuald assiste, encore enfant, à un duel entre son père et un adversaire. ce spectacle le bouleverse ; il décide de fuir ce monde brutal et de se faire ermite. Après un court séjour dans un monastère, il part dans la montagne toscane et y vit plus de 50 ans dans la solitude et la prière. Il meurt en 1027.

Ronan

Fête le 1er juin.
Prénom d'origine celte.

- **Étymologie** : vient de *roen* : royal.
- **Symbolique** : 8 - bleu - Bélier - saphir.
- **Caractère** : idéaliste et sensible, Ronan a besoin d'être épaulé ; lorsqu'il quitte le giron familial, il cherche un ami sûr, une âme sœur, une amante complice, mais il est, dans sa vie professionnelle, d'une incorrigible indépendance.

Prénom peu répandu.

- **Prénoms français associés** : Nanig - Renan - Renane - Ronana - Ronane - Ronanenn - Ronanez - Ronanig.

Saint Ronan, né en Irlande au 6e siècle, devient prêtre en Angleterre, puis s'embarque pour la Bretagne ; il évangélise le Léon et fonde un ermitage près d'un village qui porte aujourd'hui son nom. Accusé du meurtre d'une enfant, il est innocenté, et la légende raconte qu'il ressuscita la fillette. Sa réputation est si grande qu'il est chaque jour visité par des pèlerins ; cette renommée est incompatible avec sa modestie. Ronan se retire dans un village, qui deviendra Locronan.

S

(garçons)

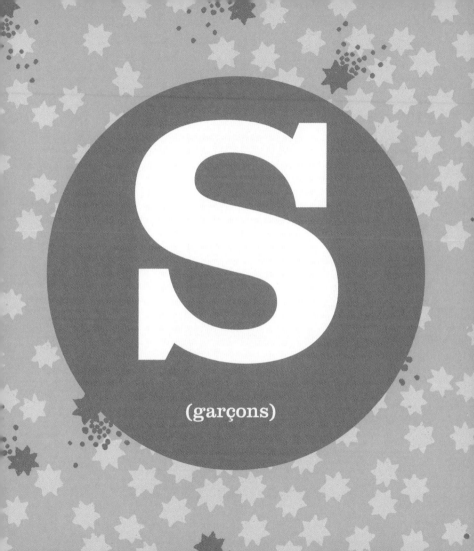

Salomon

Fête le 29 décembre.
Prénom d'origine hébraïque.

- **Étymologie** : vient de *shalom* : paix.
- **Symbolique** : 8 - vert - Balance - émeraude.
- **Caractère** : franc, courageux, combatif, Salomon n'est pas l'homme des demi-mesures. Très réaliste, il sait ce qu'il veut et se donne les moyens de l'obtenir. Ses principes rigoureux le rendent parfois intolérant, et il supporte mal la controverse.

Prénom rare.

- **Prénom français associé** : Salaün (breton).
- **Prénoms étrangers associés** : Shalmi - Shalom - Shlomo - Slimane - Soliman - Solimane - Solomon - Solomone - Suleima - Suleiman - Zulima - Zulma.

Saint Salomon, fils de David et de Bethsabée, est roi d'Israël de 972 à 932 avant J.-C. Son règne marque l'apogée d'Israël. La tradition le dépeint juste, sage... et même magicien.

Samson

Fête le 28 juillet.
Prénom d'origine hébraïque.

- **Étymologie** : vient de *shemesc* : soleil.
- **Symbolique** : 9 - vert - Taureau - émeraude.
- **Caractère** : calme, réservé, Samson recherche la tranquillité pour réfléchir, étudier, ou rêver, mais apprécie cependant le travail en équipe et la vie sociale, malgré un esprit critique assez sévère. Il est rationnel, objectif et posé.

Prénom rare.

- **Prénoms français associés** : Samzun (breton) - Sansoun (provençal).

Saint Samson est un moine gallois venu en Bretagne au 6e siècle ; il fonde un monastère à Dol dont il devient le premier évêque, participe au deuxième concile, assiste le roi Chilpéric. Il est l'un des saints fondateurs de la Bretagne.

Samson, personnage biblique, juge d'Israël au 12e siècle avant J.-C., était réputé pour sa force surnaturelle, dûe à sa longue chevelure. Il est séduit et trahi par la belle Dalila qui le rase pendant son sommeil et le livre aux Philistins. Ses cheveux repoussent, il retrouve sa force, et, captif, dans un temple, il le renverse sur le peuple.

Personnage célèbre : le pianiste Samson François.

Samuel

Fête le 20 août.
Prénom d'origine hébraïque.

- **Étymologie** : signifie *issu de Dieu*.
- **Symbolique** : 8 - rouge - Bélier - rubis.

• Caractère : passionné et autoritaire, Samuel est très énergique. Son autorité n'admet pas la faiblesse et la médiocrité. Conquérant avide de pouvoir, il déploie une intense activité, et supporte mal les contraintes qui le rendent irascible.

Prénom rare.

• Prénoms associés : Sam - Sami - Samy.

Samuel, dernier juge d'Israël, désigna le premier roi d'Israël Saül, qui, rejeté par Dieu, doit laisser son trône à David.

Personnages célèbres : l'explorateur Samuel de Champlain, le physicien Samuel Morse, le romancier irlandais Samuel Beckett, l'acteur Samy Frey.

Scott

Fête le 8 novembre.
Prénom d'origine écossaise.

• Étymologie : vient de *scot* : écossais.

• Symbolique : 5 - Cancer - rouge - rubis.

• Caractère : autonome et indépendant dès son plus jeune âge, Scott n'en est pas moins sensible et affectueux ; il n'aime guère les contraintes, supporte mal les directives et préfère nettement jouer un rôle de meneur.

Prénom rare.

Saint Jean Duns Scot est son patron. Théologien écossais au 14e siècle, il enseigne à Cambridge, à Paris et à Cologne.

Personnage célèbre : l'écrivain américain Scott Fitzgerald.

Sébastien

Fête le 20 janvier.
Prénom d'origine grecque.

• Étymologie : vient de *sebastos* : honoré.

• Symbolique : 3 - bleu - Poissons - saphir.

• Caractère : sensible, Sébastien est très vulnérable, mais il sait dominer sa grande émotivité et donne l'apparence d'un homme froid et distant. Pourtant, il apprécie la vie sociale et le travail d'équipe qui le stimulent et le motivent.

Prénom très répandu de 1960 à 1980.

• Prénoms français associés : Bastian et Bastianne (occitans) - Bastien* - Bastienne - Sébastian et Sébastianne (occitans) - Sébastienne - Sébastin - Sébastine.

• Prénoms étrangers associés : Bast - Bastël - Basten - Bastiano - Bastina - Bastino - Sébastia - Sébastio - Sébastina - Sébastini - Sébastino.

Saint Sébastien, né à Narbonne au 3e siècle, s'engage comme officier dans l'armée romaine pour secourir les chrétiens persécutés. Il est nommé capitaine de la garde prétorienne par Dioclétien qui ignore qu'il est chrétien, mais il est trahi, et livré aux archers débutants qui le laissent pour mort. Recueilli par une sainte femme, il guérit de ses blessures et va reprocher à l'empereur sa cruauté ; il meurt sous les coups de gourdin.

Personnages célèbres : Sébastien Le Prestre

de Vauban, le statisticien Sébastien Bottin, l'homme de lettres Sébastien Chamfort.

Séraphin

Fête le 12 octobre.
Prénom d'origine hébraïque.

• **Étymologie** : vient de *séraphim* : séraphin, ange au plus haut de la dynastie céleste.

• **Symbolique** : 5 - blanc - Capricorne - aigue-marine.

• **Caractère** : sociable, tolérant et diplomate, Séraphin est un communicatif qui sait parfaitement bien s'adapter à son entourage ; plein de tact, il ménage les susceptibilités et joue les négociateurs, mais il déteste les conflits.

Prénom rare.

• **Prénoms français associés** : Sérafein (breton) - Séraphie* - Séraphine.

• **Prénoms étrangers associés** : Séraphina - Séraphita.

Saint Séraphin est italien ; issu d'une famille très modeste, il n'a reçu aucune éducation ; il entre chez les capucins et devient jardinier. Il ne sait pas cultiver, mais fruits et légumes poussent à profusion ; il ne sait pas lire, mais prêche l'Évangile comme un théologien. Il meurt en 1604 dans son abbaye.

Serge

Fête le 25 septembre.
Prénom d'origine latine.

• **Étymologie** : vient de *Sergius*, nom d'une célèbre famille romaine au 1er siècle.

• **Symbolique** : 9 - rouge - Vierge - rubis.

• **Caractère** : calme et serein, tendre et attentif, Serge peut devenir cassant, autoritaire et coléreux, car il ne domine pas toujours facilement sa grande émotivité. Il affronte les difficultés avec efficacité, et ne se laisse pas influencer.

Prénom à la mode au milieu du 20e siècle.

• **Prénoms français associés** : Sergiane - Sergine - Serlane.

• **Prénoms étrangers associés** : Goulia - Sergej - Sergia - Sergiana - Sergina - Sergio - Sergios - Sergius - Sergueï - Serlana.

Saint Serge de Radonège vit en Russie au 14e siècle. À la mort de ses parents, il devient ermite. Des pèlerins lui rendent visite et lui demandent de fonder une communauté de prière. Il fonde le monastère de la Trinité. Conseiller des princes, il joue le rôle de médiateur, mais refuse toute dignité écclésiastique. Il meurt en 1392.

Personnages célèbres : les musiciens Serge Prokofiev et Serge Rachmaninov, le compositeur Serge Gainsbourg, le danseur Serge Nouréiev.

Séverin

Fête le 8 janvier.
Prénom d'origine latine.

• **Étymologie** : vient de *severus* : exigeant.

• **Symbolique** : 2 - orange - Scorpion - topaze.

• **Caractère** : indépendant, dynamique, Séverin déborde d'activité. Il dégage une grande force intérieure, mais il manque de confiance en lui et traverse des périodes de doute qui le fragilisent. Il ne supporte alors ni les échecs ni les remarques.

Prénom rare.

• **Prénoms français associés** : Sévère - Sévérian - Sévériane - Séverien - Séverine*.

• **Prénoms étrangers associés** : Sévéra - Sévéri - Severia - Severiana - Sévériano - Sévérina - Sévérino - Sévérinus - Sévério - Sévéro - Sevir - Sövrin.

Saint Séverin est missionnaire en Europe centrale au 5e siècle ; il soigne les malades, rachète les captifs, convertit et baptise. Ses disciples affluent : il doit fonder un monastère pour les accueillir. Mais les postulants sont si nombreux qu'il doit multiplier les établissements !

Sezni

Fête le 8 mars.
Prénom d'origine celte.

• **Étymologie** : vient de *saezeun* : rayon de soleil.

• **Symbolique** : 1 - bleu - Bélier - aigue-marine.

• **Caractère** : sociable, serviable, tolérant, Sezni est un ami précieux ; disponible et attentif mais discret, diplomate mais sincère, franc mais délicat, fidèle et désintéressé. Il recherche l'harmonie, et redoute les tensions, les luttes, les conflits.

Prénom rare.

• **Prénoms associés** : Sane - Senan - Seni - Seznec.

Saint Sezni, moine irlandais, vient en Bretagne au 6e siècle ; il s'installe dans le Léon pour évangéliser les païens.

Sidney

Fête le 9 octobre.
Prénom d'origine grecque,
forme anglo-saxonne de Denis.

• **Étymologie** : vient de *Dionysos* : dieu de la vigne et du vin.

• **Symbolique** : 4 - jaune - Bélier - topaze.

• **Caractère** : sensible, émotif, Sidney est très réservé et cache sa timidité derrière une façade de froideur. Ambitieux, il travaille beaucoup pour réussir, car il a besoin d'être rassuré. Fidèle, stable, il n'a guère l'esprit d'aventurier.

Prénom rare.

• **Autre orthographe** : Sydney.

Saint Denis* est son patron.

Siegfried

Fête le 22 août.
Prénom d'origine germanique.

• **Étymologie** : vient de *sig* : victoire et *frido* : paix.

• **Symbolique** : 1 - violet - Sagittaire - améthyste.

• **Caractère** : viril, autoritaire, un tantinet dominateur, Siegfried n'est pas d'un abord facile. Il est ambitieux, aime être respecté, admiré, et ne supporte pas les échecs, aussi lutte-t-il pour la première place en permanence.

Prénom peu répandu.

• **Prénom français associé** : Sigfried.

• **Prénoms étrangers associés** : Sieffert - Sievert - Siffrein - Sigfredo - Siffrid - Sifrit - Sigefroid - Sigefrol - Sigefroy - Sigfreda - Sigifredoi - Sigisfredo - Suffridus - Suffried - Sigurd.

Saint Sigfried est prieur d'un monastère en Angleterre au 7e siècle. On n'en sait guère plus sur sa vie.

Siegfried est un héros de la mythologie allemande.

Sigismond

Fête le 1er mai.
Prénom d'origine germanique.

• **Étymologie** : vient de *sig* : victoire et *mund* : protection.

• **Symbolique** : 1 - violet - Gémeaux - améthyste.

• **Caractère** : discipliné, exigeant, intègre, Sigismond est un homme de principe. Son sens aigu de l'organisation et du travail bien fait ne laisse rien au hasard. Il se fixe des objectifs, et les atteint, mais sa rigueur le conduit parfois à l'intolérance.

Prénom rare.

• **Prénoms associés** : Siegmund - Siegmunda - Sigismonda - Sigismonde - Sigismund - Sigmund.

Saint Sigismond, converti au catholiscisme par saint Avit, roi des Burgondes de 516 à 523, fonde le monastère de Saint-Maurice- d'Agaune dans le Valais. Il est tué par Clodomir, roi d'Orléans.

Personnage célèbre : le psychanalyste Sigmund Freud.

Siméon

Fête le 8 octobre et le 5 janvier.
Prénom d'origine hébraïque.

• **Étymologie** : vient de *shimon* : exaucé.

• **Symbolique** : 3 - rouge - Cancer - rubis.

• **Caractère** : élégant, distingué, doté d'une grande facilité d'expression, Siméon a beaucoup d'allure. Hypersensible, sympathique et ouvert, il attache beaucoup d'importance à l'amitié et à la famille, car il a besoin d'un climat affectif serein pour être heureux.

Prénom peu courant.

• **Prénoms français associés** : Simoun (provençal) - Simon* - Simone* - Syméon.

• **Prénoms étrangers associés** : Siméo - Siméona - Siméone.

Saint Siméon vit en Israël au 1er siècle. Un ange lui a annoncé qu'il verrait le Messie ; mais Siméon est un vieillard et craint que la promesse ne se réalise pas. Il est au temple de Jérusalem lorsque Marie vient avec l'enfant Jésus âgé de 40 jours. C'est lui qui le prend dans ses bras pour le présenter comme le Messie annoncé par les prophètes.

Saint Siméon le stylite souffre d'un excès de publicité ! Il passe dix ans dans un monastère, en Syrie, au 5e siècle, mais on le chasse pour excès d'austérité. Il part vivre en ermite, mais les pèlerins affluent de toutes parts ; il change d'ermitage : ses fidèles le suivent. Il décide de vivre sur une colonne pour qu'on le laisse à sa solitude, mais accepte de prêcher et de consulter. Il y passe 37 années de sa vie, et meurt en 459.

Simon

Fête le 28 octobre.
Prénom d'origine hébraïque.

• **Étymologie** : vient de *shimon* : exaucé.

• **Symbolique** : 7 - rouge - Cancer - rubis.

• **Caractère** : indépendant, mais très attaché à sa famile, Simon cultive le paradoxe. Il ne supporte pas les contraintes, fuit la hiérarchie, mais revient au bercail chercher tendresse et chaleur. Il est capable d'efforts s'il est motivé, mais fait preuve de paresse s'il n'est pas intéressé.

Prénom à l'honneur depuis 1980.

• **Prénoms français associés** : Simian (occitan) - Siméon* - Simone* - Simoun (provençal).

• **Prénoms étrangers associés** : Seymour - Siem - Sime - Siméo - Siméone - Simmer - Simmerl - Simoni.

Saint Simon dit le Zélote est l'un des douze apôtres du Christ. Après la Pentecôte, il part en Perse où il subit le martyre.

Personnage célèbre : le héros de la Ve croisade, Simon de Montfort.

Sixte

Fête le 3 avril.
Prénom d'origine latine.

• **Étymologie** : vient de *sixtus* : sixième.

• **Symbolique** : 5 - orange - Taureau - topaze.

• **Caractère** : entreprenant et dynamique, Sixte est un homme d'action. Il s'intéresse à tout, élabore mille projets, s'adapte à toutes les situations, mais manque un peu de persévérance et risque, à trop vouloir en faire, de tomber dans le désordre et la dispersion.
Prénom rare.

• **Prénoms associés** : Sixtine* - Xyste.

Saint Sixte 1er est élu pape en 115 ; après dix ans de pontificat, il est arrêté et martyrisé sur l'ordre de l'empereur Hadrien.

Stanislas

Fête le 11 avril.
Prénom d'origine slave.

• **Étymologie** : vient de *stan* : se tenir debout et *slava* : victoire.

• **Symbolique** : 6 - bleu - Verseau - saphir.

• **Caractère** : sérieux, calme, et consciencieux, Stanislas a une grande puissance de travail qui lui permet d'atteindre ses objectifs. Il est ambitieux, et ne se laisse pas abattre par les difficultés. Fiable et attentif, il a le sens de la famille et des responsabilités.
Prénom à l'honneur depuis 1990.

• **Prénoms étrangers associés** : Stan - Stanek - Stanig - Stanislaus - Stanislav - Stanislavo - Stanley - Stanzel - Stanzig - Stenz - Stenzel.

Saint Stanislas naît à Cracovie en Pologne. Après des études à Gnesen puis à Paris, il distribue ses biens aux pauvres, et devient prêtre. Nommé évêque de Cracovie en 1072, il se révèle excellent prédicateur, mais il ose s'attaquer au roi de Pologne, cruel et débauché, qu'il excommunie. Celui-ci le tuera de ses propres mains en 1079.

Stéphane

Fête le 14 novembre.
Prénom d'origine grecque.

• **Étymologie** : vient de *stéphanos* : couronné.

• **Symbolique** : 7 - orange - Lion - topaze.

• **Caractère** : entreprenant et actif, Stéphane est curieux et imaginatif. Il est réservé de prime abord, timide quelquefois, puis devient enjoué et ouvert quand il est en confiance. Tendre et affectueux, il est pudique et exprime peu ses sentiments, mais il est très attaché à sa famille.
Prénom en vogue de 1960 à 1980.

• **Prénoms français associés** : Étienne* - Stéphanie*.

• **Prénoms étrangers associés** : Steeve - Stef - Stefan - Stefana - Stefanella - Stefano - Steffi - Stefie - Stefy - Stephanos - Stephie - Stephy.

Saint Stéphane, moine franciscain du 14e siècle, martyre à Jérusalem en 1991.

Personnages célèbres : l'écrivain Stéphane Mallarmé, le musicien Stéphane Grappelli, l'acteur américain Steeve Mc Queen.

Sylvain

Fête le 4 mai.
Prénom d'origine latine.

• **Étymologie** : vient de *silva* : forêt.

• **Symbolique** : 3 - vert - Taureau - émeraude.

• **Caractère** : vif, enjoué, Sylvain est un homme de terrain qui a le sens des réalités. Ambitieux et courageux, il ne doute pas de ses capacités, mais supporte mal les critiques et les échecs. Sa susceptibilité le pousse souvent à des accès de colère.

Prénom peu répandu.

• **Prénoms français associés** : Silvan et Silvian (occitans) - Sylvana - Sylvanie - Sylvaine - Sylviane - Sylvie* - Sylvien - Sylvin.

• **Prénoms étrangers associés** : Silane - Silas - Silban - Silouan - Silvano - Silverio - Silviana - Silviano - Silvianus - Silvius - Silvo - Sylvana - Sylvo.

Saint Sylvain, évêque de Gaza, en Palestine, est arrêté, déporté puis décapité en 311.

Sylvestre

Fête le 31 décembre.
Prénom d'origine latine.

• **Étymologie** : vient de *silvestris* : sylvestre.

• **Symbolique** : 1 - vert - Cancer - émeraude.

• **Caractère** : sociable et communicatif, Sylvestre sait être discret pour observer son entourage. Il est adroit, diplomate et persuasif quand il s'agit de rallier les siens à sa cause, mais exige de ses proches loyauté et fidélité absolues.

Prénom rare.

• **Autre orthographe** : Silvestre.

• **Prénoms étrangers associés** : Silvester - Silvestro - Sylvester - Sylvestro.

Saint Sylvestre est pape au 4e siècle. Les chrétiens se sont vus enfin accorder la liberté de culte, mais l'Église reste sous le contrôle très étroit de l'empereur Constantin. Sylvestre ne peut que se soumettre. À défaut de gérer les affaires, il bâtit églises et cathédrales et transforme Rome.

Personnage célèbre : l'acteur américain Sylvester Stallone.

Symphorien

Fête le 22 août.
Prénom d'origine grecque.

• **Étymologie** : vient de *sunphorein* : porter ensemble.

• **Symbolique** : 8 - vert - Cancer -émeraude.

• **Caractère** : distant et réservé, Symphorien apprécie le calme et la solitude. Il est sociable, mais méfiant, et exige beaucoup de ses amis. Il se sait affectivement vulnérable, et accorde difficilement sa confiance, mais il est d'une extrême gentillesse.

Prénom rare.

• **Prénoms associés** : Symphorian (occitan) - Symphoriane - Symphorienne - Symphorine - Symphorose.

Saint Symphorien est un charmant garçon facétieux, en Bourgogne, au 2e siècle. Il a 18 ans ; récemment converti, il se moque publiquement des coutumes païennes. Le gouverneur le fait arrêter, et, devant son refus d'apostasier, le fait décapiter.

T

(garçons)

Tancrède

Fête le 24 juin.
Prénom d'origine francisque.

• **Étymologie** : vient de *tankred* : pensée.

• **Symbolique** : 7 - Verseau - orange - topaze.

• **Caractère** : actif et entreprenant, Tancrède est curieux et imaginatif. Réservé de prime abord, il s'épanouit dès qu'il est en confiance. Tendre et affectueux, il est pudique et exprime peu ses sentiments, mais il est très attaché à sa famille.

Prénom courant au Moyen Âge, devenu rare.

Tancrède peut être fêté avec Jean le 24 juin.

Personnages célèbres : Tancrède, roi de Sicile, Tancrède de Hauteville, prince de Galilée et prince d'Antioche.

Tanguy

Fête le 19 novembre.
Prénom d'origine celte.

• **Étymologie** : vient de *tan* : feu et *ki* : guerrier.

• **Symbolique** : 7 - violet - Cancer - améthyste.

• **Caractère** : aimable, sociable, enjoué, Tanguy est un séducteur quand il se sent en confiance, mais il peut être timide en territoire inconnu. Il aime le monde, les voyages qui comblent sa curiosité, mais se ménage des plages de solitude pour se livrer à la réflexion.

Prénom peu répandu.

• **Prénoms français associés** : Tangi - Tanneguy - Tany.

Saint Tanguy, fils d'un seigneur breton, est orphelin très jeune. Il séjourne à la cour du roi Childebert, et à son retour, il tue sa sœur dans un accès de colère. Pour expier sa faute, il entre dans un monastère dont il est nommé abbé. Il meurt en 594.

Térence

Fête le 10 avril.
Prénom d'origine latine.

• **Étymologie** : vient de *Terentius*, nom d'une célèbre famille patricienne de Rome au 2e siècle.

• **Symbolique** : 7 - vert - Verseau - émeraude.

• **Caractère** : indépendant, Térence revendique haut et fort sa liberté, et se révolte devant les contraintes, les principes, la hiérarchie. Il a cependant grand besoin de sa famille pour se ressourcer. Travailleur quand il est motivé, il paresse et se fait tirer l'oreille s'il n'est pas intéressé.

Prénom peu répandu.

• **Prénoms français associés** : Térentiane - Térentille.

• **Prénoms étrangers associés** : Térencia - Térencio - Térentilla - Térenziana -

Térenziano - Téria - Tériocha - Térioka - Terri - Terry.

Saint Térence est arrêté avec plusieurs compagnons chrétiens comme lui, par les hommes de l'empereur Dèce, à Carthage au 2e siècle. Le gouverneur lui ordonne d'abjurer. Il refuse, il est martyrisé puis décapité.

Personnage célèbre : le poète romain Térence.

Thaddée

Fête le 28 octobre.
Prénom d'origine araméenne.

- **Étymologie** : vient de *tadda* : allaité.
- **Symbolique** : 2 - bleu - Gémeaux - saphir.
- **Caractère** : très sensible et passionné, Thaddée est un altruiste épris de grandes causes. Généreux, attentif, il est un ami parfait, mais son idéalisme le pousse à ignorer les contingences matérielles, et l'expose à des déconvenues.

Prénom rare.

- **Prénoms étrangers associés** : Tadeus - Tadeusz - Taddeo.

Saint Thaddée porte aussi le prénom de Jude ; il est apôtre de Jésus, en Palestine. Après la Pentecôte, il évangélise la Lybie et la Perse où il meurt en martyr.

Théo

Fête le 11 novembre.
Prénom d'origine grecque, diminutif de Théodore.

- **Étymologie** : vient de *théo* : dieu.
- **Symbolique** : 3 - vert - Lion - émeraude.
- **Caractère** : enjoué, sociable et habile orateur, Théo s'adapte facilement à toutes les situations, mais il a besoin d'être aimé et qu'on le lui dise pour être au mieux de ses capacités ; une atmosphère hostile le déstabilise et l'inhibe.

Prénom en vogue depuis 1990.

- **Autre orthographe** : Théau.

Saint Théodore* est son patron.

Théobald

Fête le 6 novembre.
Prénom d'origine germanique.

- **Étymologie** : vient de *theud* : peuple et *bald* : audacieux.
- **Symbolique** : 4 - vert - Vierge - émeraude.
- **Caractère** : indifférent, cynique en apparence, Théobald est timide et très émotif. Sa stabilité, sa puissance de travail, son goût de la réussite lui donnent la possibilité d'atteindre ses objectifs. Peu expansif, il ne sait pas exprimer ses sentiments.

Prénom peu répandu.

• **Prénoms français associés** : Tébald - Théodebald - Thibald - Thibaud* - Thybald.

• **Prénoms étrangers associés** : Dietbald - Dietbold - Téobald - Teobaldo - Téobaldus - Théobaldus - Thibald - Tibald - Tibaldeo - Tibaldo - Tibbolt.

Saint Théobald, moine dans le Limousin au 11e siècle eut une vie de piété et de charité exemplaire.

Théodore

Fête le 11 novembre.
Prénom d'origine grecque.

• **Étymologie** : vient de *théo* : dieu et *doros* : don.

• **Symbolique** : 9 - rouge - Taureau - rubis.

• **Caractère** : amical et attentif, Théodore est un homme de cœur qui privilégie ses relations affectives. Facilement inquiet, il a besoin d'être sécurisé, et préfère l'ordre, la routine, même à la fantaisie. Sentimental mais pudique, il exprime peu ses sentiments.

Prénom à l'honneur au 19e siècle.

• **Prénoms français associés** : Dorelle - Doriane - Dorine - Dorothée* - Théo* - Théodoret - Théodorit - Théodorine - Théodoric - Théodose - Théodosie - Théodote - Théodotion.

• **Prénoms étrangers associés** : Derek - Dion - Dionna - Dionnia - Doorsie - Doortje - Dora - Dorella - Dorle - Dorli - Dorvan - Fediana - Fédor - Fédora - Fedoussia - Feodor - Féodora - Féodorit - Fiodora - Fiodorka - Fjodor - Fjodora - Teodoreto - Teodors - Thed - Thederl - Théodoor - Théodor - Théodora - Théodoros - Théodorus - Théodose - Théodosius.

Saint Théodore est moine en Asie Mineure, lorsqu'il est appelé pour devenir abbé d'un monastère de Constantinople. Son charisme attire de très nombreuses vocations, mais il est exilé par l'empereur Nicéphore à qui il reproche sa surveillance un peu trop pesante. Il est rappelé par l'empereur Michel, mais son opposition aux iconoclastes, qui détruisent toutes les représentations du Christ, lui vaut d'être emprisonné de nombreuses années. Enfin libéré, il meurt en 826 des séquelles de sa captivité.

Personnages célèbres : l'impératrice d'Orient Théodora, le peintre Théodore Géricault, le compositeur Théodore Botrel, le Président Théodore Roosevelt.

Théodule

Fête le 10 mars.
Prénom d'origine grecque.

• **Étymologie** : vient de *théo* : dieu et *dulê* : serviteur.

• **Symbolique** : 9 - orange - Vierge - topaze.

• **Caractère** : main de fer dans un gant de velours, Théodule est tendre, mais sait être cassant et autoritaire ; calme, il se laisse aller à de violentes colères s'il est déçu ou trahi. Mais solide, il affronte les difficultés avec beaucoup de sérénité.

Prénom assez répandu au 19e siècle.

Saint Théodule, soldat romain au 4e siècle, est en Asie Mineure avec sa légion, composée en majorité de chrétiens comme lui. Sur ordre de l'empereur, on lui demande d'adorer les dieux païens ; il refuse. Il est, avec trente-neuf compagnons, jeté dans un lac gelé.

Théophane

Fête le 12 mars.
Prénom d'origine grecque.

• **Étymologie** : vient de *théo* : dieu et *phanos* : lumineux.

• **Symbolique** : 2 - bleu - Sagittaire - saphir.

• **Caractère** : solide, intelligent, curieux et sympathique, Théophane exerce un incontestable ascendant sur son entourage. Il est amical et généreux, mais très exigeant et supporte mal la faiblesse. Travailleur et opportuniste, il brigue toujours la première place.

Prénom rare.

• **Prénoms français associés** : Théophanée - Théophanie.

• **Prénoms étrangers associés** : Théophania - Théophano - Théophanos.

Saint Théophane fut toute sa vie contrarié. Il n'a qu'un désir, dès l'enfance : se consacrer à Dieu. Mais ses parents exigent qu'il se marie. Il s'y résout. Puis il se retire dans un ermitage, pour prier dans la solitude ; de nombreux pèlerins viennent le voir, et on lui demande de prendre la direction d'un monastère ; il obéit. Il entreprend des travaux d'historien ; il n'a pas le temps des les achever, car il est arrêté et exilé sur ordre de l'empereur Léon l'Arménien. Théophane meurt en Grèce en 817.

Théophanée, dans la mythologie grecque, est une superbe jeune fille dont Poséidon tombe amoureux. Il prend l'apparence d'un bélier et la transforme en brebis pour s'unir à elle. L'agneau qui naît de cette étreinte a une toison d'or dont Jason s'emparera plus tard.

Théophile

Fête le 13 octobre.
Prénom d'origine grecque.

• **Étymologie** : vient de *théo* : dieu et *philein* : aimer.

• **Symbolique** : 8 - vert - Sagittaire - émeraude.

• **Caractère** : rapide, impatient et entreprenant, Théophile n'a qu'un but : réussir. Il y consacre son intelligence rapide et sa forte puissance de travail. Mais les échecs le rendent amer, quand il n'a pas la sagesse d'en tirer un enseignement positif.

Prénom en vogue au 19e siècle.

• **Prénoms étrangers associés** : Théophilia - Théophilo.

Saint Théophile vit au 4e siècle en Asie Mineure. Il est l'économe de l'église d'Adana et se voit dépouillé de sa charge par l'évêque. La légende raconte que, dépité, il vend son âme au diable, mais pris de remords, il prie la Vierge de le délivrer de ce pacte ; exaucé, il consacre le reste de sa vie à la pénitence. Il est le héros du Miracle de Théophile, chanté par le poète Rutebeuf au 13e siècle.

Personnages célèbres : l'empereur d'Orient Théophile, l'écrivain Théophile Gautier.

Théophraste

Fête le 13 septembre.
Prénom d'origine grecque.

• **Étymologie** : vient de *théo* : dieu et *phrastos* : perleur.

• **Symbolique** : 7 - vert - Bélier - émeraude.

• **Caractère** : entreprenant et indépendant, Théophraste est très attentif à ses intérêts personnels. Individualiste épris de liberté, il est cependant généreux, sociable et fidèle, et se montre toujours fiable avec ceux qui lui ont accordé leur confiance.

Prénom rare.

Saint Jean-Chrysostome, évêque de Constantinople de 397 à 404, est le patron de Théophrate.

Personnages célèbres : le philosophe grec Théophraste, le médecin et journaliste Théophraste Renaudot.

Théotime

Fête le 5 novembre.
Prénom d'origine grecque.

• **Étymologie** : vient de *théo* : dieu et *timê* : honneur.

• **Symbolique** : 5 - jaune - Scorpion - topaze.

• **Caractère** : passionné mais timide et réservé, Théotime apprécie le calme et cherche souvent la solitude pour réfléchir posément. Mais il sait s'adapter facilement aux situations les plus diverses et se montre très opportuniste quand c'est nécessaire.

Prénom rare.

Saint Théotime est un jeune chrétien en Palestine au 4e siècle ; le préfet veut l'obliger à renier sa foi, il refuse ; il meurt dans l'arène.

Thibaud

Fête le 8 juillet.
Prénom d'origine germanique, dérivé de Théobald.

• **Étymologie** : vient de *théo* : dieu et *bald* : audacieux.

• **Symbolique** : 2 - violet - Gémeaux - améthyste.

• **Caractère** : amical et attentif, Thibaud est un homme de cœur qui privilégie ses relations affectives. Facilement inquiet, il a besoin d'être sécurisé, et préfère l'ordre, la routine même, à la fantaisie. Sentimental mais pudique, il exprime peu ses sentiments.

Prénom médiéval en vogue depuis 1960.

• **Prénoms français associés** : Thibaude - Thibault - Thiébaud - Thiébaut.

Saint Thibaud de Montmorency vit au 13e siècle dans un monastère cistercien ; il est l'ami et le conseiller de saint Louis.

Thierry

Fête le 1er juillet.
Prénom d'origine germanique, dérivé de Théodoric.

• **Étymologie** : vient de *theud* : peuple et *rik* : roi.

• **Symbolique** : 4 - bleu- Cancer - saphir.

• **Caractère** : sensible et émotif, Thierry s'abrite derrière une façade de froideur et de cynisme. Grand travailleur, il apprécie la réussite qui le valorise. Il est sérieux, stable, prudent et fidèle. Peu expansif, il se replie sur lui-même face aux tensions et aux conflits.

Prénom médiéval en vogue de 1950 à 1970.

• **Prénom français associé** : Théodoric.

• **Prénoms étrangers associés** : Derek - Didrich - Diederik - Diérick - Dieter - Dietrich - Dirk - Téodorico - Thery.

Saint Thierry est le fils d'un brigand au 6e siècle en Champagne. Honteux de la triste profession de son père, et socieux de racherter ses fautes, Thierry consulte saint Rémi, évêque de Reims, qui lui conseille de se consacrer à la prière. Thierry se retire dans un ermitage, puis fonde avec plusieurs compagnons un monastère. La légende lui prête de nombreuses guérisons.

Personnage célèbre : le roi franc Thierry 1er.

Thomas

Fête le 3 juillet.
Prénom d'origine araméenne.

• **Étymologie** : vient de *toma* : jumeau.

• **Symbolique** : 4 - bleu - Cancer - saphir.

• **Caractère** : sérieux et réflechi, Thomas n'agit pas à la légère. Il se méfie de ses émotions, car il se sait sentimental. Patient, stable, fidèle et réaliste, il craint les situations inhabituelles ; il ne déteste pas une certaine routine, car il éprouve des difficultés à s'adapter.

Prénom en faveur depuis 1970.

• **Prénoms français associés** : Thomasin - Thomasine - Thomelin - Thomeline.

• **Prénoms étrangers associés** : Khoma

- Maas - Macey - Masetto - Maso - Massey - Thoma - Thomassa - Thomassia - Thömel - Tom - Tomas - Tomasina - Tomaso - Tomasz - Tomaz - Tommasso - Tommy - Toms.

Saint Thomas, surnommé Didyme, est apôtre de Jésus. Il refuse de croire à la résurrection du Christ en dépit du témoignage des autres disciples, mais proclame sa foi après avoir vu le Christ et touché ses plaies. Après la Pentecôte, il part évangéliser la Perse et l'Inde où il meurt, à Malabâr, après avoir fondé une très importante colonie chrétienne.

Personnages célèbres : le compositeur vénitien Thomas Albinoni, le portraitiste anglais Thomas Gainsborough, l'inventeur Thomas Edison, le poète irlandais Thomas Moore, l'écrivain allemand Thomas Mann.

Timothée

Fête le 26 janvier.
Prénom d'origine grecque.

• **Étymologie** : vient de *timê* : honneur et *theos* : dieu.

• **Symbolique** : 5 - vert - Scorpion - émeraude.

• **Caractère** : curieux mais inquiet, aventurier mais réfléchi, Timothée est partagé entre son besoin d'indépendance et son désir de sécurité. Son intuition, son habileté et sa grande faculté d'adaptation lui pemettent de concilier ces tendances opposées.

Prénom à l'honneur depuis 1990.

• **Prénoms étrangers associés** : Tim - Timotéo - Timothy.

Saint Timothée, fils de païens, est converti et baptisé par saint Paul. Il devient son disciple et l'accompagne dans ses voyages missionnaires. Il est le premier évêque d'Éphèse, où il meurt lapidé par les infidèles en 97.

Tristan

Fête le 12 novembre.
Prénom d'origine galloise.

• **Étymologie** : vient de *Dristan*, nom d'un héros de légende médiévale celtique.

• **Symbolique** : 2 - rouge - Capricorne - rubis.

• **Caractère** : actif et indépendant, Tristan est cependant sociable et à l'écoute de son entourage, car il a un sens aigu de l'amitié. Il a une tendance affirmée à vouloir dominer, et supporte très mal les contraintes et la hiérarchie.

Prénom médiéval à l'honneur depuis 1980.

• **Prénoms français associés** : Trestan - Trestane - Tristane.

• **Prénoms étrangers associés** : Drustan - Drystan - Tristana - Tristao.

Tristan et Yseult forment le couple légendaire le plus célèbre d'Occident. Les différentes versions en vers et en prose parues au 12e siècle et au 13e siècle sont toutes inspirées de la légende celtique. Richard Wagner en fit un drame lyrique en 1865.

Tugdual

Fête le 30 novembre.
Prénom d'origine celte.

• **Étymologie** : vient de *tut* : bon et *wal* : valeur.

• **Symbolique** : 5 - violet - Gémeaux - améthyste.

• **Caractère** : inquiet et méfiant, Tugdual se rassure par une profonde réflexion et une extrême prudence avant de se lancer dans l'action, car sa grande curiosité et son désir de connaissances le poussent à rechercher l'aventure.

Prénom rare.

• **Prénoms associés** : Tual - Tudal - Tudual - Tudwal - Tutgual -Tuzwal.

Saint Tugdual s'établit en Bretagne au 6e siècle, et fonde plusieurs monastères. Il est avec Samson, Brieuc, Corentin, Pol, Patern et Malo l'un des fondateurs de la Bretagne.

U

(garçons)

Ulric

Fête le 10 juillet.
Prénom d'origine germanique.

• **Étymologie** : vient de *wulf* : loup et *rik* : roi.

• **Symbolique** : 9 - vert - Sagittaire - émeraude.

• **Caractère** : courageux et volontaire, sensible et timide, Ulric est un homme d'action doté d'un grand sens moral ; il applique au quotidien des principes moraux stricts. Rapide, efficace, il supporte mal la médiocrité et s'irrite s'il n'est pas suivi.

Prénom rare.

• **Prénoms associés** : Odalric - Odalrich - Olrik - Rika - Udalric - Udalrico - Ulderic - Ulderika - Ulla - Ulman - Ulrica - Ulrich - Ulrik - Ulrika - Ulrike - Ulrique - Urle.

Saint Ulric est moine à Ratisbonne, ville ravagée par la famine ; il secourt ses compatriotes autant qu'il le peut. Puis il part en Allemagne fonder plusieurs monastères, mais il devient aveugle, et consacre les dernières années de sa vie à la méditation et à la prière.

Ulysse

Fête le 24 juin ou le 10 juillet.
Prénom d'origine grecque.

• **Étymologie** : vient de *odysseus* : titre de l'œuvre d'Homère.

• **Symbolique** : 2 - bleu - Capricorne - saphir.

• **Caractère** : passionné et courageux, il ne craint pas les difficultés, qu'il contourne parfois très astucieusement. Il sait s'imposer et poursuit ses projets avec une grande ténacité et un goût prononcé pour la perfection. Il supporte mal les déceptions.

Prénom mythologique peu répandu.

• **Prénoms associés** : Odysséa - Odyssée - Odysséus - Ulise - Ulyxe.

Saint Ulysse n'existe pas encore... Ulysse peut être fêté avec les Jean, ou les Ulric, dont la sonorité et proche.

Ulysse est un héros de la mythologie grecque, dont les exploits sont contés par Homère, dans *l'Iliade* et *l'Odyssée*. Roi d'Ithaque, vaillant guerrier et habile stratège, il imagine le cheval de Troie pour tromper l'ennemi. Il retrouve son royaume et sa fidèle épouse Pénélope après 10 ans d'errance, soumis aux tentations des sirènes.

Personnage célèbre : le président des États-Unis Ulysse Grant.

Urbain

Fête le 18 décembre.
Prénom d'origine latine.

• **Étymologie** : vient de *urbanus* : urbain.

• **Symbolique** : 2 - orange - Sagittaire - topaze.

• **Caractère** : exigeant et élitiste, Urbain n'accorde pas facilement sa confiance et arbore une prudente réserve à l'égard des inconnus. D'ailleurs, malgré une grande sensibilité, il exprime peu ses sentiments. Travailleur et persévérant, il aime l'étude.

Prénom peu répandu.

• **Prénoms français associés** : Urbaine - Urban (provençal) - Urbane - Urbanie - Urbanille.

• **Prénoms étrangers associés** : Urbana - Urbanilla - Urbanillo - Urbano - Urbinia - Urvana - Urvano.

Saint Urbain, moine bénédictin, est élu pape en 1362.

V

(garçons)

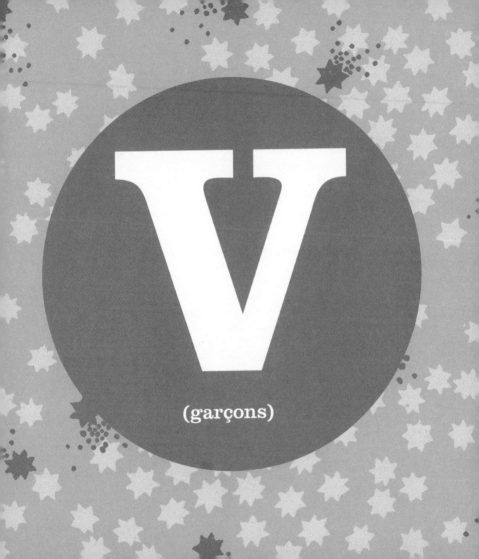

Valentin

Fête le 14 février.
Prénom d'origine latine.

- **Étymologie** : vient de *valens* : vaillant.
- **Symbolique** : 7 - bleu - Balance - saphir.
- **Caractère** : sociable, Valentin aime la compagnie, mais ses réactions sont souvent imprévisibles : impatient, il sait être diplomate ; coléreux, il peut faire preuve d'une extrême douceur ; attentionné, il lui arrive d'afficher une parfaite indifférence.

Prénom à la mode depuis 1990.

- **Prénoms français associés** : Vaillant - Valence - Valentine* - Valentinian - Valentinien.
- **Prénoms étrangers associés** : Valen - Valens - Valente - Valentina - Valentino.

Saint Valentin est prêtre à Rome au 3e siècle. Victime de la persécution de l'empereur Claude, il est emprisonné. La légende raconte qu'il aurait guéri de la cécité la fille du préfet de la ville qui se convertit avec toute sa famille. Mais ce miracle n'empêcha pas que Valentin soit décapité en 280.

Personnage célèbre : le danseur Valentin le Désossé.

Valère

Fête le 29 janvier.
Prénom d'origine latine.

- **Étymologie** : vient de *valerens* : valeureux.
- **Symbolique** : 9 - bleu - Sagittaire - saphir.
- **Caractère** : intuitif, observateur, mais secret, Valère cache derrière sa réserve des trésors de bonté. Tendre et émotif, il fait preuve de générosité et d'altruisme jusqu'à l'oubli de soi, mais ne se laisse pas abuser par les flatteries.

Prénom peu répandu.

- **Prénoms français associés** : Valéran - Valérian (provençal) - Valéric - Valérie* - Valérien - Valéry* - Valier - Valy - Vaury.
- **Prénoms étrangers associés** : Valéri - Valeriano - Valerio - Valero.

Saint Valère est évêque de Saragosse, en Espagne au 4e siècle.

Personnage célèbre : l'empereur romain Valérien.

Valéry

Fête le 1er avril.
Prénom d'origine latine.

- **Étymologie** : vient de *valerens* : valeureux.
- **Symbolique** : 3 - bleu - Sagittaire - saphir.
- **Caractère** : réservé, Valéry est élitiste et choisit ses amis avec le plus grand soin ; sérieux, intellectuel, rationnel, il aime l'étude, qui rassure sa nature méfiante, et fait preuve d'une grande persévérance.

Pudique, il exprime peu ses sentiments, malgré une grande sensibilité.

Prénom rare.

• **Autre orthographe** : Valéri.

Saint Valéri est berger en Auvergne au 6e siècle. Homme pieux épris de solitude, il entre au monastère, et souhaiterait vivre dans la solitude, mais on le nomme abbé de Luxeuil. Il parvient à se retirer dans un ermitage en Picardie, mais les pèlerins affluent... Il se résout à fonder un monastère où il meurt en 619.

Personnage célèbre : le Président français Valéry Giscard d'Estaing.

Vianney

Fête le 4 août.
Prénom d'origine patronymique.

• **Étymologie** : vient du nom de Jean-Marie Vianney.

• **Symbolique** : 9 - vert - Lin - émeraude.

• **Caractère** : imaginatif, créatif, Vianney apprécie cependant l'ordre, la stabilité et une certaine sécurité. Côté cœur, il cache sa grande affectivité derrière une réserve et une timidité garde-fou : vulnérabilité oblige.

Prénom en vogue depuis 1980.

Saint Jean-Marie Vianney est le fils de modestes cultivateurs dans la région de Lyon. Les prêtres traqués par la Révolution qui viennent se réfugier dans la ferme paternelle lui apprennent des rudiments de catéchisme. Il décide de devenir prêtre, mais présente peu de dispositions pour l'étude, et pour le latin en particulier. Rédhibitoire aux yeux du clergé. Il est donc renvoyé du séminaire. mais il persévère, et, enfin ordonné en 1815, il prend en charge la paroisse d'Ars. C'est là que se révèle son extraordinaire talent de confesseur. Pendant trente ans, il est à l'écoute des fidèles qu'il rassure, console et convertit. Il meurt en 1859.

Victor

Fête le 21 juillet.
Prénom d'origine latine.

• **Étymologie** : vient de *victor* : vainqueur.

• **Symbolique** : 6 - vert - Poissons - émeraude.

• **Caractère** : épicurien, Victor n'aime guère les complications. Son calme et sa tranquillité rassurent. Sociable et généreux, il attire l'affection. Tant mieux, car il adore plaire. Sa volonté n'est pas toujours très affirmée, surtout lorsqu'il n'est pas franchement motivé.

Prénom en vogue au 19e siècle et depuis 1980.

• **Prénoms français associés** : Victoire* - Victorian - Victorien - Victorin - Victorine - Vitour (provençal).

• **Prénoms étrangers associés** : Victoria* - Victoriano - Victoric - Victorico - Viktor - Vito - Vittore - Vittorian - Vittorin - Vittorino - Vittorio.

Saint Victor est un soldat romain d'origine noble en poste à Marseille. En 290, l'empereur Maximien séjourne dans la ville. On lui ordonne de servir le repas de l'empereur, mais il refuse d'honorer ce païen qui persécute les chrétiens. Il est arrêté ; pendant les quelques heures qui le séparent du supplice, il convertit ses gardiens, et détruit la statue de Jupiter. Il est décapité.

Personnages célèbres : Victor Hugo, l'éditeur Victor Dalloz, l'architecte Victor Baltard, le peintre Victor Vasarely.

Vincent

Fête le 22 janvier.
Prénom d'origine latine.

- **Étymologie** : vient de *vincere* : vaincre.
- **Symbolique** : 6 - rouge - Balance - rubis.
- **Caractère** : indépendant, très tôt autonome, Vincent a une soif éperdue de liberté. Exigeant, directif, élitiste et volontaire, il déteste l'échec, mais pour plaire, il sait, si nécessaire, se montrer courtois et diplomate. Opportuniste, il n'est pas toujours d'une fidélité exemplaire.

Prénom classique depuis le 19e siècle.

- **Prénoms français associés** : Vincentine - Vincian - Vinciane - Vincianne - Vincienne - Visant (breton).
- **Prénoms étrangers associés** : Centina - Centio - Senzel - Vicencia - Vicenta - Vicente - Vicenza - Vicenze - Vicenzo - Vikenti - Vince - Vincentia - Vincentio - Vincentius - Vincenz - Vincenza - Vincenzo.

Saint Vincent est diacre de l'évêque Valère à Saragosse au 4e siècle. Il est arrêté par les hommes de l'empereur Dioclétien, amené à Valence, où il subit le martyr, et convertit son bourreau avant de mourir.

Saint Vincent de Paul naît près de Dax en 1581. Ordonné prêtre en 1600, après ses études à l'université de Toulouse, il entreprend une vie de voyages et d'aventures. Au cours d'un périple en Méditerranée, il est capturé par des pirates, retenu prisonnier pendant deux ans et vendu au marché des esclaves de Tunis. Il s'échappe et gagne Rome où il est chargé, par le légat du pape, d'une mission auprès de Henri IV. Estimé à la cour, il devient l'aumônier de la reine Margot, puis curé de Clichy. En 1617, il quitte la cour pour se consacrer exclusivement aux pauvres et fonde la première confrérie de la Charité. Précepteur des enfants du général des galères, il est nommé aumônier des galères. Il crée la Société des prêtres de la Mission en 1625, les "lazaristes", vouée à l'apostolat rural. Il regroupe les bonnes volontés dans les confréries des Dames de la Charité et fonde, avec Louise de Marcillac, la communauté religieuse des Filles de la Charité en 1633. Il meurt en 1660 à 80 ans.

Personnages célèbres : le peintre Vincent van Gogh, le Président Vincent Auriol, le compositeur Vincent Scotto.

Virgile

Fête le 10 octobre.
Prénom d'origine patronymique latine.

• **Étymologie** : vient de *virgilienses* : nom des habitants d'une ville d'Espagne sous domination romaine.

• **Symbolique** : 5 - bleu - Sagittaire - saphir.

• **Caractère** : dynamique et rapide, Virgile est un homme d'action. Son opportunisme et son habileté lui permettent de surmonter les obstacles. Conquérant, il aime le risque, et méconnaît la prudence. Impatient, il maîtrise mal ses colères.

Prénom rare.

• **Autre orthographe** : Virgil.

• **Prénoms français associés** : Virgiliane - Virgiliz (breton).

• **Prénoms étrangers associés** : Virgi - Virgila - Virgilia - Virgilio - Virgilius.

Virgile naît en Italie en 70 avant J.-C. dans une famille rurale modeste, mais il part cependant étudier à Milan et à Rome. Il revient chez lui et écrit *Les Bucoliques*, éloge de la vie pastorale. Son succès est immédiat, et il est appelé par l'empereur Auguste dont il devient le protégé et le poète attitré. Il publie *Les Georgiques*, pour donner aux Romains l'amour de l'agriculture, et entreprend la rédaction de *l'Énéide*, à la gloire de l'empire, mais il meurt avant de l'avoir achevée.

Vivien

Fête le 10 mars.
Prénom d'origine latine.

• **Étymologie** : vient de *vivus* : vivant.

• **Symbolique** : 5 - rouge - Gémeaux - rubis.

• **Caractère** : intuitif et sensible, Vivien est très réceptif aux ambiances dans lesquelles il évolue. Il s'adapte très vite. Mais réfractaire à toute discipline, il rejette l'autorité et méconnaît la hiérarchie. Il apprécie la fantaisie, les voyages et s'évade souvent dans le rêve.

Prénom rare.

• **Prénoms français associés** : Bibian - Vivian.

• **Prénoms étrangers associés** : Viviano - Vivencio - Vivus.

Saint Vivien est soldat romain de la 12e légion, composée de chrétiens comme lui ; lors d'un campement en Cappadoce, il refuse de participer à une cérémonie païenne ; il est jeté nu dans un lac en 320 avec une vingtaine de ses compagnons.

Vladimir

Fête le 15 juillet.
Prénom d'origine slave.

• **Étymologie** : vient de *vladi* : souverain et *mir* : paix.

• **Symbolique** : 3 - violet - Verseau - améthyste.

• **Caractère** : élégant, raffiné, charmant, Vladimir a une allure séduisante, mais il arbore une réserve prudente. Il est sociable, mais peu expansif. Travailleur, intelligent, organisé, il ne supporte pas la médiocrité et fait preuve d'un extrême perfectionnisme.

Prénom peu répandu.

• **Prénoms associés** : Mira - Vavoussia - Vlada - Vladia - Vladimira - Volodia - Volodimir - Waddy - Waldy.

Saint Vladimir le Grand, grand-prince de Kiev de 980 à 1015, demanda le baptême et imposa le christianisme à tout son peuple.

Personnages célèbres : Vladimir Ilitch Oulianov, dit Lénine, le romancier Vladimir Nabokov.

W

(garçons)

Waldemar

Fête le 15 juillet.
Prénom d'origine germanique.

• **Étymologie** : vient de *wald* : celui qui gouverne et *mar* : illustre.

• **Symbolique** : 5 - vert - Capricorne - émeraude.

• **Caractère** : méfiant et réfléchi, Waldemar apprécie cependant l'aventure, car il est très curieux, mais... à condition qu'elle soit parfaitement organisée. Il sait s'adapter facilement à toutes les situations, même si l'imprévu ne le tente guère.

Prénom rare.

• **Prénom français associé** : Voldemar.

• **Prénoms étrangers associés** : Walder - Waldo - Waldus - Waldy.

Saint Vladimir* est le patron de Waldemar.

Personnage célèbre : l'écrivain Voldemar Lestienne.

Walter

Fête le 8 avril.
Prénom d'origine germanique, dérivé de Gautier.

• **Étymologie** : vient de *waldan* : gouverner et *heri* : armée.

• **Symbolique** : 7 - rouge - Capricorne - rubis.

• **Caractère** : chaleureux et charmant, Walter apprécie l'amitié et redoute la solitude, mais il est très indépendant, dans sa vie professionnelle en particulier, et supporte mal toute hiérarchie.

Prénom plus rare que sa forme française Gautier.

• **Prénoms associés** : Walt - Walther.

Saint Gautier* est le patron de Walter.

Personnages célèbres : l'écrivain écossais Walter Scott, le cinéaste Walt Disney.

Wandrille

Fête le 22 juillet.
Prénom d'origine germanique.

• **Étymologie** : vient de *wan* : espoir et *drillen* : faire tourner.

• **Symbolique** : 8 - Poissons - orange - topaze.

• **Caractère** : réaliste et énergique, Wandrille est volontaire ; il possède un magnétisme certain. Homme de devoir, fidèle à ses engagements, il a un sens aigu de ses responsabilités, et dissimule souvent sa tendresse derrière une attitude bourrue ponctuée de quelques colères.

Saint Wandrille ressent très tôt sa vocation, mais son père le contraint à travailler et à prendre femme. En fils obéissant, il occupe à la cour du roi Clotaire II le rôle de conseiller, et se marie. Mais il quitte femme et emploi pour se retirer dans un monastère, puis fonde un prieuré en Suisse. Wandrille ne tient pas en place. Il voyage en Italie, et se dirige vers l'Irlande lorsque l'évêque de Rouen lui demande de créer un nouveau monastère en Normandie. Le monastère de Saint-Wandrille traversera les siècles.

Warren

Fête le 20 octobre.
Prénom d'origine latine,
forme anglo-saxonne de Vare.

- **Étymologie** : vient de *varia* : divers.
- **Symbolique** : 7 - Cancer - rouge - rubis.
- **Caractère** : curieux, assoiffé de connaissances, Warren touche à tout. Aventurier dans l'âme, il recherche la nouveauté, l'originalité et s'adapte avec aisance à tous les milieux. Études studieuses, lectures solitaires, voyages au bout du monde... tout est bon pour satisfaire son désir de savoirs.

Prénom rare.

Saint Vare, soldat de l'armée romaine au 4e siècle, est le protecteur de Warren. On lui donne l'ordre d'exécuter plusieurs chrétiens qui refusent d'abjurer ; il refuse d'obéir : il est emprisonné puis décapité avec eux.

Personnage célèbre : l'acteur américain Warren Beaty.

Wenceslas

Fête le 28 septembre.
Prénom d'origine slave.

- **Étymologie** : vient de *vienetz* : couronne et *slava* : gloire.
- **Symbolique** : 2 - rouge - Poissons - rubis
- **Caractère** : sensible, altruiste et généreux, Wenceslas est davantage préoccupé par ses relations affectives que par les contingences matérielles. Il recherche avant tout l'équilibre familial pour s'épanouir ; il peut alors, en toute sécurité, se livrer à l'étude et à la réflexion.

Prénom rare.

- **Autre orthographe** : Venceslas.

Saint Wenceslas est élevé par sa grand-mère, la pieuse Ludmilla, mais doit affronter les sévices de sa mère, païenne, qui assure la régence ; il devient duc de Bohême à sa majorité, en 921 et propage alors le christianisme dans son pays. Il est assassiné par son frère Boleslas, jaloux de l'affection que lui porte son peuple, en 929.

Werner

Fête le 19 avril.
Prénom d'origine germanique.

- **Étymologie** : vient de *waran* : protéger et *heri* : armée.
- **Symbolique** : 2 - rouge - Cancer - rubis.

• **Caractère** : actif et indépendant, Werner est cependant sensible et altruiste, à condition que personne ne cherche à lui imposer de contraintes. Il est exigeant avec ceux auxquels il accorde son amitié et supporte mal d'être déçu.

Prénom rare en France.

• **Prénoms français associés** : Garin - Garnier - Grenier - Verner - Vernier - Verney.

• **Prénoms étrangers associés** : Guarnereo - Vernerio - Verny - Warner - Wennie - Winnie - Wernert - Werhner - Wernz - Wessel - Widsel.

Saint Werner vit dans un village au bord du Rhin au 13e siècle ; son père meurt alors qu'il est encore tout jeune, et sa mère se remarie. Mais Werner, maltraité par son beau-père, quitte le domicile familial, et trouve un travail dans un village voisin ; chaque jour, il se rend à la messe. Un matin, au retour de l'office, il est attaqué par des vagabonds ; on le retrouve égorgé sur le bord du chemin. Il a 14 ans.

Personnage célèbre : l'ingénieur Werhner von Braun.

Wilfrid

Fête le 12 octobre.
Prénom d'origine germanique.

• **Étymologie** : vient de *wil* : volonté et *frido* : paix.

• **Symbolique** : 5 - jaune - Poissons - topaze.

• **Caractère** : dynamique et hyperactif, Wilfrid a toujours mille projets en cours et rallie à sa cause son entourage ; infatigable, il est exigeant et impatient ; il s'adapte à toutes les situations, adore les changements, les voyages, et supporte mal qu'on enfreigne sa liberté d'agir.

Prénom rare en France.

• **Prénoms français associés** : Wilfride - Wilfried.

• **Prénom étranger associé** : Wilfrida.

Saint Wilfrid naît en Grande-Bretagne au 7e siècle. Il entreprend très jeune des études écclésiastiques, à Rome, puis en France avant de revenir dans son pays. Il devient archevêque d'York, se fait l'apôtre des traditions romaines contre les traditions celtiques, et se fait déposer par l'archevêque de Cantorbéry. Après quelques mois de prison, il parvient à réconcilier l'Église celte autonome et l'Église anglo-saxonne d'obédience romaine. Il meurt en 709.

William

Fête le 10 janvier.
Prénom d'origine germanique, dérivé de Guillaume.

• **Étymologie** : vient de *wil* : volonté et *helm* : protection.

• **Symbolique** : 7 - rouge - Lion - rubis.

• **Caractère** : élégant et raffiné, William est un homme sensible, et il aime plaire, mais il est peu démonstratif. Il s'épanouit dans l'action, posssède des talents incontestables pour animer, organiser, et ne supporte guère la médiocrité.

Prénom médiéval classique, un peu moins répandu en France que Guillaume.

• **Prénoms français associé** : Williamine.

• **Prénoms étrangers associés** : Wilhelmina - Wilhelmine - Wilhelm - Willelm - Willem - Williana - Williane - Willie - Willis - Willy.

Saint Guillaume* est le patron de William.

Personnages célèbres : William Shakespeare et William Faulkner.

Willis

Fête le 23 février.
Prénom d'origine germanique, contraction de Willigis.

• **Étymologie** : vient de *will* : volonté et *ghil* : otage.

• **Symbolique** : 3 - Bélier - jaune - topaze.

• **Caractère** : sociable, communicatif et vif, Willis est un homme charmant, épicurien et joyeux. Brillant, il est opportuniste et sait utiliser ses talents d'orateur pour convaincre, séduire. Peu opiniâtre, il cède souvent à la facilité.

Prénom rare.

Saint Willigis, archevêque de Mayence au 10e siècle, est le patron de Willis.

Winston

Fête le 1er juin.
Prénom d'origine germanique.

• **Étymologie** : vient de *win* : ami et *stein* : pierre.

• **Symbolique** : 6 - bleu - Vierge - aigue-marine.

• **Caractère** : profondément curieux, Winston cherche délibérément l'aventure. Opportuniste, il s'adapte en permanence aux circonstances avec brio et son intelligence rapide lui permet de tirer parti de toutes les situations.

Prénom anglo-saxon peu répandu.

• **Prénom associé** : Wistan.

Saint Wistan, homme pieux et débonnaire en Grande-Bretagne au 9e siècle est assassiné par son beau-père qu'il essaie de convertir.

Personnage célèbre : Winston Churchill.

X

(garçons)

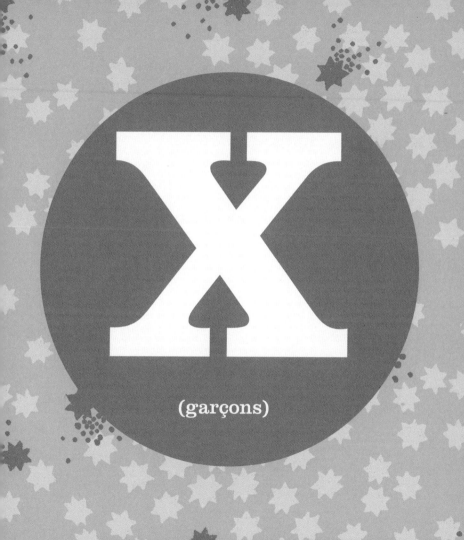

Xavier

Fête le 3 décembre.
Prénom d'origine basque.

• **Étymologie** : vient de *etxeberri* : la maison neuve.

• **Symbolique** : 7 - bleu - Capricorne - saphir.

• **Caractère** : indépendant, Xavier apprécie pourtant la compagnie et l'harmonie familiale est très importante pour lui. Il est perfectionniste, aime le travail bien fait, et se montre exigeant à l'égard de ses amis. Mais lorqu'il accorde son affection, elle est sans failles.

Prénom classique assez peu répandu.

• **Prénoms français associés** : Jaberri - Xaverine - Xavière - Zavié (provençal).

• **Prénoms étrangers associés** : Javeri - Javier - Javiera - Saveria - Saviera - Savieri - Saviero - Savy - Véria - Xari - Xaveer - Xaver - Xavera - Xaveria - Xaviera - Xavieri - Xavierus - Xever - Xidi.

Saint François-Xavier est un jeune noble originaire de Navarre ; il rencontre saint Ignace de Loyola à Paris, à la Sorbonne où ils étudient ensemble. Il le suit lorsqu'il fonde la Compagnie de Jésus et part en tant que missionnaire en Inde, puis au Japon ; il meurt en Chine en 1552, à 46 ans.

Y

(garçons)

Yann

Fête le 24 juin.
Prénom d'origine hébraïque,
forme bretonne de Jean.

• **Étymologie** : vient de *yohanân* : Dieu a fait grâce.

• **Symbolique** : 9 - rouge - Cancer - rubis.

• **Caractère** : indépendant, entreprenant, Yann est un homme d'action attentif à ses intérêts personnels. S'il est assez individualiste, il n'en est pas moins généreux, fidèle en amitié et sensible au charme féminin. Il se montre toujours digne de la confiance accordée par ses proches.

Prénom classique en vogue dans les années 1980.

Saint Yann est venu d'Éphèse au 3e siècle pour s'installer en Bretagne, près de Lannion, avec six compagnons ; ils s'apprêtent à fonder un monastère lorsque l'empereur Decius ordonne qu'ils soient emmurés vivants. La légende raconte qu'on le retrouva vivant 177 ans plus tard.

Personnage célèbre : l'écrivain Yann Queffelec.

Yannick

Fête le 24 juin.
Prénom d'origine hébraïque,
forme bretonne de Jean.

• **Étymologie** : vient de *Yohanân* : Dieu a fait grâce.

• **Symbolique** : 5 - orange - Vierge - topaze.

• **Caractère** : sociable, ouvert et enjoué, Yannick a besoin de plaire ; il se montre conciliant, diplomate, mais refuse les compromis. Il satisfait sa grande curiosité par une intense activité et une capacité d'adaptation exceptionnelle.

Prénom en faveur dans les années 1970, peu répandu aujourd'hui.

Saint Yann* est le patron de Yannick.

Personnage célèbre : le tennisman Yannick Noah.

Yvain

Fête le 19 mai.
Prénom d'origine celte,
dérivé de Yves.

• **Étymologie** : vient de *iv* : if.

• **Symbolique** : 8 - vert - Gémeaux - émeraude.

• **Caractère** : combatif, courageux, ambitieux et opiniâtre, Yvain cherche à maîtriser toutes les situations. C'est un conquérant, loyal bien qu'entêté ; il aime commander et refuse toute contrainte ou soumission.

Prénom médiéval rare.

Saint Yves* est le patron de Yvain.

Yvain est un personnage du roman en vers de Chrétien de Troyes *Yvain ou le chevalier au lion*, du cycle des Chevaliers de la

Table ronde écrit vers 1170 ; compagnon du roi Arthur, il incarne l'idéal du chevalier, preux et fier qui met toute sa vaillance au service de la dame qu'il aime, défend les opprimés et prône les vertus de l'amour courtois.

Yves

Fête le 19 mai.
Prénom d'origine celte.

- **Étymologie** : vient de *iv* : if.
- **Symbolique** : 8 - orange - Verseau - topaze.
- **Caractère** : sensible mais viril, opportuniste mais courageux, Yves a le sens des affaires et une volonté à toute épreuve ; il est efficace et rapide, et se laisse aller facilement à l'impatience et à la colère s'il n'est pas suivi, ou s'il se sent trahi.

Prénom classique en faveur au début du 20e siècle, peu répandu aujourd'hui.

- **Prénoms français associés** : Éodez - Erwann* - Ivain - Ivan* - Ivane - Ivar - Ivelin - Ivon - Vonig - Vonne - Vonnie - Yeun, Youn et Youenn (bretons) - Yvain* - Yvaine - Yveline - Yvelyne - Yven - Yvette* - Yvon* - Yvonne*.
- **Prénoms étrangers associés** : Erwanna - Iva - Ivana - Ivetta - Ivi - Ivo - Ivor - Iwein - Yf - Yonen - Yonna - Yv.

Saint Yves Hilory naît en 1253 au manoir de Kermartin près de Tréguier. L'école est à 30 kilomètres du manoir, et il fait chaque jour le chemin à pied. À 14 ans, il part étudier le droit à Paris puis à Orléans et devient l'avocat des pauvres ; très pieux, il jeûne souvent et fait l'aumône. Il revient en Bretagne, défend "la veuve et l'orphelin", arbitre les conflits, tente de réconcilier les opposants. Il est ordonné prêtre en 1284, fonde un hôpital et s'occupe personnellement des malades. Il meurt en 1303.

Yvon

Fête le 19 mai.
Prénom d'origine celte, dérivé de Yves.

- **Étymologie** : vient de *iv* : if.
- **Symbolique** : 4 - orange - Lion - topaze.
- **Caractère** : réservé, calme, voire flegmatique, Yvon observe son entourage avant de se livrer. Il est très sélectif en amour comme en amitié, et préfère la solitude à des relations superficielles. Consciencieux et travailleur, il réussit grâce à sa persévérance et à sa patience.

Prénom assez répandu au début du 20e siècle.

Saint Yves* et le patron d'Yvon.

Z

(garçons)

Zacharie

Fête le 5 novembre.
Prénom d'origine hébraïque.

• **Étymologie** : vient de *Zekkaria* : Dieu s'est souvenu.

• **Symbolique** : 8 - orange - Sagittaire - topaze.

• **Caractère** : entreprenant, volontaire, efficace, Zacharie a un tempérament de meneur ; rapide dans l'action, il est souvent impatient, et ne supporte pas les échecs. Aussi se donne-t-il les moyens de réussir ce qu'il entreprend. Sa réussite professionnelle est sa priorité.

Prénom biblique rare.

• **Prénoms associés** : Zaccaria - Zack - Zachary - Zacheo.

Saint Zacharie est un prêtre juif au 1er siècle avant J.-C. et le mari d'Élisabeth, cousine de Marie ; il ne prend pas au sérieux la visite de l'archange qui vient lui annoncer que sa femme, stérile et âgée, va mettre au monde un fils ; il devient muet et ne retrouve la parole qu'à la naissance de son fils saint Jean-Baptiste.

Zacharie est le nom d'un des douze prophètes juifs à la fin du 6e siècle.

Zéphirin

Fête le 26 août.
Prénom d'origine grecque.

• **Étymologie** : vient de *zéphuros* : vent doux.

• **Symbolique** : 6 - jaune - Bélier - topaze.

• **Caractère** : sociable, charmeur et élégant, Zéphirin aime s'imposer. Il apprécie les voyages, les changements, mais très volontaire lorsqu'il est motivé, il est capable de persévérance.

Prénom rare.

• **Prénoms français associés** : Zéphyr - Zéphyrin - Zéphyrina - Zéphyrine.

Saint Zéphirin est pape de 199 à 217 ; il tente de vaincre l'hostilité de l'empereur Septime Sévère à l'égard des chrétiens et d'obtenir sa clémence pour les prisonniers.

Zéphir est, dans la mythologie grecque le dieu du vent d'ouest, époux d'Iris, la déesse de l'arc-en-ciel.

nos prénoms préférés

....

....

....

....

....

....

....

....

....

....

....

Imprimé en Espagne par Estella Graficas
Dépôt légal : mai 2010
ISBN: 978-2-501-06493-4
4053864 / 03

Pour l'éditeur, le principe est d'utiliser des papiers composés de fibres naturelles, renouvelables, recyclables et fabriquées à partir de bois issus de forêts qui adoptent un système d'aménagement durable.

En outre, l'éditeur attend de ses fournisseurs de papier qu'ils s'inscrivent dans une démarche de certification environnementale.